JOSEPH KEHREIN

KIRCHEN- UND RELIGIÖSE LIEDER AUS DEM 12. BIS 15. JAHRHUNDERT

Kirchen- und religiöse Lieder aus dem zwölften bis fünfzehnten Jahrhundert

Aus Handschriften der kaiserlich-königlichen
Hofbibliothek zu Wien

zum ersten Male herausgegeben von

JOSEPH KEHREIN

1969

GEORG OLMS VERLAG
HILDESHEIM · NEW YORK

Reprografischer Nachdruck der Ausgabe Paderborn 1853
Printed in Germany
Herstellung: Druckerei Lokay, 6101 Reinheim / Odw.
Best.-Nr. 5102 404

Kirchen- und religiöse Lieder

aus dem

zwölften bis fünfzehnten Jahrhundert.

Theils Ueberſetzungen lateiniſcher Kirchenhymnen (mit dem
lateiniſchen Text), theils Originallieder,

aus

Handſchriften der k. k. Hofbibliothek zu Wien

zum erſten Male herausgegeben

von

Joſeph Kehrein,

Profeſſor am herzoglich naſſauiſchen Gymnaſium zu Hadamar, des Vereins zur Erforſchung
der rheiniſchen Geſchichte und Alterthümer zu Mainz korreſpondierendem und der Geſellſchaft
für deutſche Sprache zu Berlin auswärtigem Mitgliede.

Paderborn,

Verlag von Ferdinand Schoeningh.

—

1853.

Seiner Kaiserl. Königl. Hoheit,

dem

durchlauchtigsten Herrn Erzherzog

Stephan Franz Victor

von Oesterreich, Königl. Prinzen von Ungarn und Böhmen etc. etc., Ritter des goldenen Vließes, Großkreuz des königl. ungarischen St. Stephans- und des österreich. kais. Leopold-Ordens und vieler anderer hohen Orden, kais. königl. österreich. Feldmarschall-Lieutenant, Inhaber des 58. Linien-Infanterieregiments, Herrn der Herrschaft Schaumburg und Grafen von Holzappel etc. etc. etc.

ehrfurchtsvoll

der Herausgeber.

Vorrede.

Es mögen in unfern Tagen die Individuen eine Stellung gegen das Chriftenthum einnehmen, welche fie immer wollen, fo viel wird auch der Kältefte, der gegen Glauben und Kirche Gleichgültigfte, ja der entfchiedene Gegner zugeftehen müffen, daß der chriftliche Glaube feit eintaufend Jahren ein mit dem nationalen Leben der Völker des Occidents, vor allem des deutfchen Volkes auf das innigfte ver= wachfenes Lebenselement, ein nicht etwa bloß das Wiffen, fondern das gefammte Sein der deutfchen Nation erfüllender, und diefelbe bis in ihre Tiefe befriedigender Lebensinhalt gewefen fei; davon legt das ganze Mittelalter in allen feinen Erfcheinungen ein zu lautes Zeugniß ab, als daß es felbft·von dem durch einen leidenfchaftlichen Unglauben Verblendeten geläugnet werden könnte; von diefer tiefen, innigen Befriedigung zeugen eben unfere Poefieen der alten Zeit auf die allerentfchiedenfte Weife: die ftille Ruhe, die ungetrübte Heiterkeit, die diefen Dichtungen inwohnt, der milde Schimmer des Friedens und der Behaglichkeit, der über fie ausgebreitet ift, beweift, daß die Nation fich mit fich felbft einig, daß fie fich in ihren tiefften Dafeinsbedürfniffen völlig befriedigt wußte ... Innerlich, und wenn man will, im Geheimen wurde der (im 16. Jahrhundert zuerft in Italien, fpäter in Deutfchland begonnene) Kampf (ftatt des national= deutfchen ein griechifch=römifches, ftatt des chriftlichen ein heidnifches

Bewußtfein zu erzeugen) fortgefeßt, bis gegen Ende des 17. Jahr=
hunderts in dem englifchen Deismus der langfam aufgefogene heid=
nifche Lebensinhalt zur Erfcheinung kam, und der Zwiefpalt zwifchen
dem überlieferten chriftlichen Leben und dem neuhinzugefügten antif=
heidnifchen Bewußtfein offen zu Tage lag. Die alte Befriedigung,
der man gleichfam müde geworden war, verfchwand; man trat will=
fürlich von dem Standpunkt des Habenden und Genießenden auf
den des Suchenden und Zweifelnden zurück. Auf den alten, daß ich
mich fo ausdrücke, naiven Standpunkt des fuchenden Griechen und
Römers konnte man gleichwol nicht wieder zurückkehren; daher hat
das moderne Suchen und Zweifeln etwas Unruhiges, Unftätes, Pi=
fiertes, Gewaltfames, ja in manchen Fällen etwas Krankhaftes und
Verzweifelndes, welches weit abfteht von dem frifchen Streben der
Griechen, noch viel weiter von der, man könnte faft fagen, feligen
Ruhe unferer älteren Zeit, zu welcher es vielmehr den geraden.
Gegenfaß bildet. Von diefem Suchen und Nicht=Finden ift unfere
ganze neuere Dichterzeit erfüllt, und nicht zu ihrem Vortheil. Der
erfte und bedeutendfte Repräfentant diefer Suchenden und Nicht=
Findenden ift Leffing ... Gewiß, unfere neue Dichterzeit hat fich
nur gewaltfam und zu ihrem Schaden des verföhnenden, Ziel und
Ruhe gebenden Elementes entfchlagen, des chriftlichen Elementes,
welches fie nicht aufnehmen mochte und doch nicht ignorieren kann.

Diefem von Vilmar gefchilderten Geifte unferer Literatur,
deffen Beginnen im 16. Jahrhundert liegt, deffen volle Entwickelung
in den Führern der deutfchen Dichterwelt im 18. bis 19. Jahrhundert
fich zeigt, traten zu verfchiedenen Zeiten einzelne Männer wie ganze
Genoffenfchaften entgegen, am kräftigften am Ende des vorigen und
im Beginn des gegenwärtigen Jahrhunderts die f. g. Romantiker.
Sie erklärten fich in feuriger Begeifterung zu Rittern des Chriften=
thums, bekannten die katholifche Kirche, verftanden fie aber nicht
immer; denn manche von ihnen wollten eine fymbolifche Umdeutung
des Katholicismus. Novalis wurde fich zuerft bewußt, daß die

ganze neuere Bildung im Christenthum wurzele und nothwendig auf diese ihre Grundlage wieder zurückgeführt werden müsse, wenn sie ferner Bedeutung und Bestand haben sollte. Für die allgemeine Religionsweckung war ihm die Poesie das natürlichste Mittel, und die christliche Poesie mithin eine Macht, die alle menschlichen Verhältnisse, das ganze diesseitige Leben durchdringen und verklären sollte: sie war ihm ein Gottesdienst, und der Dichter ein Priester. Friedr. von Schlegel strebte mit staunenswerther Vielseitigkeit nach einer Versöhnung von Glauben und Wissen in der Religion; er war, wie er selbst sagt, „in seinem Leben und seinen philosophischen Lehrjahren beständig nach der ewigen Einheit suchend, bis ihm endlich der Anschluß an die Kirche die innere Einheit gewährte." Würdig standen den Genannten A. W. v. Schlegel, Cl. Brentano, Arnim und (anfangs) Tieck zur Seite. Brentanos wahren Werth lernen wir aus der neuen zum ersten Male gedruckten Gesammtausgabe seiner Schriften (Frankfurt 1852) kennen. Der Glaube ist ihm, „dem am Ende seiner Irrfahrten, trotz Wogendrang und Sirenensang, in die Heimat des Glaubens und der Wahrheit Zurückgeführten," ein durch schwere innere Kämpfe wieder errungenes, in bitteren Täuschungen treu bewährtes, durch schmerzliche Leiden nur um so theurer gewordenes Gut. — Der wahrhaft romantische Geist starb dann allmälich ab, und die literarische Lüderlichkeit schien durch Heine und seine Genossen den Thron erstiegen zu haben und behaupten zu wollen. Da traten mancherlei kleinere und größere Ereignisse ein, zuletzt der „Völkerfrühling" und zeigten unwiderleglich, daß ohne Religion kein Staat bestehen kann, und daß, soll Deutschland, ja Europa von dem drohenden, mit Riesenschritten nahenden Untergange gerettet werden, dies nur durch ungeheuchelte Rückkehr zu der Lehre des Weltheilandes und der von ihm gestifteten Kirche möglich ist.

In Bezug auf die Poesie ist von manchen Literarhistorikern schon vor Jahren ein vollständiges Verstummen in nahe Aussicht ge-

stellt worden. Mit Recht? Wie die Natur nicht das ganze Jahr
hindurch Blüten und Früchte trägt, sondern auch eine Zeit hat, um
neue Kräfte zu sammeln: so hat auch noch kein Volk eine beständige
Blüte der Poesie gehabt. Wir dürften uns also nicht wundern,
wenn auch die deutsche Poesie einige Zeit ruhete; wir dürften uns
um so weniger wundern, als ohnehin der Materialismus und die
Noth der Zeit der Poesie nicht günstig sind. Was die dem Christen=
thum entfremdete Poesie der s. g. „schönen Sinnlichkeit" überhaupt
leisten kann, hat sie bei uns im 18.—19. Jahrhundert, in der zwei=
ten klassischen Periode unserer Literatur, geleistet; hier ist ein Weiter=
bilden nicht denkbar. Die Töne der Dichter der Fleischeslust und der
kosmopolitischen Nachtwächter, die Klagen der Weltschmerz=Poeten,
wie sie seit 2—3 Jahrzehnten erklangen, locken einen immer kleinern
Kreis von Hörern an, wenn auch die sakrilegische Verhöhnung alles
Heiligen in „Rococo" (von Laube), im „Tannenhäuser" (von
Levitschnigg) noch auf manchen Bühnen beklatscht wird, und die
Blasphemien Sallets, Heines u. A. manchem verkommenen
Christen als Weisheit erscheinen. Das Christenthum, dessen immer
wärmer werdende Lebendigkeit·wir mit Freuden begrüßen, hat, um
mit Herder zu reden, höhere Zwecke, als Poeten hervorzubringen.
— Soll also die deutsche Poesie ein weiteres Leben haben, soll sie
gar mit jugendlichem Muthe sich wieder emporschwingen; so muß sie
eine andere werden, als sie bisher gewesen ist. Im Jahr 1845 schloß
Vilmar seine „Vorlesungen über die Geschichte der deutschen National=
Literatur" mit folgenden Worten: „Ein gänzlicher Verfall der deut=
schen Dichtkunst ist nur dann möglich, wenn die Nation sich selbst,
ihre Kraft und ihre Thaten, ihren Beruf und ihre Geschichte ver=
gißt; er ist unmöglich, so lange ein starkes Bewußtsein von einer
großen Vergangenheit und eine volle, hingebende Liebe für die Ge=
sänge der Väter und Altväter in den Herzen der Jugend lebendig
sein wird. Vielleicht daß, wenn dieses Bewußtsein erhalten, diese
Liebe gepflegt wird, früher oder später, im nächsten Menschenalter

oder nach einer Reihe von Generationen — denn wer will die Zeiten der Zukunft ausmessen? — vielleicht daß dann ein drittes Blüten= alter unserer Poesie eintritt, in welchem die tiefe Glaubensbefriedi= gung und das starke Nationalgefühl der älteren mit dem vollendeten Weltbewußtsein der jüngeren Zeit sich zur leuchtenden Sternenkrone über den Häuptern einer glücklichen Nachwelt vereinigt."

Diese von Vilmar gestellten Bedingungen sind noch nicht ein= getreten, aber Eins tritt immer mehr hervor: Die Nothwendigkeit einer „tiefen Glaubensbefriedigung." Und von dieser Seite ist es denn auch schon besser geworden in unserer Poesie. Wir vernehmen schon andere Töne, und diese ergreifen die Seele um so tiefer und mächtiger, weil sie nicht von alt= oder neuheidnischer Leyer, sondern von christlicher Harfe ertönen. Ich übergehe einige hierher gehörige protestantische Dichter, wie Knapp, Spitta u. A., und erinnere, außer den vor Kurzem verstorbenen Katholiken Pyrker († 1847), Smets († 1848), Droste=Hülshoff († 1848), Joh. Georg Müller († 1849), Rath Schlosser († 1851), Guido Görres († 1852), an die noch lebenden katholischen Lyriker und Epiker: Pocci, Beda Weber, W. Junkmann, J. P. Silbert, G. J. Elshoff, Seb. Brunner, Wilh. Gärtner, Gedeon von der Heide (eig. Berger), Ida Hahn=Hahn, die Kardinäle v. Geissel und v. Diepenbrock, zuletzt an Oscar von Redwitz. Möge die „Amaranth" des Letztgenannten der Grundstein zum Neubau der christlichen Epik in unserem Vaterlande sein, wie seine „lyrischen Ge= dichte" mit mehreren der genannten Dichter schöne und duftreiche Blumen im Garten einer christlichen Lyrik sind!

Wie zu der Zeit der Romantiker, so ist auch in neuerer Zeit eine große Liebe zu den Schätzen des deutschen Mittelalters erwacht, wo das ganze Leben, das staatliche, künstlerische und wissenschaftliche, von religiös=kirchlichem Geiste durchweht war. Diesem wieder er= wachten religiösen Geiste haben wir es auch zu verdanken, daß meh= rere Männer der Literatur der früheren (lateinischen, griechischen

und dentſchen) religiöſen Lyrik, beſonders der Geſchichte des Kir=
chenliedes ſich zugewendet haben; und dies mit um ſo größerem
Rechte, als von mancher Seite her namentlich das deutſche Kirchen=
lied vor der Reformation in ſeinem Werthe verkannt, ja, nach
Aufſtellung einer weder durch die Geſchichte, noch durch die Poetik,
noch weniger durch den kirchlichen Kultus gerechtfertigten Begriffs=
beſtimmung von Kirchenlied, deſſen Daſein geradezu in Abrede geſtellt
worden iſt.

Ueber den Werth der lateiniſchen und griechiſchen Kirchenhymnen
ſprechen Kenner mit der höchſten Achtung. Hören wir hier nur zwei
derſelben, die übrigens keine Katholiken ſind. Vor mehr als 50
Jahren ſprach Herder: „Ueber das Ganze iſt ein Strom der Be=
geiſterung, der lyriſchen Fülle und eines ſo lauten Jubels verbreitet,
daß, wenn man es auch nicht wüßte, man es mit großer Gewalt
fühlt, eine ſolche Anordnung ſei nicht das Werk eines Menſchen,
ſondern die Ausbeute ganzer Nationen und Jahrhunderte in ver=
ſchiedenen Himmelsſtrichen und den mannigfaltigſten Situationen.
Wol hat das Chriſtenthum höhere Zwecke, als Poeten hervor=
zubringen; auch waren ſeine erſten Lehrer keine Dichter. Ihre
Hymnen waren durchaus nicht auf Schönheit eines klaſſiſchen Aus=
drucks, auf die Anmuth der Empfindung im gegenwärtigen Moment,
kurz, auf die Wirkung eines eigentlichen Kunſtwerkes berechnet, ſo
wie ſie auch nicht zum Zeitvertreib gedichtet waren. Aber wer iſt,
der ihnen Kraft und Drang zur Seele abſprechen könnte? Jene
heiligen Hymnen, die Jahrhunderte alt und bei jeder Wirkung noch
neu und ganz ſind, welche Wohlthäter der armen Menſchheit ſind ſie
geweſen! Sie giengen mit dem Einſamen in ſeine Zelle, mit dem
Gedrückten in ſeinen Kummer, in ſeine Noth, in ſein Grab. —
Es iſt nichts weniger als ein neuer Gedanke, der uns hier rührt,
dort mächtig erſchüttert; Gedanken ſind in dieſen Hymnen überhaupt
ſparſam. Manche ſind nur feierliche Recitationen einer bekannten
Geſchichte, oder ſie ſind bekannte Bitten und Gebete. Selten ſind

es überraschend feine und neue Empfindungen, mit denen sie uns etwa durchströmen; aufs Neue und Feine ist in den Hymnen gar nicht gerechnet. Was ists denn, was uns rührt? Einfalt und Wahrheit. Hier tönet die Sprache eines allgemeinen Bekenntnisses, eines Herzens und Glaubens."

Im Jahr 1844 sprach Fortlage über die christlichen Hymnen: „Das Feuer der Offenbarung in seiner einfachen starken Wirkungs= kraft, wo es gleichsam Felsen zerbricht und der Herzen Eisdecke sprengt, ist vorherrschend in demjenigen ältesten Theile der römisch= christlichen Poesie, der sich an den Ambrosianischen Hymnengesang anschließt, einen Gesang, welcher sich in den einfachsten Tönen be= wegt, und selten Reime anwendet. Sein Charakter ist große Schmuck= losigkeit. Sogar wie durch Dornen und Gestrüpp geht oft der rauhe Pfad. Aber unter der Worte höckeriger Decke sprühet feurige Schlag= kraft, Gewalt des Alles zersprengenden, geoffenbarten Worts. Die Empfindung redet nicht sich, sondern allein ihren Gegenstand in un= verzierter Haltung. Man kann dies den Urgesang des Christenthums, den Gesang seiner moralischen Energie nennen. Denn es gebiert sich bei ihm in der Seele ein weltüberwindender Stoicismus, eine Stimmung, deren wahrhaft römische Größe darin besteht, über Ein= drücken erhaben zu stehen, und sich sowohl Schmerz als Lust zum bloßen Gegenstand zu machen, über welchem der höhere Grundsatz walte mit einem Glauben, der aus Entschluß bei seinem Dogma beharrt, ohne zu sehr nach Beglaubigung durch stets zu erneuende innere Erfahrungen oder Gefühle zu verlangen. Solcher Glaube ist seiner Natur nach der unerschütterlichste, weil er nicht in der Gefühls= region, sondern in der moralischen Sphäre des religiösen Entschlusses wurzelt, und seine Stellung nicht anders auffaßt, als einen Kampf mit der Welt im Innern und der Welt von Außen. Dieser erhabene Stoicismus im Christenthum ist es gewesen, welcher durch seine nicht zu ermüdende Ausdauer dem Kreuz den Sieg bereitet hat. Im neuen Testament sehen wir den Grundzug seiner rüstigen Orthodoxie besonders in Paulus ausgesprochen. — Das Feuer der Empfindung, welches im altrömischen Gesang nie zum unmittelbaren Ausbruch kam, sprühete dagegen heller auf in Spanien, besonders in der Poesie des Prudentius, als Gluten einer mit Vorliebe dem Märtyrer- thum gewidmeten Empfindung, die oft wie in schrecklich schönen Farbenspielen gleichsam vulkanisch aus der Erde hervorbrechen, in ungewohnter Weise Fremdartiges offenbarend, Wunder einer un- erhörten Welt enthüllend. Wenn die Schmucklosigkeit der Ambrosia- nischen Gesänge an das Gebot Mosis erinnert, Gotte nicht auf behauenen Altären zu opfern; so kommt in Spanien dagegen mit Prudentius eine Wiedergeburt flammender Psalmenpoesie zum Vorschein, brennend in buntfarbigen Lichtern gleich dunkelklarer Glas- malerei. Es wälzt sich die Seele in tiefen und starken Empfindun- gen, und es entsteht hieraus das Hervorragendste, Prächtigste und Köstlichste, was die geistliche Poesie des Christenthums hervorgebracht hat. Ein Himmel und Erde durchtönendes Orgelwerk scheint im Gange zu sein, das mit Schauern innerer Unwürdigkeit, mit Flehen und Zerknirschung, mit Frohlocken über Gottes Güte, mit Klagen und Seufzern über den menschlichen Fall und Triumphtönen der Er- lösung das Weltall durchzittert. Oder das Feuer der Todestrunken- heit sprühet aus Triumphliedern der Märtyrer, glühendfremd, im Gewande des buntgefleckten Tigers, und bildet so die Höhe dieser freieren und mehr ekstatischen Tonart, entgegen der mehr gemessenen und gedämpften altrömischen, ähnlich wie sich auch in der profanen Dichtung des Südens Calderons buntflammende Lichter von Dantes düsterer Strenge und Tassos gesättigtem Farbenschmelz unterscheiden. — Mit Fortunatus geht dieser reichere Liedeston nach Italien über, in den Schauern seines Vexilla regis und Pange lingua, und setzt sich hier und in Frankreich später zu den reichen Gesangsadern eines Peter Damiani, Thomas von Aquin, Adam von St. Victor, Bernhard Bonaventura fort, bis er in den Schrecken des flammenden Dies irae und den süßen Seufzern des Stabat mater

seine beiden höchsten berühmten Gipfel erreicht, zu denen diese Poesie
aufwuchs, den der Vorstellung des Weltgerichtes und den des Marien=
dienstes. Aber was zwischen ihnen die Mitte bildet und zugleich
immer die Tiefe der christlichen Dichtung gewesen ist, ist das Ele=
ment eines tiefen Reueschmerzes, worin gleich einem geheimnißvollen
Baum das Holz des Kreuzes als das centrale christliche Mysterium
hervorblickt."

Als ich im Jahr 1840 meine, nicht bloß Hymnen, sondern
auch andere Gedichte enthaltende, „Lateinische Anthologie aus den
christlichen Dichtern des Mittelalters, für Gymnasien und Lyceen mit
Anmerkungen begleitet, Frankfurt a. M." herausgab, wünschte und
hoffte ich, daß in den obern Klassen der genannten Anstalten, neben
den griechischen und römischen Klassikern, den Erzeugnissen der christ=
lichen Dichter, deren Inhalt mit unserm ganzen geistigen und mo=
ralischen Leben so innig zusammenhängt, ein bescheidenes Stündchen
in der Woche gegönnt werden möchte. Was ich damals für unsere
deutschen Schulen im Kleinen, aber leider! vergebens hoffte, scheint
jetzt in Frankreich im Großen in Erfüllung gehen zu wollen, wo
man bestrebt ist, der heil. Schrift, den Martyrerakten, den Werken
der Kirchenväter, den Gesängen der Kirche wieder wie früher eine
Stelle in den höheren Schulen einzuräumen. In dem leidenschaft=
lichen Kampfe über Ausschließung und Beibehaltung der heidnischen
Klassiker in den Schulen geht man wol von beiden Seiten zu weit: nicht
das heidnische Alterthum, dem Gott einen Platz in der Entwickelung
der Menschheit angewiesen, an sich trägt die Schuld des für unsere
Schulen Schädlichen, sondern die falsche Auffassung desselben von Sei=
ten der meisten Philologen, Philosophen und Dichter seit Fr. A. Wolf
und Fr. Jacobs; der Götzendienst, den man mit der sogenannten Hu=
manität getrieben hat und noch treibt. Oesterreich hat in dieser Hin=
sicht jüngst wieder den richtigen Weg der Jesuiten betreten: es will,
so heißt es, die heidnischen Klassiker als historische Quellen und be=
sonders als Muster der Darstellung beibehalten, nur das politisch, mo=

ralisch und religiös Anstößige daraus entfernen, ehe sie den Schülern
in die Hände gegeben werden. Ich fordere vor Allem christliche
Lehrer und stimme dann gerne den Worten bei, mit welchen in
den histor. polit. Blättern Bd. 30, S. 91 f. ein Aufsatz über
„Classisches Alterthum und Philologie, und ihr Verhältniß zu Christen=
thum und christlicher Erziehung" schließt (S. 104): „So entschieden
wir indeß das Vorhaben zurückweisen müssen, die Schriften der heil.
Väter an die Stelle der heidnischen Autoren zu setzen, so gerne stimmen
wir denen bei, welche jenen neben diesen den Zugang auf den Gym=
nasien verschaffen möchten. Wer einigermaßen mit den heil. Vätern
bekannt ist, muß sie als die vom heil. Geiste erleuchteten und erfüll=
ten Interpreten der christlichen Religion, als die sichersten Führer
zur Erkenntniß ihrer göttlichen Wahrheiten anerkennen, und es von
ganzer Seele bedauern, daß Jünglinge, welche der höchsten wissen=
schaftlichen Bildung entgegenstreben, mitten in der Kirche mit den
Schätzen der Kirche unbekannt bleiben, oder wol gar gewöhnt wer=
den, mit vornehmer Verachtung an ihnen vorüberzugehen."

Im Jahr 1818 gab, jedoch nicht zum Schulgebrauche, C. A.
Björn seine „Hymni veterum poëtarum christianorum ecclesiae lati-
nae selecti, Hafniae. 8." heraus. Die reichste Sammlung der latei=
nischen, griechischen und syrischen Hymnen hat in neuerer Zeit
H. A. Daniel herausgegeben unter dem Titel: Thesaurus hymno-
logicus sive hymnorum canticorum sequentiarum circa annum MD
usitatarum collectio amplissima. Halle 1841—46. 3 Bde. 8. In=
haltreich ist auch die Sammlung von Edél du Meril: Poésies popu-
laires latines du moyen âge. Paris 1843. 1847. Ueber Sprache
und Metrik der lateinischen Hymnen ist recht belehrend: De poësis
latinae rhythmis et rimis praecipue monachorum libellus von Chr.
Theoph. Schuch, Donaueschingen. 1851. 8.

Die Geschichte des deutschen Kirchenliedes vor der
Reformation ist, außer in manchen Liturgiken (z. B. der inhalt=
reichen von Dr. J. B. Lüft) und Zeitschriften („Katholik" u. a.),

in neuerer und neuester Zeit besonders bearbeitet in folgenden Wer=
ken: a. (kathol.) 1) „Das deutsche Kirchenlied vor der Reformation, mit
alten Melodien", von Dr. B. Hölscher, Münster 1848. 8. (enthält
zugleich 58 ältere Lieder); 2) „Kurze Geschichte des katholischen Kirchen=
gesanges", von H. A. Kienemund, 2. A. Mainz 1850. 8.; 3) „Der
deutsche Choralgesang der katholischen Kirche, seine geschichtliche Ent=
wickelung, liturgische Bedeutung und sein Verhältniß zum protestan=
tischen Kirchengesange, Ehrenrettung desselben wider die Behauptung,
daß Luther der Gründer des deutschen Kirchengesanges sei", von
Fr. Bollens, Tübingen 1851. 8.; b. (protest.) 1) „Geschichte des
deutschen Kirchenliedes bis auf Luthers Zeit", von H. Hoffmann,
Breslau 1832. 8.; 2) „Das deutsche Kirchenlied von Martin Luther
bis auf Nicolaus Hermann und Ambrosius Blaurer", von K. E.
Ph. Wackernagel, Stuttgart, 1841. 8.; 3) „Die Tonkunst im
evangelischen Cultus," von Fr. C. Anthes, Wiesbaden 1846. 8.
(läugnet, wie Wackernagel, das Vorkommen eines deutschen Kirchen=
liedes vor der Reformation); 4) „Geschichte des christlichen, ins=
besondere des evangelischen Kirchengesanges und der Kirchenmusik,"
von J. E. Häuser, Quedlinburg und Leipzig 1834. 8.; 5) „Ge=
schichte des Kirchenliedes und Kirchengesanges", von E. E. Koch,
Stuttgart 1847. 2 Bde. 8.; 6) „Geschichte der biblisch=kirchlichen
Dicht= und Tonkunst und ihrer Werke", von J. K. Schauer, 1. Bd.
Jena, 1850. 8. (gesteht mit Häuser und Koch das deutsche Kirchen=
lied vor der Reformation zu).

Uebersetzungen der lateinischen Kirchenhymnen, Sammlungen
älterer Kirchenlieder enthalten: a. (kathol.) 1) „Die Psalmen und
Gesänge der heil. Schrift, nebst den Hymnen der ältest. christl. Kirche,
metrisch paraphrast. übersetzt" (von M. F. Jäck), Freiburg 1819.
2 Bde. 8.; 2) „Auswahl der schönsten geistlichen Lieder älterer Zeit
in ihren originalen Sangweisen", München 1845. 47. 2 Thle. 8.;
3) „Lieder der Kirche, deutsche Nachbildungen altlateinischer Origi=
nale", Schaffhausen 1846. 8.; 4) „Geistliche Volkslieder mit ihren

ursprünglichen Weisen, gesammelt aus mündlicher Tradition und sel=
tenen alten Gesangbüchern", Paderborn 1850. 4.; 5) „Lauda Syon,
altchristliche Kirchenlieder und geistliche Gedichte, lateinisch und deutsch",
von K. Simrock, Köln 1850. 8.; 6) „Die Kirche in ihren Lie=
dern", von J. Fr. H. Schlosser, Mainz 1851. 52. 2 Bde. 8.;
7) einzelne Hymnen sind übersetzt in verschiedenen Gesang= und Ge=
betbüchern, z. B. von Sambuga, Wessenberg, Deutschmann,
Silbert, Nickel, Bone (Cantate! 2. A. Paderborn 1851. 8.),
Moufang, Schmitz u. A.; b. (protest.) 1) „Anthologie christlicher
Gesänge aus allen Jahrhunderten der Kirche", von A. J. Ram=
bach, Altona und Leipzig 1817 f.; 2) „Alte christliche Lieder und
Kirchengesänge, deutsch und lateinisch", von A. L. Follen, Elberfeld
1819. 8.; 3) „Hymnologischer Blüthenstrauß altlateinischer Kirchen=
poesie", von H. A. Daniel, Halle 1840. 8.: 4) „Gesänge christ=
licher Vorzeit, Auswahl des Vorzüglichsten aus dem Griechischen und
Lateinischen übersetzt", von C. Fortlage, Berlin 1844. 8.; 5) „La=
teinische Hymnen und Gesänge, deutsch unter Beibehaltung der Vers=
maaße, mit beigedrucktem lateinischem Urtexte", von G. A. Königs=
feld, Bonn 1846. 8.

Alt= und mitteldeutsche Uebersetzungen lateinischer Kirchenhymnen
und religiöse Originallieder enthalten u. A. 1) „Hymnorum veteris
ecclesiae XXVI. interpretatio theotisca nunc primum edita", a Jac.
Grimm, Göttingen 1830. 4.; 2) „Lieder und Sprüche der Minne=
sänger," von Häppe, Münster 1844. 8.; 3) „Altdeutsches Lesebuch",
von W. Wackernagel, 2. A. Basel 1839. 8.; 4) meine „Proben
der deutschen Poesie und Prosa", 1. Theil. 2. A. Jena 1851. 8.
— Eine reiche Ausbeute für künftige Sammlungen religiöser und
Kirchen=Lieder aus der früheren Zeit liefern u. A. die „Minnesinger",
von H. v. d. Hagen, die „altdeutschen Volkslieder", von Uhland,
die „altdeutschen Volks= und Meisterlieder", von Görres.

Mehrere der oben genannten Literarhistoriker beklagen es mit
Recht, daß noch so mancher Schatz unserer kirchlichen Lyrik in dieser

und jener Bibliothek verborgen liege. Hoffmann und nach ihm Andere weisen dabei besonders auf Handschriften in Wien hin, und zwar gerade auf einige derjenigen, aus denen vorliegende Sammlung hier zum ersten Male gedruckt erscheint. Ich füge darum eine nähere Angabe der Handschriften bei, aus welchen diese Sammlung genommen ist, schicke aber kurz voraus, wie ich zu der Abschrift gekommen bin.

Im Sommer des Jahres 1851 hatte ich das Glück, Sr. K. K. Hoheit, dem durchlauchtigsten Herrn Erzherzog **Stephan** auf dem Schlosse Schaumburg (in Nassau) bekannt zu werden. In einer längeren mir unvergeßlichen Unterredung über deutsche Sprache und Literatur geschah auch der altdeutschen Schätze der k. k. Hofbibliothek in Wien Erwähnung, und namentlich des religiös=kirchlichen Theiles derselben, wobei ich auf ausdrücklichen Wunsch Sr. K. K. Hoheit diejenigen Handschriften bezeichnete, die für mich von besonderem Interesse wären. Nach einigen Wochen wurde ich höchst freudig überrascht durch eine Zusendung Sr. K. K. Hoheit, welche eine von Joseph Haupt, Hilfsarbeiter an der k. k. Hofbibliothek in Wien, gefertigte und von dem Hilfsarbeiter Joseph Müller genau verglichene Abschrift der von mir längst gewünschten literarischen Schätze enthielt. Meinen schon früher ausgesprochenen Dank für dieses mir höchst werthvolle Geschenk fühle ich mich gedrängt, dem Hohen Geber hier öffentlich zu wiederholen.

Die erste Handschrift Nr. 2682 (in Hoffmanns „Verzeichniß der altdeutschen Handschriften der k. k. Hofbibliothek zu Wien," Leipzig 1841. 8. Nr. CCXXXIX) ist eine Pergamenthandschrift in 4. (klein Fol.), nach Hoffmann aus dem 12. Jahrhundert. In dieses Jahrhundert versetzt sie auch Graff (Althochdeutsch. Sprachschatz I. Vorr. LXXXIII. Wn. 1542), der einzelne Wörter aus 1, 2, 3, 5, 6, 8, 9, 12, 13, 14, 15, 16, 17, 18, 19, 20, 21, 22, 23, 24, 25, 26, 27, 28. 30, 31, 32, 33, 34, 35, 36, 37, 39, 41 in seiner Diutiska III, 170. 171 hat abdrucken lassen. Nach einer brieflichen Mittheilung von J. Haupt soll die deutsche Schrift der Interlinearversion der Kirchenhymnen höchstens dem Ende des 13., wo nicht dem Anfang des 14. Jahrhunderts angehören. Was die deutsche Schrift betrifft, so mag dies richtig sein (ich habe, da ich die Handschrift nicht selbst gesehen, darüber kein Urtheil), die Uebersetzung selbst aber ist gewiß älter. Dafür zeugt die ganze Beschaffenheit der Sprache, die ohne Zweifel der Uebergangszeit aus dem Althochdeutschen ins Mittelhochdeutsche angehört. Man beachte nur, außer einzelnen Wörtern, das verhältnißmäßig seltene Vorkommen des Umlautes, die Diphthonge ae, ai, aei, den häufigen Anlaut ch, die zahlreichen Participien auf -und, die Ableitungen auf -nusse etc. Daraus, daß manches lateinische Wort doppelt übersetzt ist (f. 50, 60, 61, 62, 63, 72, 100), kann man vielleicht auf eine jüngere nachbessernde Hand schließen. — Die 113 Hymnen stehen in der Handschrift, die noch mehrere andere religiöse Werke enthält, S. 144^b—179^b. 179½^a—186^b. Ich gebe einen genauen Abdruck der Handschrift (wie auch der anderen unten genannten Handschriften) und bemerke unter dem Text die etwa zu machenden Aenderungen. Der lateinische Text ist größtentheils aus Daniel's Thesaur. hymnolog. genommen und nach den dort verzeichneten Lesarten der deutschen Uebersetzung, die ja eine ganz genaue Interlinearversion ist, angepaßt. Wo die Lesarten bei Daniel und in einigen anderen (ältern) Sammlungen nicht ausreichten oder mich in Zweifel ließen, habe ich mir aus der Originalhandschrift in Wien die betreffenden Wörter abschreiben lassen, so in 2, 8. 5, 2: 16, 4. 17, 3. 23, 1. 30, 7. 31, 4. 32, 4. 36, 4. 38, 1. 44, 3—5. 58, 2. 60, 5. 7. 61, 1. 2. 4. 66, 1. 72, 1. 4. 6—8. 74, 13. 75, 6. 76, 1. 77, 5—8. 83, 6. 85, 4. 101, 2. 5. 6. 102, 2. 106, 3. Von mehreren Hymnen hat Daniel nur 1—2 Strophen, andere fehlen bei ihm ganz: zu jenen gehören 40, 46, 47, 49, 64, 81, 82, 84, 87, 88, 89, 94, 98, 103, 111, zu diesen 48, 50, 51, 69, 78, 90, 93, 95, 99, 100. Beide Klassen habe ich mir in Wien ganz abschreiben lassen und biete, so darf ich wol glauben, dem Leser somit auch einige bis jetzt nicht gedruckte lateinische Hymnen. Die Verfasser der lateinischen Hymnen sind unter dem Text genannt, wie sie gewöhnlich angegeben werden; bei vielen herrscht bekanntlich Unsicherheit, am meisten bei Ambrosius.

Die zweite Handschrift Nr. 2735 (bei Hoffmann Nr. L) ist eine Pergamenthandschrift in 8° aus dem 14. Jahrh. Das daraus mitgetheilte Glossenlied (Nr. 1 der 2. Abthl. S. 125) steht S. 152ª—153ª. Die Ueberschrift ist von jüngerer Hand; die Strophen sind zum Theil abgetheilt, die einzelnen Verse durch einen Punkt geschieden.

Die dritte Handschrift Nr. 2856 (bei Hoffmann Nr. CLXXI) ist eine Pergamenthandschrift in Fol. aus dem 14.—15. Jahrhundert. Die Ueberschriften der Lieder sind roth von älterer, die Worte des münichs schwarz von jüngerer Hand geschrieben. Die Lieder (Nr. 2—25 der 2. Abthl. S. 144—192) stehen S. 177ª—185ᵇ. 223ª—244ᵇ. Die Strophen und Verse sind bald abgesetzt, bald nicht. Die Lieder Nr. 13, 14, 15, 16, 18, 20 sind ganz in Musik gesetzt, was für ihren kirchlichen Gebrauch spricht. Der münich ist wahrscheinlich Johann von Salzburg (im Dienste des Erzbischofs von Salzburg, Pilgrim von Puchhain, gest. 1396), der als Uebersetzer vieler Kirchenhymnen bekannt ist.

Die vierte Handschrift Nr. 3027 (bei Hoffmann Nr. XCII) ist eine Papierhandschrift in 8° aus dem 15. Jahrhundert. Die Lieder (Nr. 26—29 der 2. Abthl. S. 193—201), zum Theil nach Strophen und Versen abgetheilt, stehen S. 210ᵇ—212ᵇ. 276ª—279ª. 293ª— 294ᵇ. 351ᵇ—353ª. — Der lateinische Text von Nr. 29 ist mit Musik begleitet.

Die fünfte Handschrift Nr. 2880 (bei Hoffmann Nr. LXXVIII) ist eine Papierhandschrift in Fol. aus dem 15. Jahrhundert. Die Lieder (Nr. 30—32 der 2. Abthl. S. 202—206), nach Strophen und Versen abgetheilt, stehen S. 11ª—12ᵇ. 148ª—149ª.

Den Anhang, der einige schon hier und da gedruckte Ueber=
setzungen und Lieder enthält, möge der Leser als eine belehrende
Zugabe betrachten.

Das beigegebene Wörterbuch ist nicht für den eigentlichen
Kenner des Altdeutschen, sondern für Leser bestimmt, welche unserer
frühern Sprache minder kundig sind. Um jedoch auch dem deutschen
Sprachforscher Einiges zu bieten, habe ich alle in der Uebersetzung
der Hymnen aus dem 12. Jahrh. vorkommenden, und aus den Lie=
dern der spätern Zeit jene Wörter verzeichnet, welche mir irgendwie
dem Sprachforscher von einiger Wichtigkeit zu sein schienen. Zugleich
wurden darin einige Spracheigenthümlichkeiten der Hymnen für den
Freund des geschichtlichen Sprachstudiums zusammengestellt, vgl. ae,
aei, aer, aller, cch, ch, chk, der, du, -icheit, kch, kk, n, sc,
soln, stund, vil, ze, Flexion, Gerundium, Imperativ, Participium,
Pronomen, Superlativ.

Hadamar, im Oktober 1852.

J. Kehrein.

Erste Abtheilung.

Uebersetzung von 113 lateinischen Hymnen aus dem zwölften Jahrhundert.

———————

Zwölfftes Jahrhundert.

I.

I.

1. *Primo dierum omnium,*
   Quo mundus exstat conditus,

   Vel quo resurgens conditor

   Nos morte victa liberat;

1. * erste der tage aller
   an dem div werlte gestat ge-
   scaffen
   oder an dem ufstenter der
   sceffaer
   vns dem tode vberwunden lose.

2. *Pulsis procul torporibus*
   Surgamus omnes ocyus,
   Et nocte quaeramus pium
   Sicut prophetam novimus.

2. vertriben verre der trachheit
   vf ste wir alle drate
   vnd nahtes svche wir den gv̊ten
   also den wissagen wir versten.

3. *Nostras preces ut audiat,*
   Suamque dextram porrigat,
   Et expiatos sordibus
   Reddat polorum sedibus.

3. vnser dige daz er hore
   vnd sin zesewe rechke[1])
   vnd gereinet von achusten
   widergeb der himele gesidele.

I. *Von Gregor d. Gr. — D. I,* '175. *K.* 155. *Sch. I,* 92.
 *) Bj. = Björn: Hymni etc. — Bo. = Bone: Cantate. — Br. =
Breviarium rom. — D. = Daniel: Thes. hymnol. — K. = Kehrein: La-
tein. Anthol. — Sch. = Schlosser: Die Kirche in ihren Liedern. — Sm.
= Simrock: Lauda Sion. — Siehe über diese Werke die Vorrede.

 1) So die Hands. statt recche.

1*

4. *Ut quique sacratissimo*

Hujus diei tempore
Horis quietis psallimus,
Donis beatis muneret.

4. daz wir ieglie [1]) an dem aller-
   heiligist
des tages zite
den wilen rŭwigen singen
mit gaben saeligen er vns gabe.

5. *Jam nunc, paterna claritas,*
Te postulamus affatim,
Absit libido sordidans,
Omnisque actus noxius.

5. alzan vaeterlichiv berhtel
dich bitte wir emzicliche
dan si hvrlvst vnsvberndiv
vnd allez werch scedlichez.

6. *Nec foeda sit vel lubrica*
Compago nostri corporis,
Per quod averni ignibus
Ipsi crememur acrius.

6. niht vnsvber si oder sliffend
div fŭge vnsers libes
dvrch die von der helle fivwern
wir gebrant werden grvliche.

7. *Ob hoc, redemptor, quaesumus,*
Ut probra nostra diluas,
Vitae perennis commoda
Nobis benigne conferas.

7. darumb vrlosaere wir bitten
daz die itewize vnser dv wascest
des lebens ewiges gevŭre
vns genaediclich bringes.

8. *Quo carnis actu exules,*
Effecti ipsi coelibes,
Ut praestolamur cernui,
Melos canamus gloriae.

8. daz des vleisces werche ellend
gemachet wir himelbvwaer
als wir bitten sehende
daz sanch singe wir der ere.

9. *Praesta, Pater piissime,*
Patrique compar Unice,
Cum Spiritu paraclito,
Regnans per omne saeculum!

9. daz verlih vater allerbest
vñ dem vater ebenlich eniger [2])
mit dem geiste trostsam
rihsent vber alle werlte.

II.   II.

(S. unten Anhang Nr. I.)

1. *Aeterne rerum conditor,*
Noctem diemque qui regis,

1. Ewiger der dinge scepfaere
die naht uñ den tach dv rihtes

II. Von Ambrosius. — Br. Bj. 43. D. I, 15. K. 28. Sch. I, 5.
[1]) Statt i e g l i c h e.
[2]) Für e i n i g e r, wie 60, 6; 86, 7 steht.

Et temporum das tempora,
Ut alleves fastidium.

2. Praeco diei jam sonat

   Noctis profundae pervigil,
   Nocturna lux viantibus

   A nocte noctem segregans.

3. Hoc excitatus Lucifer
   Solvit polum caligine.
   Hoc omnis erroris chorus
   Viam nocendi deserit.

4. Hoc nauta vires colligit,

   Pontique mitescunt freta,
   Hoc ipsa petra ecclesiae

   Canente culpam diluit.

5. Surgamus ergo strenue,
   Gallus jacentes excitat,

   Et somnolentos increpat,
   Gallus negantes arguit.

6. Gallo canente spes redit,

   Aegris salus refunditur,

vn̄ der zite gibes zite
daz dv ringes vrdrvzze.

2. der scerge des tages alzan
   lvtet [1])
   der naht tieffer [2]) dvrwachig [3])
   daz nahtig lieht den weg
   varenden
   von der naht die naht tei-
   lenter.

3. davon erwechet der tagstern
   loset den himel von vinster
   davon aller irrtvmes chor
   den wech scadens verlat.

4. davon der scefman die creft
   samenet
   vn̄ des mers semften tobheit
   davon selbe der stein der
   christenheit
   singvntem die scvlde abwusch.

5. vf ste wir gereht ernstliche
   der hane die likkenden [4])
   wekchet
   vn̄ die slaftraegen refset
   der han die lovgnvnd [5]) refset.

6. dem hanen singvnd zvover-
   siht wider vert
   den siechen heil wider gozen
   wirt

---

[1]) Unten 8 steht luttet, 74, 1 luten, 106, 4 lůtet. Graff IV,
4099 führt auch mehrere Beispiele mit tt an.
[2]) Sonst tiefer.
[3]) Auch sonst findet sich dur statt durh, durch.
[4]) Unten 37, 6 steht das gebräuchlichere ligen. Graff II, 82 fg.
führt mehrere Beispiele mit verduppeltem Kehllaut an: likkan, liggan,
liccant, licke, lickante.
[5]) Richtiger lovgnvnden.

Mucro latronis conditur,

Lapsis fides revertitur.

daz svert des sçachaeres ver-
borgen wirt
den beslipften gelovbe wider
chumet.

7. *Jesu labantes respice,*
Et nos videndo corrige;
Si respicis, lapsi stabunt,

Fletuque culpa solvitur.

7. Jesv die slipfenden an sich
vnd vns ansehend rihte
ob dv ansiehes [1]) die be-
sliften *
vn̄ von weinen div scvld ze-
lost wirt.

8. *Tu, lux, refulge sensibus,*
Mentisque somnum discute,
Te nostra vox primum sonet,
Et ora solvamus tibi.

8. dv lieht widerscine den sinnen
vn̄ des mvtes slaf zeschutte
dich vnser stimme erste lvttet
vnd die mvnd vf tv̂n wir dir.

9. *Deo Patri sit gloria,*
Ejusque soli Filio,
Cum Spiritu paraclito,
Nunc et per omne saeculum.

9. got vater si ere
vn̄ sinem einem svne
mit dem geiste trostsamen
vn̄ [2]) nv vn̄ ewiclichen.

III.

1. *Nocte surgentes vigilemus*
omnes,
Semper in psalmis meditemur,
atque
Viribus totis Domino canamus

Dulciter hymnos.

III.

1. In der naht wir vf stend
wachen wir alle
alle zit in loben denche wir vnd

mit chreften allen vnserm
herren sing wir
sv̂zliche div lob.

2. *Ut pio regi pariter canentes*

Cum suis sanctis mereamur
aulam

2. daz wir gv̂tem chvnige ge-
meine singen
mit sinen heiligen garnen
wir die phalze

III. *Von Gregor d. Gr. — Br. D. I, 176. Sch. I, 94.*
[1]) Auch bei Notker kommt die Form siehest (für sihes, si-
h.est) vor Graff VI, 442; siehe noch unten 48, 4.
[2]) Ist überflüssig.

Ingredi coeli, simul et beatam

Ducere vitam.

3. *Praestet hoc nobis Deitas beata*

Patris ac Nati pariterque sancti

Spiritus, cujus reboat per omnem
Gloria mundum.

IV.

1. Ecce jam noctis tenuatur umbra,

Lucis aurora rutilans coruscat,

Nisibus totis rogitemus omnes
Cunctipotentem!

2. Ut Deus noster miseratus, omnem
Pellat languorem, tribuat sa- salutem,
Donet et nobis pietate Patris

Regna polorum.

V.

1. Jam lucis orto sidere

Deum precemur supplices,

---

ingan des himel[1]) damit vn̄
saeligez
leitten[2]) leben.

3. verlihe daz vns div gotheit
saeligiv
des vaters vn̄ des sunes vn̄ da-
mit des heiligen
geistes des erschillet in aller

diver[3]) werlte.

IV.

1. Sehent alzan der naht ge-
dvnnet wirt der scat
des liehtes morgenrot rot-
tende[4]) schinet
mit flizen allen bitte wir alle
den almaehtigen.

2. daz got vnser erbarmend allen

vertribe den siehctv̂m[5]) geb
heil
geb ovch vns von gv̂te des
vaters
div rich der himele.

V.

1. Alzan des liehtes erwahsen
dem schine
got bitte wir flegige

IV. *Von Gregor d. Gr. — D. I,* 177. *K.* 154. *Sch. I,* 95.
V. *Von Ambrosius. — Br. D. I,* 56. *Sch. I,* 28.
   [1]) Statt **himeles**, wie 45, 2.
   [2]) G r a ff II, 184 fg. führt mehrere Beispiele mit tt an; siehe auch
9, 1; 95, 5. In 26, 1 steht dagegen **vurleiten**; 44, 2 das Praet **leitte**.
   [3]) Lies **div er**; siehe auch 94, 6.
   [4]) G r a ff II, 485 hat auch ein seltenes Beispiel mit tt: **rottendit**;
s. unten 43, 4.   [5]) Lies **siechtům**.

Ut in diurnis actibus *Nos servet a nocentibus.*	daz in taeglichen werchen vns behalte von den scede- lichen.

2. *Linguam refrenans temperet,*   2. die zungen widerbrechend er

    Ne litis horror insonet,   tempere

    Visum fovendo contegat,   daz niht stritis eise zvscelle

    Ne vanitates hauriat.   daz gesvne brv́tend dekche

                          daz iz niht vpicheit [1]) scepfe.

3. *Sint pura cordis intima,*   3. Sin lutter[2]) des herzen in-

                               nercheit

    Absistat et vecordia,   entwiche óch div herzvbel

    Carnis terat superbiam   des fleiskes zeribe die vbermv́t

    Potus cibique parcitas.   ezzens [3]) vn̄ ezzens chussecheit.

4. *Ut, cum dies abscesserit,* 4. also der tach entwiche

    Noctemque sors reduxerit,   vnd die naht der loz widcr-

                               bringe

    Mundi per abstinentiam   mit der werlt enthabnusse

    Ipsi canamus gloriam.   im singe wir ere.

VI.   VI.

1. *Nunc sancte nobis Spiritus,* 1. Nv heiliger * geist

    Unus Patris cum Filio,   einer des vaters mit dem svne

    Dignare promptus ingeri   gerv́che gereitter [4]) inbraht

                                werden

    Nostro infusus pectori.   vnserm ingozzen brvste [5]).

VI. Von Ambrosius. — D. I, 50. *Sch. I,* 19.

   [1]) Gewöhnlicher ist **uppicheit**; einige Beispiele mìt b, p, (**ubige**, **upige**) hat **Graff** I, 89; s. unten 14, 4.

   [2]) **Graff** IV, 1105 fg. hat mehrere Beispiele mit **tt**. Vergl. unten 19, 3; 22, 2; dagegen **luter** 19, 3; 74, 12; **lûter** 101, 2; 113, 4.

   [3]) Verschrieben, es soll **trinchens** heissen.

   [4]) Unten 74, 3; 98, 4; 100, 6 steht richtiger **gereit**; s. auch 9, 1 **bereittend.**

   [5]) Sonst steht **brust** immer weiblich; altnord. ist es neutral, wofür hier **vnserm** zu sprechen scheint, aber der Uebersetzer hat das lat. **nostro** für sich übersetzt, ohne Rücksicht auf das Geschlecht vom deutschen **brust**.

2. *Os, lingua, mens, sensus, vigor*
Confessione personet,
Flammescat igne caritas,
Accendat ardor proximos.

2. mvnt zunge mv̂t sin chraft
mit beihte [1]) scelle
brinne mit fivre div minne
enzvnte div hitze die nahsten.

VII.

1. Rector potens, verax Deus,
Qui temperas rerum vices,
Splendore mane instruis,

Et ignibus meridiem.

2. Exstingue flammas litium,
Aufer calorem noxium*),
Confer salutem corporum,
Veramque pacem cordium.

VII.

1. Rihtaer gewaltich warhaft got
dv temperst der dinge zeiche [2])
mit schine den morgen zim-
berst
wī mit hitze den mittentach.

2. erlesche die lovge der strite
benim die hitze der sculde
brinch heil der libe
vnd waren fride der herzen.

VIII.

1. Rerum Deus, tenax vigor,
Immotus in te permanens,
Lucis diurnae tempora
Successibus determinans.

2. Largire lumen vespere,
Quo vita nusquam decidat,
Sed praemium mortis sacrae
Perennis instet gloria.

VIII.

1. Der dinge got staetigiv chraft
vnweglich an dir belibenter
des liehtes tageliches zite
mit nahchomeln entende.

2. gib berhtel abent
daz daz leben niender *
svnder lon todes heiliges
ewiclichiu anste des liehtes
scepphaer [3]).

VII. Von Ambrosius. — Br. D. I, 51. Sch. I, 20.
VIII. Von Ambrosius. — Br. D. I, 52. Sch. I, 21.
*) Der Uebersetzer las wahrscheinlich noxiae.
[1] Eine seltene Form, wofür 58, 1 die gebräuchlichere Form bihte steht.
[2]) Verschrieben statt zeche.
[3]) Diese drei Worte sind aus dem folgenden Hymnus herübergenommen (doppelt geschrieben), dagegen fehlt die Uebersetzung von gloria.

IX.   IX.

1. Lucis creator optime,
Lucem dierum proferens,

Primordiis lucis novae
Mundi parans originem;

1. Des liehtes scepphaer beste
daz lieht der tage vurleit-
tender [1]
mit angenge liehtes niwes
der werlte bereittend [2] an-
genge.

2. Qui mane junctum vesperi

Diem vocari praecipis,
Tetrum chaos illabitur,
Audi preces cum fletibus.

2. dv den morgen gefvget den
abent
tach geheizzenv [3] gebivtest
div svarze vinster ansliffet
hore gebet mit weinen.

3. Ne mens gravata crimine

Vitae sit exsul muneris,
Dum nil perenne cogitat,
Seseque culpis illigat.

3. daz niht der mvͧt besvaret mit
der scvld
des lebens si ellend der gabe
so niht ewicliches gedenche
vͤn sich mit scvlden binde.

4. Coelorum pulset intimum,
Vitale tollat praemium,
Vitemus omne noxium,
Purgemus omne pessimum.

4. der himele anchloppe div innern
lebeliche entpha daz lone
mide wir allez scedeliche
reine wir allez vbel.

X.   X.

1. Te lucis ante terminum
Rerum, creator, poscimus,
Ut solita clementia
Sis praesul ad custodiam.

1. Dich liehtes vor dem ende
aller dinge scepphaere bitte wir
daz mit gewonter [4] gnade
sistv [5] biscof ze der hvͧte.

IX. *Von Ambrosius.* — *Br. Bo.* 204. *D. I,* 57. *K.* 34. *Sch. I,* 29.
X. *Von Ambrosius.* — *Br. Bo.* 205. *D. I,* 52. *Sch. I,* 22.
[1] Siehe oben 3, 2.
[2] Richtiger **bereitend**, s. 6, 1.
[3] G r a f f IV, 1082 fg. hat mehrere Beispiele mit *zz.* Gebiutan
wird mit dem inf. mit und ohne z i construiert. S. G r i m m IV, 108;
G r a f f III, 70.
[4] Eine seltene (bloss verschriebene!) Form statt g e w o n e r,
g e w o n e r u.   [5] D. i. sìs tu.

2. *Procul recedant somnia,*
   Et noctium phantasmata,
   Hostemque nostrum comprime,
   Ne polluantur corpora.

2. verre varen die trůme
   vīī der naht trugheit
   vīī vient den vnsern drvkche dv
   daz niht bewollen werden die
   libe.

3. *Praesta, Pater omnipotens,*
   Per Jesum Christum dominum,
   Qui tecum in perpetuum,
   Regnat cum sancto Spiritu.

3. daz verlihe vater almaehtic
   dvrch iesvm christ den herren
   der mit dir ewiclichen
   rihsent mit dem heiligen geiste.

XI.

XI.

(S. 2. Abthlg. Nr. IX. und Anhang Nr. II.)

1. *Christe, qui lux es et dies,*
   Noctis tenebras detegis,
   Lucisque lumen crederis,
   Lumen beatum praedicans.

1. Christ dv lieht bist vīī taçh
   der naht vinster entekchest
   vīī liehtes lieht dv glovbet wirst
   lieht daz saelige bredigende.

2. *Precamur, sancte Domine,*
   Defende nos in hac nocte,
   Sit nobis in te requies,
   Quietam noctem tribue.

2. wir bitten heilich herre
   behůte vns in der naht
   si vns an dir růwe
   růweclich naht gib vns.

3. *Ne gravis somnus irruat,*
   Nec hostis nos surripiat,
   Nec caro illi consentiens

   Nos tibi reos statuat.

3. niht svaerre [1]) slaf anvalle
   noh der vient vns verzveche[2])
   daz niht daz fleisc im ge-
                      hengend
   vns dir scvldic setze.

4. *Oculi somnum capiant,*
   Cor ad te semper vigilet,
   Dextera tua protegat
   Famulos, qui te diligunt.

4. div ovgen slaf gevahen
   daz herre [3]) ze dir alzit wache
   div zesewe din bedeche
   die scalche die dich minnent.

XI. *Von Ambrosius.* — *D. I,* 33. *Bo.* 600. *Sm.* 24.
[1]) Bei G r a f f VI, 890 stehen mehrere Beispiele mit r r.
[2]) Lies v e r z u c c h e.
[3]) Lies h e r z e.

5. *Defensor noster adspice,*
   Insidiantes reprime,
   Guberna tuos famulos,
   Quos sanguine mercatus es.

6. *Memento nostri, Domine,*
   In gravi isto corpore,
   Qui es defensor animae,
   Adesto nobis, Domine.

5. scermaer vnser scouwe her
   die lagunden drukche
   behv̊te dine scalche
   die mit blv̊te gechovfet hast.

6. gehvge vnser herre
   in svarem disem libe
   du bist bescirmaer der sele
   zv̊ wis vns herre.

XII.   XII.

1. *Somno refectis artubus,*
   Spreto cubili surgimus,

   Nobis, Pater, canentibus
   Adesse te deposcimus.

2. *Te lingua primum concinat,*
   Te mentis ardor ambiat,
   Ut actuum sequentium
   Tu, sancte, sis exordium.

3. *Cedant tenebrae lumini,*

   Et nox diurno sideri,

   Ut culpa, quam nox intulit,

   Lucis labascat munere.

4. *Precamur idem supplices,*
   Noxas ut omnes amputes,
   Et ore te canentium
   Lauderis in perpetuum.

1. Mit slafe gemv̊sten den liden
   versmahtem geligere vf sten
        wir
   vns vater singvnden
   zv̊ wesen dich bitte wir.

2. dich diu zung zerste lobe
   dich des mv̊tes hitze gere
   daz der werche nachvolgvnder
   dv heilig sist angenge.

3. entwichen die vinster dem
        liehte
   vn̄ div naht dem taglichen
        schine
   daz div scvlde div div naht
        anbrahte
   von des liehtes sliffe gabe.

4. wir bitten selbe vlegige
   die scvlde daz dv alle abslahst
   vn̄ mit munde dich lobender
   werst[1] gelob[2] ewicliche.

XII. *Von Ambrosius.* — *Br. Bj.* 50. *D. I,* 26. *K.* 33. *Sch. I,* 9.
[1] Für w e r d e s t.
[2] Lies g e l o b e t.

XIII.

1. *Splendor paternae gloriae,*
De luce lucem proferens,

Lux lucis et fons luminis,

Dies dierum illuminans.

2. *Verusque sol illabere,*
Micans nitore perpeti,
Jubarque sancti Spiritus

Infunde nostris sensibus.

3. *Votis vocemus et Patrem,*

Patrem perennis gloriae,
Patrem potentis gratiae,
Culpam releget lubricam.

4. *Informet actus strenuos,*
Dentem retundat invidi,

Casus secundet asperos,
Donet gerendi gratiam.

5. *Mentem gubernet et regat*
Casto, fideli corpore,
Fides calore ferveat,
Fraudis venena nesciat.

XIII.

(S. unten Anhang Nr. III.)

1. Schin vaterlicher ere
von liehte daz lieht vurbrin-
genter
lieht des liehtes vn̄ brvnne
des liehtes
tach der tage lvhtaere.

2. vn̄ wariv sunne slif nider
schinent mit schine ewigem
vn̄ dem schin des heiligen
geistes
angivz vnsern sinnen.

3. mit antheizen lad wir ovch
den vater
vater der ewigen ere
vater der geweltigen [1]) gnade
die scvld daz er binde an-
sliffvnde.

4. er bilde div werch ernsthaftiv
den zant widerstoze des ni-
digen
die gescihte semfte herwen
geb vertragenes gnade.

5. den mv̊t scerme vn rihte
mit chusken mit getriwen libe
der glv̊be mit hitze walle
der vntriwen atter [2]) witze
si niht.

XIII. *Von Ambrosius.* — *Br. Bj.* 48. *D. I,* 24. *K.* 31. *Sch. I,* 7. *Sm.* 6.
[1]) Gewöhnlicher ist **gewaltigen.** Doch s. 94, 5. Otfried hat
geweltig, s. Graff I, 811.
[2]) Verschrieben für **aiter,** wie Graff Diutisca III, 171 liest, oder
aeiter, wie 85, 3 steht.

6. *Christusque nobis sit cibus,*
   Potusque noster sit fides;
   Laeti bibamus sobriam
   Ebrietatem Spiritus.

6. vn christ vns si ezzen
   vñ trinchen vnser si glovbe
   fro trinche wir die chvske
   trvnchenheit des geistes.

7. *Laetus dies hic transeat,*
   Pudor sit ut diluculum,
   Fides velut meridies,
   Crepusculum mens nesciat.

7. fro tach diser hin var
   div scam si als der morgern [1])
   glovb als mitter tach
   tages ende der mvt witze niht.

8. *Aurora cursus provehit,*

   Aurora totus prodeat,
   In Patre totus Filius,
   Et totus in verbo Pater.

8. der morgenrot sin lovf vur-
       bringe
   der morgenrot gar vurge
   in dem vater gar der svn
   vn gar in dem worte der vater.

XIV.   XIV.

1. *Immense coeli conditor,*
   Qui, mixta ne confunderent,
   Aquae fluenta dividens,
   Coelum dedisti limitem;

1. Michel himels scepphaere
   daz div gemiscten niht scanden
   des wazzers fluzze [2]) teilenter
   den himel gaeb dv ein march.

2. *Firmans locum coelestibus,*
   Simulque terrae rivulis,
   Ut unda flammas temperet,
   Terrae solum ne dissipent;

2. festende die stat den himliscen
   vñ ovch der erde bachelin
   daz div vñ [3]) die fivre temper
   daz si der erd chraft niht
       zefveren [4]).

XIV. *Von Ambrosius. — D. I,* 58. *K.* 35. *Sch. I,* 30.
   [1]) Verschrieben statt **morgen**, welches Wort auch sonst das lat.
diluculum übersetzt; s. **Graff** II, 853.
   [2]) Bei **Graff** III, 44 wechseln auch die Formen mit z und zz (fluzi,
fluzzi).
   [3]) Sonst Abkürzung für die Conjunction **unde**, **unde** (und), hier
für das Substantiv **unde**.
   [4]) Unten 16, 4; 64, 3 steht alterthümlich richtiger **zevûre**, 101, 1
zervûren; 44, 7 **zaphâren**. **Graff** III, 596 hat **zefuoren**, **zivuoren**.

3. *Infunde nunc, piissime,*
Donum perennis gratiae,
Fraudis novae ne casibus
Nos error atterat vetus!

3. angivz nv dv vil gvter
die gabe ewiger gnade
vntriwe niwer * vallen
vns der irtvm [1]) drukke alter.

4. *Lucem fides inveniat,*
Sic luminis jubar ferat,
Haec vana cuncta terreat,
Hunc falsa nulla comprimant.

4. daz lieht div triwe vinde
also des liehtes schin vûre
si div uppigen elliv screcche
die div falscen deheiniv be-
drvchen.

XV.

1. *Consors paterni luminis,*

Lux ipse lucis et dies,
Noctem canendo rumpimus,
Adsiste postulantibus.

2. *Aufer tenebras mentium,*
Fuga catervas daemonum,
Expelle somnolentiam,
Ne pigritantes obruat.

3. *Sic, Christe, nobis omnibus*
Indulgeas credentibus,
Ut prosit exorantibus,
Quod praecinentes psallimus.

XV.

1. Ebenhellich des vaterlichen
liehtes
lieht dv selbe liehtes vn̄ tach
die naht singvnde breche wir
zv̊ stant dv den bittvnden.

2. benim die vinster der mv̊te
vertrib scar der tievel
vertrib die · slaftraege
daz si niht die traegen verrune.

3. also christ vns allen
vergebest glovbigen
daz frum si den bittvnden
daz wir lobende singen.

XVI.

1. *Ales diei nuntius*
Lucem propinquam praecinit,
Nos excitator mentium
Jam Christus ad vitam vocat.

XVI.

1. Der vogel des tages bote
daz lieht nahen clvndit
vns wecchere [2]) der mv̊te
christ ze lebene ladet

XV. *Von Ambrosius.* — *Bj.* 54. *D. I*, 27, *Sch. I*, 10.
XVI. *Von Prudentius.* — *Br.Bj.*54. *D.I*,119. *K.*61. *Sch.I*,72. *Sm.*16.
[1]) Sonst (2, 3, 21, 4) irrtuom, irretuom; bei Graff I, 450
einmal hirituom.
[2]) Richtiger wäre wecehaere.

2. *Auferte, clamat, lectulos*
   Aegro sopore, desides;
   Castique, recti ac sobrii
   Vigilate, jam sum proximus.

2. nemet rv̊fet er div bette
   von siechem slaſſe [1] traege
   vn̄ chusche rehte vn̄ mazliche
   wachet alzan bin ich nahe.

3. *Jesum ciamus vocibus,*

   Flentes, precantes, sobrii:
   Intenta supplicatio
   Dormire cor mundum vetat.

3. iesum   erchenne   wir   mit
                        stimme [2]
   weinvnd bittend chvsche
   andahtlich vlege
   slaſſen [3] daz herze rein wert.

4. *Tu, Christe, somnum disjice,*
   Tu rumpe noctis vincula,
   Tu solve peccatum vetus,
   Novumque lumen ingere.

4. dv christ den slaf zevůre [4]
   dv brich der naht gebende
   dv lose die svnde alte
   vn̄ niwez lieht brinchher [5]

XVII.

XVII.

1. *Telluris ingens conditor,*
   Mundi solum qui eruens,
   Pulsis aquae molestiis
   Terram dedisti immobilem;

1. Der erde michel scepphaere
   der werlte erde dv vznemende
   vertriben des wazzers leide
   die erde gaeb dv vnweglich.

2. *Ut germen aptum proferens,*

   Fulvis decora floribus,
   Foecunda fructu sisteret,
   Pastumque gratum redderet.

2. daz si dechime [6] gemahsam
                    verbringend [7]
   mit roten schoniv blv̊men
   berhaftiv mit wv̊cher stv̊nde
   vn̄ weide gnaeme [8] gaebe.

XVII. Von Ambrosius. — Br. D. I, 59. *K.* 36. *Sch. I,* 31.
 [1]) Auch G r a f f VI, 799 hat einige Beispiele des Verbums und Sub-
stantivs mit f f.
 [2]) Nach dem Urtext sollte es s t i m m e n heissen. Der Uebersetzer
hat im Urtext s c i a m u s statt c i a m u s gelesen.
 [3]) S. Anmerkung 1.
 [4]) S oben 14, 2.
 [5]) D. i. b r i n c h h e r.
 [6]) Lies d e n c h i m e n.
 [7]) Lies v u r b r i n g e n d.
 [8]) D. i. g e n a e m e.

3. *Mentis perustae vulnera*
Munda viroris gratia,
Ut facta fletu diluat,

Motusque pravos atterat.

4. *Jussis tuis obtemperet,*
Nullis malis approximet,
Bonis repleri gaudeat,

Et mortis actum nesciat.

3. des mv̊tes verbrantes wunden
reiniv [1]) von der grvne gnade
daz si div werch mit weinen
wasche
vn̄ wegunge boese vertribe.

4. geboten dinen gehorsam
deheinen vbeln gnahe [2])
mit gv̊te si gevullet werden
des frov sich
vn̄ todes werch wizze niht.

XVIII.

1. *Rerum creator optime,*
Rectorque noster adspice,
Nos a quiete noxia
Mersos sopore libera.

2. *Te, sancte Christe, poscimus,*
Ignosce tu criminibus,
Ad confitendum surgimus,
Morasque noctis rump'mus.

3. *Mentes manusque tollimus,*
Propheta sicut noctibus
Nobis gerendum praecipit,
Paulusque gestis censuit.

4. *Vides malum, quod fecimus,*
Occulta nostra pandimus,

XVIII.

1. Aller dinge scepphaer beste
vn̄ rihtaer vnser scowe her
vns von rvwe scedlicher
besovfte in slafe lose vns [3]).

2. dich heilig christ bitte wir
vergib dv den scvlden
zebeiehen ste wir uf
vn̄ die wile nahtes breche wir.

3. gemv̊te vn̄ hende vf hefe wir
der wissage als nahtes
uns zebegen gebvtet [4])
paulus den er werchen erteilet.

4. siehstv [5]) daz leit daz wir
began haben
tovgen vnseriv offen wir

XVIII. Von Ambrosius. — Br. D. I, 53. Sch. I, 23. Sm. 14.

[1]) Der Uebersetzer hat das lat. munda als Adjectiv auf vulnera
bezogen, darum, ohne Berücksichtigung des deutschen wunden, reiniv
gesetzt, statt des Imperativs reini, reine.
[2]) D. i. genahe.
[3]) Ist überflüssig.
[4]) Für gebiutet.
[5]) Siehe oben 2, 7.

Preces gementes fundimus,   gebet svĩſtvnde [1]) giezen wir
Dimitte quod peccavimus.   verla daz wir gesundet haben.

XIX.   XIX.

1. Nox et tenebrae et nubila,   1. Naht vñ vinster vnd genibele
Confusa mundi et turbida,   zesamene gozzen der werlt
                                           vnd trvebe
Lux intrat, albescit polus,   der [2]) lieht invert liehtet der
                                           himel
Christus venit, discedite.   christ chvmet vart hine.

2. Caligo terrae scinditur,   2. div tunchel der erde zebro-
                                           chen wirt
Percussa solis radio,   geslagen vn svnne schine
Rebusque jam color redit   vnd den dingen div varwe
                                           widerchvmt
Vultu nitentis sideris.   von antlvtze des scinenden
                                           sternes.

3. Te, Christe, solum novimus,   3. dich christ einen erchenne
                                           wir
Te mente pura et simplici,   dich mit gemv̊te lvterm und
                                           ainvaltigem
Flendo et canendo quaesumus,   weinvnd vnd singvnde bitte
                                           wir
Intende nostris sensibus.   zv̊ denche vnsern sinnen.

4. Sunt multa fuscis illita,   4. sint manigiv mit vinstern be-
                                           strichen
Quae luce purgentur tua,   div mit liehte gereint werden
                                           dinem
Tu lux eoi sideris   dv lieht des osten sternes
Vultu sereno illumina.   mit antlutze liehtem lvhte vns.

XIX. *Von Prudentius. — Br. Bj.* 59. *D. I,* 120. *K.* 66. *Sch. I,* 74·
[1]) Sonst (48, 2; 65, 1; 76, 4) steht richtiger s û f t e n.
[2]) Lies d a z, da l i e h t neutr. ist.

XX.

1. *Coeli Deus sanctissime,*
Qui lucidum centrum poli

Candore pingis igneo,
Augens decoro lumine;

2. *Quarto die qui flammeam*

Solis rotam constituens,
Lunae ministrans ordini

Vagos recursus siderum;

3. *Ut noctibus vel lumini,*
Diremptionis terminum
Primordiis et mensium
Signum dares notissimum;

4. *Illumina cor hominum,*
Absterge sordes mentium,
Resolve culpae vinculum,
Everte moles criminum.

XXI.

1. *Nox atra rerum contegit*
Terrae colores omnium;
Nos confitentes poscimus
Te, juste judex cordium;

XX.

1. Himels got vil heiliger
dv die liehten mittel des
himels
mit scine verwes viûrinem [1])
merend mit zierlichem liehte.

2. an dem vierden tage dv daz
vivrin
der svnne rat dv setzend
des manen dienent der or-
denvng
wadelvnd widerlovffe den [2])
sternen.

3. daz den nahten oder dem liehte
vnderseidung [3]) ende
vn̄ den angengen der manode
ein zeichen gaebest vil gewisse.

4. erlvhte herze der menschen
wische ab div vnsvber der mv̂te
zelose der scvlde bant
verchere die svaere der scvlde.

XXI.

1. Naht svarziv der dinge dechet
der erde varwe alle
wir beiehende bitten
dich rehter rehtaere[4]) der
herzen.

XX. *Von Ambrosius.* — *Br. D. I,* 60. *K.* 37. *Sch. I,* 32.
XXI. *Von Ambrosius.* — *Br. D. I,* 54. *Sch. I,* 24.
[1]) Statt vi u ri n e m.
[2]) Lies d e r.
[3]) Lies u n d e r s c i d u n g.
[4]) Gewöhnlicher ist r i h t a e r e; auch Graff II, 445 hat re h t a r i
neben r i h t a r i.

2. *Ut auferas piacula,*
    Sordesque mentis abluas,

    Donesque, Christe, gratiam,
    Ut arceantur crimina.

2. daz dv benemest die svnd [1])
    vn̄ bosheit des mv̊tes ab-
    waschest
    vn̄ gebest christ die gnade
    daz bethwngen [2]) werden div
    laster.

3. *Mens ecce torpet impia,*
    Quam culpa mordet noxia;

    Obscura gestit tollere,
    Et te, redemptor, quaerere.

3. der mv̊t sich slewet vngv̂ter
    den div schvlde pizet schede-
    lichiv
    div tuncheln gert hin tv̂n
    vn̄ dich vrloser sv̊chen.

4. *Repelle tu caliginem*
    Intrinsecus quam maxime,
    Ut in beato gaudeat
    Se collocari lumine.

4. vertribe dv die tvnchelheit
    innerhalbe aller meiste
    daz an dem saeligen gevrev
    sich gestettet [3]) werden dem
    liehte.

XXII.

XXII.

1. *Lux ecce surgit aurea,*
    Pallens fatiscat caecitas,

    Quae nosmet in praeceps diu

    Errore traxit devio.

1. Daz lieht sich ufstet gvldin
    bleichendiv mv̊de werde div
    vinsterheit
    div vns selbe ungestv̊mlichen
    lange
    in dem irretv̂m hat gezogen
    dwerhem.

2. *Haec lux serenum conferat,*
    Purosque nos praestet sibi,
    Nihil loquamur subdolum,
    Volvamus obscurum nihil.

2. ditz lieht heiter bringe
    vn̄ livter vns verlihe im
    niht gereden achustigez
    gedenchen tvnchels niht.

XXII. *Von Prudentius.* — *Br. D. I,* 121. *Sch. I,* 57.
[1]) P i a c u l u m heisst ahd. s u o n a, s ô n a, s û n a, s ô n i d a. Aus
diesem ist s û n d gekürzt.
[2]) Lies b e t h w u n g e n.
[3]) Sonst g e s t a e t e t.

3. *Sic tota decurrat dies,*
   Ne lingua mendax, ne manus,

   Oculive peccent lubrici,
   Ne noxa corpus inquinet.

4. *Speculator adstat desuper,*
   Qui nos diebus omnibus,
   Actusque nostros prospicit
   A luce prima in vesperum.

3. also aller verlovfe der tach
   neweder zvnge lvgelichiv neweder hant
   die ovgen oder svnten haele
   daz niht schvlde den lichnamen vnreine.

4. der warter stet darv̂f [1])
   der vns tage alle
   vn̅ werch vnser beschowet
   von liehte erstem in den abent.

XXIII.

XXIII.

1. *Magnae Deus potentiae,*
   Qui ex aquis ortum genus

   Partim remittis gurgiti,
   Partim levas in aëra;

1. Michelr [2]) got gewaltes
   der uz wazzern ersprungen geslaehte
   ein teil verlast dem wage
   ein teil erhevest in die lvfte.

2. *Demersa lymphis imprimens,*

   Subvecta coelis irrogans,

   Ut stirpe una prodita
   Diversa rapiant loca;

2. ingesenchet den wazzern andrunchende [3])
   vf gevv̂ret den himeln beschafende
   daz geslehte einem vzgende
   misliche zuchen stete.

3. *Largire cunctis servulis,*
   Quos mundat unda sanguinis,
   Nescire lapsus criminum,
   Nec ferre mortis taedium;

3. gib allen schalchen
   die reinet wazzer des blv̂tes
   niht wizzen die valle der laster
   neweder tragen des todes
   tracheit.

XXIII. Von Ambrosius. — Br. D. I, 61. K. 38. Sch. I, 33.
[1]) Eine seltene Form für d a r û f.
[2]) Eine ahd. seltene Form für m i c h e l e r, die auch 37, 8 steht.
Vergl. auch 65, 9; 66, 5; 74, 2.
[3]) Verschrieben für a n d r u c c h e n d e, a n d r u c h e n d e.

4. *Ut culpa nullum deprimat,*
    Nullum levet jactantia,
    Elisa mens ne concidat,
    Elata mens ne corruat.

4. daz schvlde nieman verdrvche
    nieman erheue der rv̊m
    bedrvhter mv̊t niht valle
    erhabenr [1]) mv̊t niht nidersige.

XXIV.   XXIV.

1. *Tu Trinitatis Unitas,*
    Orbem potenter qui regis,

    Attende laudum cantica,
    Quae excubantes psallimus.

1. Dv drivalticheite einvalticheit
    die werlt gewaltichlichen du
                        der rihtest
    andenche der lobe gesanc
    div wachende singen.

2. *Nam lectulo consurgimus*
    Noctis quieto tempore,
    Ut flagitemus vulnerum
    A te medelam omnium.

2. wand dem bette wir vfsten
    der naht getrv̊wigem [2]) zite
    daz wir bitten der wunten
    von dir erzenie aller.

3. *Quo fraude quidquid dae-*
                        monum
    In noctibus delinquimus,
    Abstergat illud coelitus
    Tuae potestas gloriae.

3. daz trugeheite swaz der tievel

    an den nahten misse tv̊n
    abwische daz himelischen
    diner gewalt eren.

4. *Ne corpus adsit sordidum,*
    Nec torpor instet cordium,

    Nec criminis contagio
    Tepescat ardor spiritus.

4. daz niht lichnam bi si vnsvber
    neweder tracheit anste der
                        herzen
    neweder lasters vnsvberheit
    lawe hitze geistes.

5. *Ob hoc, Redemptor, quaesumus,*
    Reple nos tuo lumine,
    Per quod dierum circulis
    Nullis ruamus actibus

5. darvmbe vrloser bitten
    ervulle vns dinem liehte
    durch daz der tage vmberingen
    enheinen gevallen werchen.

XXIV. Von Ambrosius. — Br. D. I, 35. Sch. I, 15.

[1]) Für **erhabener.**
[2]) Verschrieben für **gerv̊wigem.**

XXV.

1. Aeterna coeli gloria,
Beata spes mortalium,

Celsi Tonantis Unice,
Castaeque proles virginis;

2. Da dexteram surgentibus,
Exsurgat et mens sobria,
Flagransque in laudem Dei
Grates rependat debitas.

3. Ortus refulget Lucifer,

Sparsamque lucem nuntiat,
Cadit caligo noctium,
Lux sancta nos illuminet,

4. Manensque nostris sensibus
Noctem repellat saeculi,
Omnique fine diei
Purgata servet pectora.

5. Quaesita jam primum fides
Radicet altis sensibus,
Secunda spes congaudeat,
Qua major exstat caritas.

XXVI.

1. Plasmator hominis Deus,
Qui cuncta solus ordinans
Humum jubes producere
Reptantis et ferae genus;

XXV.

1. Ewigiv himels ere
saeligiv gedinge totlicher men-
niske
des hohen toenendes einborner
vn̄ der chv̊schen chint meide.

2. gib zeswen vfstenden
ufste vn̄ mût nv̊hter
vn̄ brinnende in daz lop gotes
genade biete schvldige.

3. vf errunnen erschinet mor-
genstern
gespreitet lieht chundet
vellit tunchelheit der nahte
lieht heiligiv vns erlivhte.

4. vnd wonende vnsern sinnen
die naht vertribe werlte
allem vn̄ ende tages
reine gehalte pruste.

5. gesv̊chet alzan ze erst gelovbe
wrze [1]) hohen sinnen
an der gedingen mitvrev
der merer ist div minne.

XXVI.

1. Schepfer des mennisken got
der elliv ein antreitende
die erde gebivtest vurleiten
chriechendes vnd tiere ge-
slahten.

XXV. Von Ambrosius. — *Br. D. I,* 55. *Sch. I,* 25. *Sm.* 12.
XXVI. Von Ambrosius. — *D. I,* 61. *K.* 39. *Sch. I,* 34.
[1]) Lies **w u r z e.**

2. *Qui magna rerum corpora,*

  Dictu jubentis vivida,

  Ut serviant per ordinem,
  Subdens dedisti homini;

2. der die micheln der dinge
    lichname
mit dem worte gebietendes
    lebelich
daz si dienen nach der antreit
vndertvnde hast gegeben dem
    mennisch [1])

3. *Repelle a servis tuis*
  Quidquid per immunditiam
  Aut moribus se suggerit,
  Aut actibus se interserit.

3. Vertribe von schalchen dinen
swaz durch die vnreinechait
·ein weder den siten sich geratet
oder den werchen sich vnder
    mischet.

4. *Da gaudiorum praemia,*
  Da gratiarum munera,
  Dissolve litis vincula,
  Adstringe pacis foedera.

4. gib der vrevde lon
gib gnaden gabe
zer lose strites gebende
zv̊ dwinge des vrides gelvbde.

XXVII.

1. *Summae Deus clementiae,*
  Mundique factor machinae,

  Unus potentialiter,
  Trinusque personaliter;

2. *Lumbos, jecurque morbidum*
  Adure igne congruo,

  Accincti ut sint perpetim

  Luxu remoto pessimo.

XXVII.

1. Oberester got der gv̂te
der werlte vn̄ macher ge-
    schephede
einer gewalticlichen
vnd trivaltic benendelichen [2])

2. die lanchen [3]) vn̄ leber suhtich
brenne mit vivre gevellich-
    lichen [4])
vfgegurtet daz si sin ewec-
    lichen
der wollust hin geruchet aller
    wirsest.

XXVII. Von Ambrosius. — Br. D. I, 34. *Sch. I,* 13.
[1]) **Verschrieben für mennischen.**
[2]) **Graff Diut. III,** 171 **hat benendeclichen.**
[3]) **Verschrieben für lunchen.**
[4]) **Lies gevellichlichem, wie Graff, Diut. III,** 171 **hat.**

3. *Ut quique horas noctium*
   Nunc concinendo rumpimus,
   Donis beatae patriae
   Ditemur omnes affatim.

3. daz swelhe die wile der naht
   nu singende brechen
   mit gaben saeliges landes
   werden gerichet alle genuht-
   lichen.

XXVIII.

1. *Aurora jam spargit polum,*

   Terris dies illabitur,
   Lucis resultat spiculum,

   Discedat omne lubricum.

2. *Phantasma noctis decidat,*
   Mentis reatus subruat,
   Quidquid tenebris horridum
   Nox uttulit culpae, cadat.

3. *Ut mane illud ultimum,*
   Quod praestolamur cernui,
   In lucem nobis effluat,
   Dum hoc canore concrepat.

XXVIII.

1. Der morgenrot alzan spreitet
   den himel
   den erden tac zv̊ slifet
   des liehtes sich vrewet daz
   geschoz
   entwiche allez haele.

2. trugenusse der naht hin valle
   des mv̊tes missetat vervalle
   swaz den vinstern eislichez
   naht hat braht der schulde
   valle.

3. daz morgen daz daz iungest
   daz wir betten [1]) vlegeliche
   in daz lieht uns vzflize [2])
   so mit dem gesange hillet.

XXIX.

1. *O lux beata Trinitas,*
   Et principalis Unitas,
   Jam sol recedit igneus,
   Infunde lumen cordibus.

XXIX.

1. Lieht saeligiv triualticheit
   vnd vurstlich einvalticheit
   alzan sunne * vivrin
   * * * den herzen.

XXVIII. *Von Ambrosius.* — *Br. D. I,* 56. *Sch. I,* 27. *Sm.* 10.
XXIX, *Von Ambrosius.* — *Bj.* 51. *Bo.* 99. *D. I,* 36. *Sch. I,* 17. *Sm.* 22.
[1]) Lies mit **Graff** a. a. O. **beiten.**
[2]) Für **vzflieze.**

2. *Te mane laudum carmine,*
   Te deprecemur vespere,
   Te nostra supplex gloria
   Per cuncta laudet saecula.

2. dich vrŏ der lobe gesange
   dich bitte wir an dem abent
   dich vnser vlegelich ere
   durh alle lobe werlt,

XXX.

1, *Deus creator omnium*
   Polique rector, vestiens
   Diem decoro lumine,
   Noctem soporis gratia;

XXX.

1. Got schepfer aller
   vñ himels rihter watund
   den tach zierlichem liehte
   die naht slafes genade.

2. *Artus solutos ut quies*
   Reddat laboris usui,
   Mentesque fessas allevet,
   Luctusque solvat anxios;

2. . . . daz div rŏwe
   wider gebe der arbeite nuzze
   vñ mŏte mŏde ringe mache
   uñ chlage zeloese sorcsam.

3. *Grates peracto jam die*
   Et noctis exortu preces
   Votis, reos ut adjuves,
   Hymnum canentes solvimus.

3. genade zergangen alzan tage
   vnd der naht vfrunst gebet
   antheizen schuldige das helfe[1]
   * sigende [2] erbieten wir.

4. *Te cordis ima concinant,*
   Te vox canora concrepet,
   Te diligat castus amor,
   Te mens adoret sobria.

4. dich des herzen tiefe singe
   dich stimme helliv mit helle
   dich minne chvschev [3] minne
   dich mŭt anbete nŏhter.

5. *Ut cum profunda clauserit*
   Diem caligo noctium,
   Fides tenebras nesciat,
   Et nox fideli luceat.

5. daz swenne tiefiv gesperre
   den tac tunchelheit nahte
   gelovbe vinster newizze
   vnd lieht gelovbigem lŏhte.

6. *Dormire mentem ne sinas,*
   Dormire culpa noverit,
   Castos fides refrigeret,
   Somni vaporem temperet.

6. slafen den mŏt niht verhengest
   slafen schulde erchenne
   chusche gelóbe erchŏle
   slafes slewecheit maze.

XXX. *Von Ambrosius. — D. I,* 17. *K.* 40.
[1]) Lies h e l f e s oder h e l f e s t.
[2]) Lies s i n g e n d e.
[3]) Man erwartet c h u s c h i v; vergl. 39, 3; 49, 5; 54, 4; 68, 5; 101, 6, 8.

7. *Exuta sensu lubrico*
   Te cordis alta somnient,
   Ne hostis invidi dolo

   Pavor quietos suscitet.

8. *Christum rogemus et Patrem,*
   Christi Patrisque Spiritum,
   Unum potens per omnia
   Fove precantes Trinitas.

7. vzgetan sinne traegem
   dich herzen hohe travme
   daz niht viendes nidiges hon-
   chust
   vorhte rŷwige erweche.

8. christ bitte wir vñ den vater
   christes vñ vaters geist
   einen gewaltic vber elliv
   rihte bittvnde trivalticheit.

XXXI.

XXXI.

1. *Conditor alme siderum,*
   Aeterna lux credentium,
   Christe, redemptor omnium
   Exaudi preces supplicum.

2. *Qui condolens interitu*
   Mortis perire saeculum,
   Salvasti mundum languidum,
   Donans reis remedium.

3. *Vergente mundi vespere,*
   Uti sponsus de thalamo
   Egressus honestissima
   Virginis matris clausula;

4. *Cujus forti potentiae*
   Genua curvantur omnia,
   Coelestia, terrestria,
   Fatentur nutu subdita.

1. Schepfaer heiliger der sterne
   ewigez lieht der gelovbigen
   * vrlosaer aller
   erhore gebet der vlegelicher[1]).

2. der ebendolnde mit dem ende
   todes verdorben werlt
   hast gehailet werlt sieche
   gebende schuldigen erzenie.

3. naeigende der werlt abende
   als brivtegon von brvtbette[2])
   vzgegan aller erbaerste
   der maide mv̊ter besperrunge.

4. des starchem gewalte
   chnie werdent chrumpent elliv
   himeliskiv irdiskiv
   veriehent winche vndertan.

XXXI. Von Ambrosius. — D. I, 74. *K.* 30. *Bo.* 592. *Sch. I,* 39.

[1]) Ueber diese starke Form nach dem Artikel s. Grimm IV, 535. Vergl. unten 39, 3; 44, 5; 65, 2; 104, 9.

[2]) Graff Diut. III, 171 hat brivtegön, brûtbette.

5. *Occasum sol custodiens,*
   Luna pallorem retinens,

   Candor in astris relucens

   Certos observat limites.

5. den niderval svnne hŷtende
   der mane die blaeiche beha-
   bende
   der schin an dem gestirne
   lŷhtende
   gewisse beh'altet stige.

6. *Te deprecamur Hagie,*
   Venture judex saeculi,
   Conserva nos in tempore
   Hostis a telo perfidi.

6. dich bitten wir heilich
   chvnftiger rihter der werlt
   behalte vns in dem zite
   viendes von gescozze vnge-
   triwes.

7. *Laus, honor, virtus, gloria*
   Deo Patri cum Filio
   Sancto simul Paraclito
   In sempiterna saecula.

7. lop herre tvgent *
   gote dem vater mit dem sun
   heiligem ensament troestaere
   in div ewigen werlt.

XXXII.

XXXII.

1. *Verbum supernum prodiens,*
   A Patre olim exiens,
   Qui natus orbi subvenis
   Cursu declivi temporis;

1. Daz wort oberestez vurgendez
   von dem vater wilen vzgende
   der geborn der werldi [1] hilfest
   dem lovfe zergancliches zites.

2. *Illumina nunc pectora,*
   Tuoque amore concrema,
   Audito ut praeconio
   Sint pulsa tandem lubrica.

2. erlvhte nu die brust
   vnt diner minne brenne
   gehoret daz lobe
   sin vertriben zeivngest sle-
   wigiu.

3. *Judexque cum post aderis,*

   Rimari facta pectoris,

3. vnt rihter so hernach zvchv-
   mest
   vorschen werch der brust

XXXII. *Von Ambrosius. — Br. D. I,* 77. *Sch. I,* 42.
[1]) Alte Form, auch bei Graff I, 936 uuerlti, im Muspilli V. 70
in werolti, sonst werelde, wereld, werlt.

Reddens vicem pro abditis

Justisque regnum pro bonis.

widergebende wehsel vmb div
verborgen
vnt den rehten daz rich vmb
div gv̊tate [1]).

4. Non demum artemur malis

Pro qualitate criminis,
Sed cum beatis compotes

Simus perennes coelibes.

4. niht verivngest [2]) werden be-
twngen [3]) mit vbel
vmb .die wilcheit des lasters
sunder mit den saeligen eben-
mahtich
wir sin ewige himelbiwaere [4]).

5. Gloria tibi Trinitas,
Aequalis una Deitas,
Et ante omne saeculum
Et nunc et in perpetuum.

5. ere dir trivalticheit
gelich ein gotehait [5])
vn̄ vor ller werlt
vn̄ nv vn̄ eweclichen.

XXXIII.

XXXIII.

1. Vox clara ecce intonat,
Obscura quaeque increpat;
Pellantur eminus somnia,

Ab aethere Christus promicat.

1. Diu stimme berhtel sich hillet
tvncheliv iegelichiv refset
vertriben sin von verre die
travme [6])
von dem lvfte christ schinet.

2. Mens jam resurgat torpida,
Quae sorde exstat saucia,
Sidus refulget jam novum,

Ut tollat omne noxium.

2- der mv̊t alzan erste traeger
div mit vnsvber ist slewich
der sterne erschinet alzan
niwer
daz er hinneme allez scha-
delich.

XXXIII. Von Ambrosius. — *D. I,* 76. *Sch. I.* 41. *Sm.* 36.
[1]) Für gv̊ttate; auch Graff V, 334 hat einmal guotat.
[2]) Ist mir sonsther nicht bekannt. Graff I, 605 fg. hat die Adv.
ze iungest, az iungist.
[3]) Lies betwungen.
[4]) So auch 103, 1; 111, 2; dagegen das richtigere himelbuwaer,
1, 8; 40, 2; 93, 2.
[5]) Die Strophe ist wiederholt 56, 4; daselbst steht aber gotheit.
[6]) Oben 10, 2 steht trovme. Auch Graff V, 531 hat troum und
traum.

3. *E sursum agnus mittitur,*
    Laxare gratis debitum,
    Omnes· pro indulgentia
    Vocem demus cum lacrimis.

4. *Secundo ut cum fulserit*
    Mundumque horror cinxerit.
    Non pro reatu puniat,
    Sed pius nos tunc protegat.

3. von obene lamp wirt gesant
    vergeben danches schulde
    alle vmb antlaz
    stimme wir geben mitzaeheren.

4. zem ander [1] male so erschine
    vnd die werlt eise vmbe gurte
    niht vmb schvlde wizze
    svnder gv̊ter vns denne be-
    ware.

XXXIV.

1. *Veni redemptor gentium,*
    Ostende partum virginis,
    Miretur omne saeculum,
    Talis decet partus Deum.

2. *Non ex virili semine,*
    Sed mystico spiramine
    Verbum Dei factum est caro,

    Fructusque ventris floruit.

3. *Alvus tumescit virginis.*
    Claustrum pudoris permanet,
    Vexilla virtutum micant,
    Versatur in templo Deus.

4. *Procedens de thalamo suo,*
    Pudoris aula regia
    Geminae gigas substantiae,
    Alacris ut currat viam.

XXXIV.

1. Chvme vrloser der diete
    zaeige gebvrt der maide
    neme wvnder alle werlt
    solch gezimt geburt got.

2. niht uz manlichem samen
    svnder bezaichenlichem geiste
    daz wort gotes worden ist
          vleisc
    vnd wv̊cher des bv̊ches [2] hat
    geblv̊t.

3. wambe grozet der maide
    daz sloz schame belibet
    die vanen tugende schinent
    wonet in dem sal got.

4. vurgende von brvtbette sinem
    schame phallenz chuneclich
    zwispilder rise weseheit
    sneller daz er lovfe wech.

XXXIV. Von Ambrosius. — Bj. 46. D. I, 12. Bo. 592. Sm. 26.
[1] Gewöhnlicher ist z e m a n d e r n.
[2] Gewöhnlicher ist b u c h e s.

5. Egressus ejus a Patre,
Regressus ejus ad Patrem,
Excursus usque ad inferos,
Recursus ad sedem Dei.

5. vzganc siner vonem [1]) vater
widerganc siner zv dem vater
vzlovf vnze zv der· helle
widerlovf zv̊ dem stv̊le gotes.

6. Aequalis aeterno Patri
Carnis trophaeo accingere,

Infirma nostri corporis
Virtute firmans perpeti.

6. velich [2]) ewigem vater
des vleiskes sigenunfte gurte
dich
sieheit [2]) vnsers lichnamen
tvgende vestene ewiger.

7. Praesepe jam fulget tuum.
Lumenque nox spirat novum,
Quod nulla nox interpolet
Fideque jugi luceat.

7. chrippe alzan schinet dinez [4])
vnd lieht div naht waet niwez
daz nehein naht vnderschidet
vngelo̊ben [5]) ewigen lv̊hte [6]).

XXXV.

XXXV.

1. Agnoscat omne saeculum
Venisse vitae praemium
Post hostis asperi jugum

Apparuit redemptio.

1. Erchenne elliu werlt
chomen sin lebens lon
nach des viendes scherpfes
ioch
ist erschinen erledigunge.

2. Isaias quae concinit,
Completa sunt in virgine,
Annuntiavit angelus,
Sanctus replevit Spiritus.

2. der wissage div vorseit
ervullet sint an der meide
chundet hat der engil
heiliger ervult geist.

3. Maria ventre concepit
Verbum fideli semine;

3. div meit in ir bvche enphie
daz wort gelo̊bigem samen

XXXV. Von Fortunatus. — D. I, 159. *K.* 130. *Sm.* 44.
[1]) Ein seltenes Beispiel von Zusammenziehung des Artikels mit einer
Präposition, s. Grimm IV, 368.
[2]) Lies ge l i c h.
[3]) Lies s i e c h e i t.
[4]) Nach dem lateinischen Text.
[5]) Lies v n ge l o b e n.
[6]) Richtiger ist lvhte, wie 19, 4; 22, 2.

Quem totus orbis non capit,
Portant puellae viscera.

den elliv werlt niht treit
dragent der diern innaeder [1]).

4. Radix Iesse floruit,

    Et virga fructum edidit,

    Foecunda partum protulit,
    Et virgo mater permanet.

4. div wurze des herren alzan
    hat geblůt
vñ div gerte wůcher hat vur-
    braht
berhaft die geburt hat vurbraht
div meit můter belibet.

5. Praesepe poni pertulit,

    Qui lucis auctor exstitit,
    Cum Patre coelos condidit,

    Sub matre pannos induit.

5. in der chrippe geleit werden
    vertrůc
der liehtes orthabe was
mit dem vater die himel ge-
    schůf
vnder der mvter [2]) div tůch
    anleite.

6. Legem dedit qui saeculo,
    Cujus decem praecepta sunt,
    Dignando factus est homo

    Sub legis esse vinculo.

6. die e gap der der werlt
der zeheniv [3]) gebot sint
gerůchende geworden ist men-
    nisk
vnder der e sin bande.

7. Adam vetus quod polluit,
    Adam novus hoc abluit;
    Tumens quod ille dejicit,

    Humillimus hic erigit.

7. dev man alte daz gemeilte
der niwe daz abetwůch
hoch tragender daz der nider
    warf
aller diemůtist dar[4]) vfrihtet.

8. Jam nata lux est et salus,

    Fugata nox et victa mors;

    Venite, gentes, credite,
    Deum Maria protulit.

8. alzan geborn daz lieht ist vñ
    heil
verieit div naht vñ vberwun-
    dene[5]) der tot
chomet diete gelovbet
got div meit hat vurbraht.

---

[1]) Graff I, 457 hat innâdiri, innâdir und inâdere.
[2]) Es ist wol můter zu lesen, wie auch 75, 4; 83, 4.
[3]) Eine seltene Form, s. Graff V, 628. Grimm I, 762. S. auch 44, 4.
[4]) Lies der. [5]) Lies vberwunden.

9. *Gloria tibi, Domine,*
   Qui natus es ex virgine,
   Cum Patre et sancto Spiritu

   In sempiterna saecula!

9. ere dir herre
   du geborn bist von der maide
   mit dem vater vn[1]) heiligem
   geiste
   in die ewegen werlt.

XXXVI.

XXXVI.

1. *Christe, redemptor omnium,*
    De Patre Patris unice,

    Solus ante principium
    Natus ineffabiliter.

1. Christ erlosaer aller
   von dem vater des vater ein-
   born
   ein vor dem anegenge
   geborn unsaegelichen.

2. *Tu lumen, tu splendor Patris,*
    Tu spes perennis omnium,
    Intende quas fundunt preces
    Tui per orbem famuli.

2. dv lieht du schin des vater
   du gedinge ewiger aller
   andenche die opfernt gebet
   dine vber die werlt schalche.

3. *Memento salutis auctor,*
    Quod nostri quondam corporis
    Ex illibata virgine
    Nascendo formam sumpseris.

3. gehvge heiles orthabe
   daz vnsers wilent lichnamen
   von vngemeilter meide
   werdende bilde habest ge-
   nomen.

4. *Hoc praesens testatur dies*
    Currens per anni circulum,
    Quod solus a sede Patris
    Mundi salus adveneris.

4. daz dirr[2]) vrebundet tac
   lovfende des iares vmberinch
   daz eine von stvle des vater
   der werelde heil chomen sist.

5. *Hunc coelum, terra, hunc mare,*
    Hunc omne quod in eis est,
    Auctorem adventus tui

    Laudans exultat cantico.

5. den himel erde den daz mer
   den allez daz darinne ist
   orthaben zv chvnfchvnfte[3])
   diner
   lobet sich vrevnde mit gesange.

XXXVI. *Von Ambrosius.* — *Br. D. I,* 78. *Sch. I,* 43. *Sm.* 42.
[1]) Lies vn. [2]) D. i. dirro, dirre (dieser), wie 38, 2. 3. v. o.
Notker hat oft den Nom. sg. m. dirro. [3]) Lies zůchvnfte.

3

6. *Nos quoque qui sancto tuo*
    Redempti sumus sanguine
    Ob diem natalis tui
    Hymnum novum concinimus.

6. wir ovch die heiligem dinem
    erlediget sin blv̊te
    vmbe den tac gebvrte diner
    lob niwez mit singen.

XXXVII.

XXXVII.

(S. unten 2. Abthlg. Nr. XXII.)

1. *A solis ortus cardine*
    Ad usque terrae limitem
    Christum canamus principem
    Natum Maria virgine.

1. Von svnnen vfrvnst anegenge
    vnz an der erde ende
    christ singen wir vursten
    geborn * der meide.

2. *Beatus auctor saeculi*
    Servile corpus induit,

    Ut carne carnem liberans

    Ne perderet, quos condidit.

2. saeliger orthabe der werlte
    schalclichen lichnamen hat an-
        geleit
    daz mit vleische daz vleisk vri
        machende
    niht verlvre die er geschv̊f.

3. *Clausa parentis viscera*
    Coelestis intrat gratia,
    Venter puellae bajulat
    Secreta, quae non noverat.

3. verspartiv der mv̊ter innaeder[1]
    himelischiv in get genade
    der bvch diernen treit
    tovgen div si niht het erchant.

4. *Domus pudici pectoris*
    Templum repente fit Dei;
    Intacta, nesciens virum,
    Verbo concepit filium.

4. hvs schaemelicher bruste
    ein sal gahes wirt gotes
    vngerv̊ret newizzende man
    von dem worte enphie den sun.

5. *Enixa est puerpera,*
    Quem Gabriel praedixerat,
    Quem matris alvo gestiens

    Clausus Joannes senserat.

5. genesen ist chinttragerinne
    den der engel het vorgeseit
    den in der mv̊ter wambe spi-
        lende
    versparter daz chint verstv̊nt.

XXXVII. *Von Sedulius.* — *Br. Bj.* 133. ᴿ*o.* 12. *D. I,* 143. *K.* 119.
Sch. I, 80.
    [1]) S. 35, 3.

6. *Foeno jacere pertulit,*
Praesepe non abhorruit,
Parvoque lacte pastus est,

Per quem nec ales esurit.

6. hew ligen vertrv̊c
chrippe niht erschrihte
vn̄ waeniger [1]) milche gevûret
ist
durh den noch den vogel
hungert.

7. *Gaudet chorus coelestium,*
Et angeli canunt Deo,
Palamque fit pastoribus
Pastor, creator omnium.

7. sich vrevt chor himelischer
vnd engele singent got
vnd offen wirt hirten
hirte schepfaer aller.

8. *Summo Parenti gloria*
Et Filio laus maxima
Cum sancto sit Paraclito
Nunc et per cuncta saecula.

8. oberostem vater ere
vnd svn lop vil michelr [2])
mit heiligem si geiste
nv vnd vbez alle werlt.

XXXVIII.   XXXVIII.

1. *Stephano primo martyri*
Cantemus canticum novum
Quam dulcis est psallentibus,
Opem ferre credentibus.

1. Dem herren erstem marteraere
singen wir gesanc niwez
wie sv̊ez [3]) ist singvnden
helfe bringen gelôbenden.

2. *Hic primus almo sanguine*
Christi secutus gloriam,
Viam salutis caeteris
Amore mortis praebuit.

2. dirr [4]) der erste heiligem blv̊te
christes nach volgende ere
wech heiles den andern
minne todes erbot.

3. *Hic enim per apostolos*
Probatus in laude Dei,
Vexilla mortis rabuit,
Ut praeferretur omnibus.

3. dirr wand durh boten
bewaeret an dem lobe gotes
vanen todes zuhte
daz vurgenomen wrde [5]) allen.

XXXVIII. Von Ambrosius. — D. 1, 90.

[1]) Seltene Form für wêniger.

[2]) Verschrieben für m i c h e l, wie 43, 5 steht, wo die ganze Str. wiederkehrt, aber mit einigen Abweichungen in der Schreibung.

[3]) Eine seltene Form für s û z. s. auch 42, 6; 47, 3; 66, 1; 102, 12.

[4]) S. 36, 4.

[5]) Lies w u r d e.

4. *O praeferenda gloria,*
    O beata victoria,
    Hoc meruisse Stephanum,
    Ut sequeretur Dominum.

4. vurgenomeniv ere
    saeligiv sigenvnft
    daz gearnet haben den herren
    daz er volgete dem herren.

5. *Ille levatis oculis*
    Vidit Patrem cum Filio,
    Monstrans in coelis vivere,
    Quem plebs quaerebat perdere.

5. der vrhabenen ovgen
    sach den vater mit dem svn
    zeigende in den himeln leben
    den volc sich vrevte verliesen.

6. *Judaei magis saeviunt*
    Saxaque prensant manibus,
    Conjurant, ut occiderent
    Verendum Christi militem.

6. die iuden mer wv̊tent
    vn̄ steine gevangen handen
    zesam si chernt daz si erslv̊gen
    den ze vurhten christes riter.

7. *At ille coelum intuens*
    Tradit beatum spiritum,
    Pro persequentium crimine
    Precem secundam dirigit:

7. svnder er himel ansehende
    git saeligen geist
    vmbe aethaere svnde
    gebet daz ander sendet:

8. *Deus, creator omnium,*
    Dimitte caecis hoc malum,
    Et hoc nefas, quod aspicis,
    Indulge meis precibus.

8. got schepfaer aller
    vergib blinden daz vbel
    vn̄ daz vnbilde daz dv sihest
    vergibe [1]) minen gebeten.

XXXIX.

XXXIX.

1. *Sancte Dei pretiose protomar-*
    tyr Stephane,
    Qui virtute caritatis circum-
    fultus undique,
    Dominum pro inimico exorasti
    populo;

1. Heilige [2]) gotes tivrer erst
        marteraer
    der tvgende der minne vmbe-
        stictaer [3]) allenthalben
    den herren vmb viendem hast
        erbeten livte.

XXXIX. *Von unbekanntem Verf. — D. I,* 241.
[1]) Eine hier und 108, 2 vorkommende seltene Imperativform für ve rg ib. Unten 53, 7; 54, 4 steht ähnlich gibe für gib, wie 53, 6; 71, 6 steht.
[2]) Lies heiliger.
[3]) Richtiger wol umbesticter, d. i. umsteckter, umgebener. Graff VI, 628 hat umbestecket, umbestecchet, umbistickit mit lilion.

2. *Funde preces pro devoto tibi*
   nunc collegio,
   Ut tuo propitiatus interventu
   Dominus
   Nos purgatos a peccatis jungat
   coeli civibus.

3. *Gloria et honor Deo usque-*
   quaque altissimo,
   Una Patri, Filioque, inclyto
   Paraclito,
   Cui laus est et potestas per
   aeterna saecula.

2. opfer gebet vmb willigem dir
   nv geselleschefte
   daz dinem gehvldiget vnder-
   dige herre
   vns gereinet von svnden zv̂ vûge
   himels hvsgenozzen.

3. lob vnd ere got alzev[1]) dem
   hoehestem[2])
   ensament dem vater vnd. svn
   edelem troester
   dem lop ist vnd gewalt vber
   ewige werlt.

XL.   XL.

1. *Sollemnis dies advenit,*
   Quo virgo coelum petiit,
   Evangelista maximus
   Joannes et apostolus.

2. *Hinc vota laudis solvere*
   Ac hymnum gestit promere
   Caterva nostri ordinis
   Honore tanti coelibis.

3. *Quem sacro super pectore*
   Tuo facis recumbere
   Ultima in coena Domine,
   Quam patereris pridie.

1. Tvltlicher tac chomen ist
   an dem meit himel gewan
   gotes bote der meiste
   * vnd bote.

2. darvmbe antheiz lobes gelten
   vnd gesanc vlizet vurbringen
   menige vnser schar
   ere so grozes himelbvwaeres.

3. den heiliger ufe bruste
   diner machest trv̂wen[3])
   an dem lestem an[4]) merot herre
   e dv gemarteret wurdest vor-
   deren[5]) tages.

XL. *Von unbekanntem Verf. — D. I,* 278 *hat nur Str.* 1 *u.* 5.
   [1]) Unten 101, 9 (wo die ganze Str. wiederkehrt) steht dafür **alec-**
lichen.
   [2]) S. oben 31, 1.
   [3]) Lies rv̂wen.
   [4]) Ist überflüssig.
   [5]) Dieser schwache Genitiv ist zu merken, s. unten 43, 3; 46, 1.

4, *Cui matrem tali foedere*

   Mortis conjungis tempore,
   Ut noverint se colere
   Matris ac prolis nomine.

5. *Qui carne solo positus,*
   Mente polo contiguus,
   Verbum inedicibile
   Cordis conspexit lumine.

6. *Hujus prece assidua*
   Ut nostra solvas crimina,
   E coelo dones praemia
   Voce precamur cernua.

7. *Sursum erectis cordibus*
   Versis in terram vultibus
   In Trinitatis nomine
   Te adoramus Kyrie.

4. dem[1]) dine mv̊ter so getanem
         gelubde
    todes zv̊vugest zite
    daz si wizzen sich v̊ben
    mv̊ter vnd svnes namen.

5. der libe an der erden gesetzet
    mit dem mv̊te dem himel naher
    daz wort vnsaegelichez
    herzen beschowet liehte.

6. des gebete emzigem
    daz vnser loesest svnde
    von himel gebest lon
    stimme wir bitten vlegeliche[2]).

7. vf erhaben herzen
    cherten an die erde antlutzen
    in der trivalticheit namen
    dich anbetten[3]) wir herre.

XLI.

1. *Salvete flores martyrum,*

   Quos lucis ipso in limine
   Christi insecutor sustulit,
   Ceu turbo nascentes rosas.

2. *Quid crimen Herodem juvat?*
   Vos prima Christi victima

XLI.

1. Sit gegrv̊zet blv̊men der mar-
         teraere
    die liehtes dem angenge
    christes aehtaer vf nam
    als windes brvt blv̊ende rosen.

2. waz laster den man hilfet
    ir div erste[4]) christes opfer

XLI. *Von Prudentius.* — Br. Bj. 124. Bo. 594. D. I, 124. Sch. I, 76.
Sm. 82.

   [1]) Im lat. Text hat die Handschr. irrthümlich c u m statt c u i.
   [2]) Richtiger v l e g e l i c h e r.
   [3]) Oben 30, 4; unten 44, 3 steht a n b e t e n; 81, 1; 83, 1; 84, 3;
88, 2 a n b e t t e n. G r a f f III, 58 f. hat nur a n a p e t o n n e, a n a b e t e t a,
aber einfaches b e t t o n e, b e t t u t i.
   [4]) S. oben 31, 1.

Grex immolatorum tener
Palma et coronis luditis.

chorder geopferten[1]) marwer
mit der palm[2]) und chronen
ir spilt.

3. *Audit tyrannus anxius*
   Adesse regum principem,
   Exclamat amens nuntio:
   Ferrum, satelles, i, rape.

3. Hôret wŷtrich sorcsamer
   chomen sin chvnige vursten
   er schriet sinnelos dem boten
   isen holde * zuche.

4. *Mas omnis infans occidat,*
   Scrutare nutricum sinus,
   Fraus ne qua furtim subtrahat

   Prolem virilis indolis.

4. degen aller chint verderbe
   er sŷche der ammen schoz
   welist neheiniv verstoln vnder
   ziehe
   chint manliches chvnnes.

5. *Transfigit ergo carnifex,*

   Mucrone districto furens,
   Effusa nuper corpora,

   Animasque rimatur novas.

5. dvrchstichet davon vleisch-
   hacher
   swerte gegurtem tobende
   vz gegozzen nivlichen lich-
   name
   vnd sele * niwe.

6. *O barbarum spectaculum!*
   Vix interemptor invenit
   Locum minutis artubus,
   Quo plaga descendat patens.

6. grivlich beschowede
   chvme erslaher vindet
   stat chleinen gliden
   da slac niderge offen.

7. *Quo proficit tantum nefas?*
   Inter coaevi sanguinis
   Fluenta solus integer
   Impune Christus tollitur.

7. waz vrvmte so groz vnpilde
   vnder ebenaltes blŷtes
   vluzze ein ganzer
   vngeleidiget christ wirt zaphŭ-
   ret[3]).

8. si trivalticheit lop tvgent ere
   sigenunft div git
   chrone gezivgen
   von ewen ze ewen.

*   *
* *

---

[1]) S. oben 40, 3.
[2]) Sonst in schwacher Form **palmen**.
[3]) Richtiger **zafûret**, s. 14, 2.

XLII.   XLII.

1. *Corde natus ex parentis ante*
   mundi exordium,
   A et O cognominatus, ipse fons
   et clausula,
   Omnium, quae sunt, fuerunt,
   quaeque post futura sunt
   Saeculorum saeculis.

2. *O. beatus partus ille, virgo*
   cum puerpera
   Edidit nostram salutem foeta
   sancto Spiritu,
   Et puer, redemptor orbis, os
   sacratum protulit.

3. *Psallat altitudo coeli, psallant*
   omnes angeli,
   Quidquid est virtutis usquam
   psallat in laudem Dei,
   Nulla linguarum silescat, vox
   et omnis consonet.

4. *Ecce, quem vates vetustis con-*
   cinebant saeculis,
   Quem prophetarum fideles pa-
   ginae spoponderant,
   Emicat promissus olim, cuncta
   collaudent eum.

5. *Te senes et te juventus, par-*
   vulorum te chorus,
   Turba matrum virginumque,
   simplices puellulae
   Voce concordes pudicis per-
   strepent concentibus.

1. Vo[1]) herzen geborn von des va-
   ter vor der werlt anegenge
   * * genant der selbe vrsprinc
   vnd ende
   aller div sint sint gewesen vnd
   div nach chvnftic sint
   iemer vnd iemer.

2. saeligiv gebvrt der meit do
   chintgeberaerinne
   gebar vnser heil berhaft hei-
   ligem geiste
   vnd chint erloeser der werlt
   mund heiligen vftet.

3. singe div hoehe himels singen
   alle engele
   swaz so ist tvgende iender
   singe in lop gotes
   enheiniv zvngen gedage stimme
   vnd elliv mithaelle.

4. sich den altvater den alten
   svngen werlt
   den der wissagen gelöbliche
   schrift gehiezen
   uz schinet gehaeizenez wilen
   alliv loben in.

5. dich alte vnd dich ivgent we-
   nigen dich chor
   menige der mvter vnd meide
   einvaltige diernline
   stimme ebenhelle chvschen
   singen mit gesange.

XLII. Von Prudentius. — D. I, 122. Sm. 48.
1) Lies von.

6. *Tibi, Christe, sit cum Patre*
   hagioque Spiritu
   Hymnus, melos, laus perennis,
   gratiarum actio,
   Honor, virtus, victoria, regnum
   aeternaliter.
   Saeculorum saeculis.

6. dir christ si mit dem vater
   vnd heiligem *
   sanc sv̊ezer [1]) ton lop ewiger
   genade
   ere tvgent sigenvnft rich ewec-
   lichen
   iemer vnd iemer.

XLIII.

1. *Hostis Herodes impie,*
   Christum venire quid times?
   Non eripit mortalia,
   Qui regna dat coelestia.

2. *Ibant magi, quam viderant*

   Stellam sequentes praeviam,

   Lumen requirunt lumine,
   Deum fatentur munere.

3. *Lavacra puri gurgitis*
   Coelestis agnus attigit;
   Peccata, quae non detulit,
   Nos abluendo sustulit.

4. *Novum genus potentiae,*
   Aquae rubescunt hydriae,
   Vinumque jussa fundere
   Mutavit unda originem.

5. *Summo Parenti gloria*
   Et Filio laus maxima
   Cum sancto sit Paraclito
   Nunc et per cuncta saecula.

XLIII.

1. Vient * vngv̊ter
   christ chomen waz vvrhtest
   niht benimet totlichiv
   der rich git [2]) himelischiv.

2. giengen die herren den heten
          gesehen
   sternen nach volgende vorlei-
          tenden
   lieht sv̊chend an dem liehte
   got beiehent gabe.

3. bat livtern [3]) wages
   himelischer lamp rv̊rte
   svnde die niht brahte
   vns abtwahende benam.

4. niwez geslaehte gewaltes
   wazzer rottent [4]) chrv̊ge
   vnd win geboten giezen
   verwandelte wazzer in natvr.

5. oberestem vater ere
   vnd dem svn lop vil michel
   mit heiligem si geiste
   nv vnd vber alle werlt [5]).

XLIII. Von Sedulius. — *Br. Bj.* 134. *Bo.* 594. *D. I,* 147. *K.* 121.
Sch. I, 82. *Sm.* 86.
[1]) S. oben 38, 1.   [2]) D. i. gib et.   [3]) S. oben 40, 3.   [4]) S. oben 4, 1.
[5]) Die Str. steht mit einigen Abweichungen oben 37, 8.

XLIV.   XLIV.

1. Jesus refulsit omnium
Pius redemptor gentium,
Totum genus fidelium
Laudes celebret dramatum.

1. * ist erschinen aller
gvter erloeser der diete
allez geslaehte gelovbiger
lobe bege brvtgesanges.

2. Quem stella natum fulgida

Monstrat micans in aethera,
Magosque duxit praevia
Ipsius ad cunabula.

2. den der sternen [1]) gebornen
            schinende
zeiget lvhtende in den luften
vnd chunige leitte [2]) vorwise
sine [3]) ze den wiegen.

3. Illi videntes parvulum
Pannis adorant obsitum,
Verum fatentur et Deum,
Munus ferendo mysticum.

3. die sehende chint
mit tv̊chen anbetent bewunden
waren iehent vnd got
gabe bringende bezeichenlich.

4. Denis ter annorum cyclis

Jam parte vivens corporis

Lympham petit baptismatis
Cunctis carens contagiis.

4. zehener [4]) dristvnt iare vm-
            beringen
alzan an teile lebende lich-
            namen
wazzer gert der tovfe
allen darbende meilen.

5. Felix Johannes mergere
Illum tremiscit flumine,
Potest suo qui sanguine
Peccata cosmi tergere.

5. saelich der herre senchen
der ervurhtet wazzere
mac sinem der blv̊te
svnde der werlt abwischen.

6. Vox ergo Prolem de polis

Testatur excelsa Patris,
Virtus adestque Pneumatis,
Sancti datrix charismatis.

6. stimme darvmbe chint von hi-
            meln
vrchvndet des hoehen vater
tvgent vnd bi ist geistes
heiliger gebaerinne himeli-
            scher gebe.

XLIV. Von Hilarius. — D. I, 4. K. 18.
[1]) Ein seltener Nominativ; G r a f f VI, 722 hat auch ein Beispiel.
[2]) S. oben 3, 2.
[3]) Seltene Genitivform, doch auch bei G r a f f VI, 5.
[4]) Eine seltene Form, s. 35, 6.

7. *Nos, Christe, subnixa prece*
   Precamur omnes, protege,
   Qui praecipis rubescere
   Potenter hydrias aquae.

7. vns christ vlegelicher bete
   bitten wir alle bewar
   der gebivtest rot werden
   gewalticlichen div vaz wazzers.

8. *Praesta benignum sedulo*
   Solamen adjutorio,
   Raptosque nos e tartaro
   Regnare fac tecum polo.

8. verlihe gv̊tlichen emzelichem
   trost helfe
   vnd gezuhte vns vz der helle
   zihsen tv̊ mit dir ze himel.

9. *Laus trinitati debita,*
   Honor, potestas, gloria
   Perenniter sit omnia
   Per saeculorum saecula!

9. lop triualticheit schuldic
   ere gewalt *
   ewiclichen si alle
   vber der werlde werlt.

XLV.

XLV.

1. *Quod chorus vatum venerandus*
   olim
   Spiritu sancto cecinit repletus,
   In Dei factum genitrice con-
   stat
   Esse Maria.

1. Daz chor wissagen ewirdiger
   wile
   geiste heiligem sanc ervullet
   in gotes geschehen mv̂ter ist
   gewis
   sin *

2. *Haec Deum, coeli dominumque*
   terrae
   Virgo concepit peperitque virgo
   Atque post partum meruit
   manere
   Inviolata.

2. div got himel[1]) vnd herren
   der erden
   meit enphie vnd gebar meit
   vnd nach gebvrte hat gearnet
   beliben
   unbewollen.

3. *Quem senex justus Simeon in*
   ulnis
   In domo sumpsit Domini, ga-
   visus
   Hoc, quod optavit, proprio
   videre
   Lumine Christum.

3. den alte rehter * an den
   armen
   in dem hvs nam herren ge-
   vrevter
   durh daz er wunschte eigenem
   sehen
   liehte christ.

XLV. *Von unbekanntem Verf. — D. 1, 242 hat die 1. Str.*
[1]) Lies h i m e l s.

4. Tu libens votis petimus pre-
cuntum
Regis aeterni genitrix faveto
Clara quae celsi renitens olympi

Regna petisti.

4. dv willigiv antheizen bitten wir
bittvnder
chuniges ewiges mv̊ter gewer
berhtel div hohes behabende
himels
rich gewunnen hast.

5. Sit Deo nostro decus et po-
testas,
Sit salus perpes, sit honor
perennis,
Qui poli summa residet in arce
Trinus et unus!

5. si gote vnser zierde vnd gewalt

sit[1]) heil ewic si ere ewiclich
der himels oberoster sitzet in
hoehe
trivaltic vnd einer.

XLVI.

XLVI.

1. Fit porta Christi pervia,
Referta plena gratia,
Transitque rex, et permanet

Clausa, ut fuit per saecula.

1. Ez wirt tor christes durhwege
ervollet vollev genade
vnd vert durh chvnic vnd be-
libet
bespart als si was vber die
werlt.

2. Genus superni luminis
Processit aula virginis
Sponsus, redemptor, conditor,
Suae gigas ecclesiae.

2. geslaehte oberen[2]) liehtes
vurgie phallenz meide
brivtegon erloeser schepfaer
siner rise christenheit.

3. Honor matris et gaudium,
Immensa spes credentium
Per atra mortis pocula
Resolvit nostra crimina.

3. ere mv̊ter vnd vrevde
michel gedinge gelo̊bender
durh grimmiv todes tranc
zeloste vnser svnde.

XLVI. Von Ambrosius. — D. I, 297 hat die 1. Str. Sm. 94.
[1]) Lies si.
[2]) S. oben 40, 3.

XLVII.

1. *Martyr eyregie,*
Deo dilecte,
Ad te clamantium
Voces tuorum
Propitius audi
Sancte Blasi.

2. *Tu per innumera*
Mortis tormenta,
Triumpho nobili
Promeruisti
Martyrum militiae
Signifer esse.

3. *Vana judicasti*
Gaudia mundi
Et transitoriae
Dulcia vitae,
Memor Christi tui
Mente liquisti.

4. *Inde pro meritis*
Fulges in coelis,
Ut inter sidera
Sol atque luna,
Certus jam praemii,
Pro quo certasti.

5. *Ora pro famulis*
Tibi devotis
Et coram judice
Veniam posce,
Ne nos judicio
Damnet extremo.

XLVII.

1. Marteraer edele[1])
gote lieber
ze dir rv̊ender
stimme diner
genaediger hoere
heiliger *

2. dv durch unzalliche
todes wizen
sige edelem
hast garnet
marteraere riterschefte
vaener sin.

3. vpic hast erteilet[2])
vrevde der werlt
vnd zergancliches
sv̊eze[3]) lebens
gehvgende christes dines
mv̊tes verlieze.

4. darvon vmb gaernde
schinest in himeln
als vnder dem gestirne
svnne vnd man
gewis alzan lones
vmbe daz hast gestriten.

5. bite vmb schalche
dir willigen
vnd vor dem rihtaere
antlatz wirve[4])
daz vnsiht[5]) dem vrteil
verliese ivngestem.

XLVII. Von unbekanntem Verf. — D. I, 242 hat Str. 1 u. 2.
[1]) Richtiger **e d e l e r.**
[2]) Ahd. a r-. ir-, **e r t e i l e n** ist mehr unser ur = als ertheilen.
[3]) S. 38, 1.
[4]) In **w ë r b e n,** wechseln ahd. b, f, u. s. Graff IV, 1229 f.
[5]) Lies **v n s i h.**

6. *Trinitati .decus,*
   Honor et virtus,
   Inseparabilis
   Laus Unitati,
   Consors imperium
   Omne per aevum.

6. triualticheit gezierde
   ere vnd tvgent
   vngescheidenlich
   lop einualticheit
   gelich rich
   allez vber altez[1]).

XLVIII.

XLVIII.

1. *Sancte Blasi plebi tuae sub-*
     veni
   Et nos ab hoste defendendo
     protege
   Sicque devote famulantes effice,

   Ut tibi nostrum placeat ob-
     sequium.

1. Heiliger livte dinem hilfe

   vnd vns von dem viande scher-
     mende bewar
   vnd also willichlichen dienende
     mache
   daz dir vnser gevalle dienest.

2. *Juva nutantem ordinem mo-*
     nasticum,
   Succurre clero et gementi po-
     pulo
   Et principes doce sequi justi-
     tiam,
   Et simul totam sustenta eccle-
     siam.

2. hilfe zwivelenden den orden
     chloesterlichen
   chum ze hilfe phafheit vnd
     svftendem livte
   die vursten lere volgen daz
     reht
   vnd ensament alle vfhabe
     christenheit.

3. *Sit Trinitati sempiterna gloria,*
   Honor, potestas atque jubilatio
   In unitate cui manet imperium

   Ex tunc et modo per aeterna
     saecula.

3. si triualticheit ewigiv[2]) lop
   ere gewalt vnd gesanc
   in der einvalticheit der staete
     ist rich
   do vnd nv vber ewige werlt.

XLVIII. Von unbekanntem Verf.
[1]) Lies **alter**.
[2]) Nach dem lat. **sempiterna** ohne Beachtung des deutschen **lop**.

XLIX.

XLIX.

1. *Dies absoluti praetereunt,*
Dies observabiles redeunt,
Tempus adest sobrium,
Quaeramus puro corde Do-
minum.

1. Tage verlazen vervarent
tage behaltliche widerchoment
zit ist b nv̊hter
sv̊chen wir livterm [1]) herzen
herren.

2. *Hymnis et confessionibus*
Judex complacabitur,
Dominus non negat hic veniam,
Qui vult, ut homo quaerat gra-
tiam.

2. mit gesange vnd in bihten
rihtaer wirt gehvldiget
herre niht verseit hie antlaz
der wil daz mennisk sv̊che
genade.

3. *Fugiamus de hoc exsilio,*
Habitemus cum Domini filio,
Hoc decus est famuli,
Si sit cohaeres sui domini.

3. vliehen wir von disem ellende
wonen mit gotes svn
daz gezierde ist chnehtes
ob er si ebenerbe sines herren.

4. *Post jugum servile Pharaonis,*

Post catenas durae Babylonis
Liber homo patriam
Quaerat coelestem Hierosoli-
mam.

4. nach dem iocche schalclichem
des chvniges
nach den cheten grimmer *
vrier mennisch vaterlant
sv̊che himelische ierusálem.

5. *Sis Christe nobis dux hujus*
viae,
Memento quod sumus oves
tuae,
Pro quibus ipse tuam
Pastor ponebas morte animam.

5. sist christ vns leiter dises
weges
gehvge daz wir sin schaf dinev
vmb die dv selbe dine

hirte satzest [2]) dem tode sele.

6. *Gloria sit Patri et Filio*
Sancto simul Paraclito,
Sicut erat pariter
In principio et nunc et semper.

6. ere sit [3]) dem vater vnd svne
heiligem ensament trostaere
alsez was ensament
an dem anegenge vnd vnd nv
vnd iemer.

XLIX. Von unbekanntem Verf. — D. I, 235 *hat die* 1. *Str.*
[1]) **Richtiger mit livterm.** [2]) **Lies saztest.** [3]) **Lies si.**

L.   L.

1. Christe, fili Jesu summi men-
tes nostras visita
Coaequalis Patri atque Nato
alme Spiritus
Una virtus, lumen unum, Deus
perpes ex Deo.

2. Auge fidem puram nostris sem-
per clemens sensibus,
Quo beati Benedicti colamus
sollemnia,
Ut exemplum pii Patris non
desit discipulis.

3. Quem donasti tuo Christe coe-
lesti cum munere,
Ut honorem mundi omnem
mente flocci penderet
Teque solum fontem vitae di-
ligeret perpetis.

4. Alme Christi sempiterni Bene-
dicte confessor,
Cum ceteris Dei sanctis nunc
pro nobis supplica
Christo quo dignetur esse pec-
catis propitius.

5. Doxa Deo Patri trina sit re-
genti machinam
Ejusque Proli laus perpes nec
non sancto Pneumati,
Trinis quibus in personis
regnat una Deitas.

1. Christ svn ∗ des oberesten
mv̂te vnser erwise
gelich vater vnd svne heiliger
geist
ein tvgent lieht einez got ewic
von gote.

2. gemere gelóben livtern vnsern
iemer genaedic sinnen
daz saeliges wir v̂bergen hoch-
zit
daz bilde lere [1]) gv̂tes vater
niht gebreste ivngern.

3. den hast gerichet dinem christ
himelischer mit gabe
daz ere werlde alle mv̂te vn-
hohe hv̂be
vnd dich einen vrsprinc lebens
minnete ewiges.

4. heilige christes ewiges bihti
gez
mit andern gotes heiligen nv
vmbe vns vlege
∗ daz er gerv̂che sin svnden
genaedic.

5. ere gote vater trivaltige si rih-
tvndem geschepfede
vnd sinem chinde lop ewiges vnd
ouch heiligem geiste
trivaltigen den in genenden
rihsenet ein goteheit.

L. *Von unbekanntem Verf.*
[1]) Das lat. e x e m p l u m ist durch zwei Wörter wiedergegeben.

LI.

1. *Magno canentes annua*

Nunc Benedicto cantica,
Fruamur hujus inclytae
Festivitatis gaudiis.

2. *Qui fulsit ut sidus novum,*
Mundana pellens nubila
Aetatis ipso limine
Despexit aevi florida.

3. *Miraculorum praepotens*
Attactus alto flamine
Resplenduit prodigiis
Ventura saeclo procinens.

4. *Non ante saeclis cognitum*
Noctu jubar effulserat,
Quo totus orbis cernitur
Et haec terra conspicitur.

5. *Sit Trinitati gloria,*
Sit perpes et sublimitas,
Quae tam lucernam fulgidam
Donavit nostro saeculo.

LI.

1. Den[1]) michelm singvnde iareg-
lich
nv * gesanc
nieze wir dises edeler
tvlt vrevden.

2. der schein als sterne niwer
werltliche vertribende vinster
des alters dem anegenge
vermante werlt blvde.

3. der zeichen gewaltic
gestvnget hohem geiste
erschein wundern
chunftigiv werlt vorsagende.

4. niht vor werlt erchant
nahtes schin erschein
dem aller[2]) werlt wirt gesehen
vnd disiv erde wirt beschowet.

5. si trivalticheit ere
si ewigiv vnd hoehe
div so liehtvaz liehtez
hat gegeben vnser werlt.

LII.

1. *Ave maris stella*
Dei mater alma,
Atque semper virgo
Felix coeli porta.

LII.

1. * mers sterne
gotes mvter heiligiv
vnd iemer meit
saeligiv himels borte.

LI. Von unbekanntem Verf.
LII. Von unbekanntem Verf. — *Br. D. I,* 204. *Bo.* 131. *Sch. I,* 119.
Sm. 254.
[1]) Lies d e m.   [2]) Nach dem Lat. ohne Rücksicht auf w e r l t.

4

2. *Sumens illud Ave*
   Gabrielis ore,
   Funda nos in pace,
   Mutans nomen Evae.

2. enphahende den grv̊z
   des engeles mvnde
   vestene vns in vride
   wandelvnd namen der vrowen.

3. *Solve vincla reis,*
   Profer lumen caecis,
   Mala nostra pelle,
   Bona cuncta posce.

3. zeloese div bant schuldigen
   brinc vur lieht blinden
   leit vnser vertribe
   gv̊t elliv bite [1]).

4. *Monstra te esse matrem,*
   Sumat per te precem,
   Qui pro nobis natus
   Tulit esse tuus.

4. zaeige dich sin mv̊ter
   enphahe durh dich dige
   der vmbe vns svn
   vertrv̊c sin din.

5. *Virgo singularis*
   Inter omnes mitis,
   Nos culpis solutos
   Mites fac et castos.

5. meit ein
   vnder allen senfte
   vns schulden zeloste
   senfte mache vnd chvsche.

6. *Vitam praesta puram,*
   Iter para tutum,
   Ut videntes Jesum
   Semper collaetemur.

6. leben verlich reinez
   vart bereite sicher
   daz wir sehende *
   iemer ensament vrevn.

7. *Sit laus Deo Patri,*
   Summo Christo decus,
   Spiritui sancto,
   Honor trinus et unus.

7. si lop gote vater
   oberestiv christe gezierde
   geistem [2]) heiligem
   ere trivaltic vnd einer.

LIII.

1. *Ex more docti mystico*
   Servemus hoc jejunium,
   Deno dierum circulo
   Ducto quater notissimo.

LIII.

1. Von site gelert bezaichenlichem
   wir behalten dise vasten
   zehen tage vmberinge
   gezalt vier stvnd vil chundem.

LIII. Von Ambrosius. — *Br. D. I,* 96. *Sch. I,* 51.

[1]) So auch 53, 7. 8; sonst steht **bitten.** Auch **Graff** III, 54 f. hat mehrere Beispiele mit einfachem t.   [2]) Lies **geiste.**

2. *Lex et prophetae primitus*
Hoc praetulerunt, postmodum
Christus sacravit, omnium
Rex atque factor temporum.

2. div e vnd wissagen aller erste
daz vortrůgen darnach
christ geheiligete aller
chunic vnd schepfaer zite.

3. *Utamur ergo parcius*
Verbis, cibis et potibus,
Somno, jocis, et arctius

Perstemus in custodia.

3. niezen durh daz mazlicher
wort ezzen vnd trinchen
slafe spilen vnd bethwngen-
licher [1])
vol sten in der hvte.

4. *Vitemus autem pessima,*

Quae subruunt mentes vagas,

Nullumque demus callido
Hosti locum tyrannidis.

4. vermiden wir doch div wir-
sesten
div vnderdruchent mvte wa-
delvnd
vnd enheine geben chargem
viende stat *

5. *Dicamus omnes cernui,*
Clamemus atque singuli,
Ploremus ante judicem,
Flectamus iram vindicem.

5. sprechen wir alle vlegeliche
rvfen vnd iegeliche
weinen vor dem rihtaere
gehuldigen den zorn rachlichen.

6. *Nostris malis offendimus*
Tuam, Deus, clementiam,
Effunde nobis desuper
Remissor indulgentiam.

6. vnsern sunden erbelget haben
dine got genaedicheit
gib vns von obene
antlazer antlaz.

7. *Memento quod sumus tui*
Licet caduci plasmatis,

Ne des honorem nominis
Tui, precamur, alteri.

7. gehuge daz wir sin diner
swie doch zerganclich ge-
schepfe
niht gibe [2]) ere namen
dines wir biten [3]) einem andern.

8. *Laxa malum, quod fecimus,*

Auge bonum, quod poscimus;
Placere quo tandem tibi
Possimus hic et perpetim.

8. loese daz vbel daz wir han
getan
mere daz gvt daz wir biten [3])
gevallen daz zeleste dir
mvgen hie vnd eweclichen.

---

[1]) Lies bethwungenlicher.
[2]) Eine hier und 54, 4. 5; 107, 2 vorkommende Imperativform für gib,
vgl. oben 38, 8. [3]) S. oben 52, 3.

9. Praesta, beata Trinitas,
Concede simplex Unitas,
Ut fructuosa sint tuis
Jejuniorum munera.

9. verlihe saeligiv trivaltichcit
verlihe einvaltic einvnge
daz wvcherhaft sin dinen
der vasten gabe.

LIV.   LIV.

1. Clarum decus jejunii
Monstratur orbi coelitus,
Quod Christus, auctor omnium,
Cibis dicavit abstinens.

1. Berhtel gezierde der vasten
wirt gezeiget werlt himelischen
daz christ orthabe aller
ezzen hat geheiliget ent-
habende.

2. Hoc Moyses carus Deo
Legisque lator factus est,
Hoc Heliam per aëra
Curru levavit igneo.

2. mit dem der herre lieb gote
vnd der e bringer worden ist
daz * durh lufte
wagene vfhv̊b vivrinem.

3. Hinc Daniel mysteria
Victor leonum viderat,
Per hoc amicus intimus
Sponsi Johannes claruit.

3. davon * div tovgen
siger der lewen het gesehen
damit vrivnt inneclicher
des brvtegons erschein.

4. Haec nos sequi dona Deus
Exempla parsimoniae,
Tu robur auge mentium
Dans spirituale gaudium.

4. disev[1]) vns gevolgen gibe[2]) got
bilde enthabnusse
dv chraft mere der mv̊te
gebende geistliche vrevde.

5. Praesta Pater per Filium,
Praesta per almum Spiritum,
Cum his per aevum triplici
Unus Deus cognomine.

5. verlihe vater durh den sun
gibe durh den heiligen geist
mit den eweclichen trivaltigen
ein got namen[3]).

LIV. Von Gregor d. Gr. — D. I, 178.
[1]) S. oben 30, 4.
[2]) S. oben 53, 7.
[3]) Die Str. kehrt, mit kleinen Abweichungen, wieder 59, 6.

LV.

1. Audi benigne conditor
Nostras preces cum fletibus,
In hoc sacro jejunio
Fusas quadragenario.

2. Scrutator alme cordium
Infirma tu scis virium,
Ad te reversis exhibe
Remissionis gratiam.

3. Multum quidem peccavimus,
Poenasque comparavimus,
Sed cuncta qui solus potes,
Confer medelam languidis.

4. Sic corpus extra conteri

Dona per abstinentiam,
Jejunet ut mens sobria
A labe prorsus criminum.

LV.

1. Hoere gůtlich schepfaer
vnser dige mit weinen
in der heiligen vasten
erboten virzeczallichen [1]).

2. erchunnaer heilige herzen
siecheit dv weist der chrefte
zů dir widercherden [2]) erbivte
antlatzes genade.

3. vil gewisse gesundet haben
vnd wize haben erworben
svnder elliv dv eine maht
bringe erzenie den siechen.

4. also den lichnameu vͦzzen [3])
zechnust werden
gib mit der vasten
vaste daz mvͦt nvͦhter
von dem meil gaerlichen der
svnde.

LVI.

1. Dei fide, qua vivimus,
Spe perenni, qua credimus,

Per caritatis gratiam
Christo canamus gloriam.

LVI.
(S. unten Anhang Nr. IV.)

1. Gotes gelobe dem wir leben
gedingen ewigem mit dem wir
geloben
durh der minne genade
christe singen wir ere.

LV. Von Gregor d. Gr. — Br. D. I, 178. *K.* 154. *Bo.* 595.
Sch. I, 96. *Sm.* 92.
LVI. Von Ambrosius. — D. I, 71. *Sch. I,* 38.
[1]) Eine seltene Form, zusammengesetzt aus **virze** (statt **vierzec**),
40 und **zallich.** G r a ff III, 673 hat in **uiorzuhliha zala** = in qua-
dragenarium.
[2]) Nach dem Latein. statt w i d e r c h e r e t e n, w i d e r c h e r t e n.
[3]) Auch bei G r a ff I, 536 f. wechseln die Formen mit z und zz,
haben aber u, nicht ů.

2. *Qui ductus hora tertia*
   Ad passionis hostiam
   Crucis ferens suspendia
   Ovem reduxit perditam.

2. der gev̊ret[1]) wile dritter
   zv̊ der marter opfer
   chruzes tragende erhangenusse
   schaf hat wider geleitet ver-
   lorne.

3. *Precemur ergo subditi,*
   Redemptione liberi,
   Ut eruat a saeculo
   Quos solvit a chirographo.

3. wir bitten darumbe vndertan
   erloesvnge vri
   daz errette von werlt
   die er loste von des tivuels[2])
   hantueste.

4. *Gloria tibi Trinitas,*
   Aequalis una Deitas,
   Et ante omne saeculum
   Et nunc et in perpetuum.

4. ere dir triualticheit
   gelich ein gotheit
   vnd vor aller werlde
   vnd nv vnd ewiclichen[3]).

LVII.

1. *Qua Christus hora sitiit,*
   Crucem vel in qua subiit,

   Quos praestet in hac psallere,
   Dilet siti justitiae.

LVII.

1. Der christ wile durste
   daz chruze oder an der vn-
   dergie
   die verlihe an der singen
   rich mache durste rehtes.

2. *Quibus sit et esuries,*
   Quam de se ipso satiet,
   Crimen sit ut fastidium
   Virtusque desiderium.

2. den si vnd hunger
   den er von im selben satte
   svnde si als tracheit
   vnd tvgent girde.

3. *Charisma sancti Spiritus*
   Sic influat psallentibus,
   Ut carnis aestus frigeat
   Et mentis algor ferveat.

3. gabe heiliges geistes
   also invlieze singenden
   daz vleisches hitze aerchalte[4])
   vnd des mv̊tes chelte heiz
   werde.

LVII. *Von Fortunatus.* — D. I, 169.
[1]) Lies gev̊vret.
[2]) An andern Stellen steht tievel. Graff V, 392 hat tiufal, tiuual,
diufal, diuual, tiefal, tiefel, tieuel, tiuwel, tiuel.
[3]) Die Str. steht auch oben 32, 5.   [4]) Lies erchalte.

LVIII.

1. *Ternis ter horis numerus*
   Sacrae fidei panditur,
   Nunc Trinitatis nomine
   Munus precamur veniae.

2. *Latronis en confessio*
   Christi meretur gloriam,
   Laus nostra vel devotio
   Meretur indulgentiam.

3. *Mors per crucem nunc interit,*

   Et post tenebras lux redit,

   Horror dehiscat criminum,
   Splendor nitescat mentium.

LVIII.

1. Drin dristvnt wilen ein zal
   heiligen[1]) gelóben wirt offen
   nv der drivalticheit namen
   gabe bitten wir antlazes.

2. schachers sich bihte
   christes gearnet daz hulde
   lop vnser oder andaht
   werue[2]) antlaz.

3. der tot durh daz chrvze nv
   stirbet
   vnd nach vinstern lieht wider-
   chvmet
   eise abeneme der svnden
   vnd schin erschine der mv̊te.

LIX.

1. *Jesu quadragenariae*
   Dicator abstinentiae,
   Qui ob salutem mentium
   Hoc sanxeras jejunium.

2. *Quo paradiso redderes*
   Servata parsimonia,
   Quos inde gastrimargiae
   Huc illecebra depulit.

LIX.

1. * vierzectagelicher
   geheiligaer enthabnusse
   der durh daz heil der mv̊te
   dise gesetzet hete vaste.

2. daz dem paradyze wider gaebe
   behalten vaste
   die danne chelgir
   zer mein[3]) vertreib.

LVIII. *Von Ambrosius. — D. I,* 73.
LIX. *Von Hilarius. — D. I,* 5.
[1]) Es ist wol **heiligem** zu lesen.
[2]) S. oben 47, 5.
[3]) Diese zwei Worte entsprechen nicht dem hier sehr schwankenden Urtext.

3. *Adesto nunc ecclesiae,*
    Adesto poenitentiae,
    Qua pro suis excessibus
    Orat profusis fletibus.

3. wis bi nv christenheit
    wis nahen der riwe
    mit der vmb ir missetat
    bittet vergozzen zaeheren.

4. *Tu retroacta crimina*
    Tua remitte gratia,
    Et a futuris adhibe
    Custodiam mitissime.

4. dv ennenher begangen laster
    diner verlaze genade
    vnd vnd[1]) von chunftigen gib
    hv̊te vil senfte.

5. *Ut expiati annuis*
    Jejuniorum victimis
    Tendamus ad puschalia
    Digne colenda gaudia.

5. daz erlivtert iariclichen
    der vasten opfer
    ilen wir ze osterlichen[1]
    wirdichlichen ze v̊ben vrevde.

6. *Praesta Pater per Filium,*
    Praesta per almum Spiritum,
    Cum his per aevum triplici
    Unus Deus cognomine!

6. gib vater durh den svn
    verlihe durh den heiligen geist
    mit in ewiclichen trivaltigem
    ein got namen[2]).

LX.

LX.

1. *Vexilla regis prodeunt,*
    Fulget crucis mysterium,
    Quo carne carnis conditor

    Suspensus est patibulo.

1. Vanen chvniges vurgent
    schinet chrvzes betivtesal
    an dem libe des libes sche-
                        pfeer[3])
    erhangen ist galgen.

2. *Quo vulneratus insuper*
    Mucrone diro lanceae,
    Ut nos lavaret crimine,
    Manavit unda sanguine.

2. an dem gewundeter dar vber
    swerte scherphem des spers
    daz vns wv̊sche von der svnde
    ran wazzer mit blv̊te.

3. *Impleta sunt, quae concinit*
    David fideli carmine,

3. ervullet sint div singet
    der wissage gelobigem sange

LX.   *Von Fortunatus.* — *Br. D. I,* 160. *K.* 134. *Bo.* 50. *Sch. I,* 85.
Sm. 102.
    [1]) Ein vnd ist zu viel.   [2]) S. oben 54, 5.
    [3]) Lies **schepfer** oder **schepfaer.**

Dicens: in nationibus
Regnavit a ligno Deus.

sprechende in den dieten
hat gericsenet [1]) von dem
holze got.

4. Arbor decora et fulgida,
Ornata regis purpura,
Electa digno stipite
Tam sancta membra tangere.

4. bovm zierlich vnd schinende
geziert chuniges phelle
erwelt mit werdem stamme
so heiligiv gelider rŷren.

5. Beata, cujus brachiis
Saecli pependit pretium,
Statera facta est corporis,

Praedamque tulit tartari.

5. saeligiv der armen
werlt hienc lon
wage worden ist der [2]) lichna-
men
vnd den rovb nam der helle.

6. O crux ave, spes unica
Hoc passionis tempore,
Auge piis justitiam
Reisque dona veniam.

6. chrvz wis heil gedinge einige
disem der martere zite
gemere gŷten daz reht
vnd schuldigen gib antlaz.

7. Te summa Deus Trinitas
Collaudat omnis spiritus,
Quos per crucis mysterium
Salvas, rege per saecula.

7. dich oberestiv got trivalticheit
lobet aller geist
die durh des chrvzes heil
behaltest rihte vber werlt.

LXI.

LXI.

1. Auctor salutis unicus,
Mundi redemptor inclytus,
Tu, Christe, nobis annue
Crucis foecundae gloriam.

1. Orthabe heiles einiger
werlt erloeser edeler
dv christ vns +
chrvzes berhaftes ere.

2. Tu sputa, colaphos, vincla
Et dira passus verbera,
Crucem volens ascendere
Nostrae salutis gratia.

2. dv speicheln halsslege gebende
vnd grimme erlitte anslaht
daz chruze woldest vfstigen
vnsers heiles genade.

3. Hinc morte mortem diruens
Vitamque vita largiens

3. mit dem tode den tot ze vŷrend
vnd daz leben lebene gebende

LXI. *Von unbekanntem Verf. — D. I,* 236.
[1]) Eine seltene Form für geri h senet, gerichsenet.   [2]) Lies d es.

Mortis ministrum subdolum   todes bringer dienstman [1])
                            honchvstigen
Deviceras diabolum.   hete vberwnden [2]) den tievel.

4. *Nunc in parentis dextera*   4.   nv an des vater zeswen
    Sacrata fulges victima,   geheiliget schinest opfer
    Audi precamur vivido   hore wir biten lebelichem
    Tuo redemptos sanguine.   dinem erloste blv̊te.

LXII.

1. *Rex Christe, factor omnium,*   1.   Chvnic christ schepfaer aller
    Redemptor et credentium,   erloeser vnd gelöbvnder
    Placare votis supplicum   wis gehuldiget antheizen vlege-
                                      licher
    Te laudibus colentium.   dich mit lobe v̊bender.

2. *Cujus benigna gratia*   2.   des gv̊tlich genade
    Crucis per alma vulnera   chrvzes durh heilige wunden
    Virtute solvit ardua   mit tvgent zerloste hoher
                                     des ersten vater gebende.
    Primi parentis vincula.

                                      3.   dv bist schepfaer *

3. *Qui es creator siderum*   decche vndergienge anleitest
    Tegmen subiisti carneum,   libliche vleiscliche [3])
    Dignatus hanc vilissimam   gerv̊chvnde dise aller boeseste
    Pati doloris formulam.   liden sves bildelin.

4. *Ligatus es, ut solveres*   4.   gebvnden bist daz lostest
    Mundi ruentis complices,   werlde vallvndes *
    Per probra tergens crimina,   durh die itewize abwischende
                                      div laster svnde
    Quae mundus auxit plurima.   div werlt gemerte vil manigiv.

LXII. Von Gregor d. Gr. — D. I, 180. K. 157. Bo. 595. Sm. 106.
[1]) Das lat. **ministrum** ist durch zwei Wörter übersetzt.
[2]) Lies **vberwunden**.
[3]) Die latein. Wörter **subiisti carneum** sind durch je zwei Wörter übersetzt, wie Str. 4 **crimina** durch **laster** und **sunde**, Str. 5 **tradis** durch **gist** und **last**, **nigrescit** durch **erswarzet** und **vinster wirt**, Str. 6 **munimine** durch **sicherheite** und **bewarvnge**.

5. Cruci redemptor figeris,
   Terram sed omnem concutis,

   Tradis potentem spiritum,
   Nigrescit atque saeculum.

5. dem chrv̊ze [1]) erloeser wirdest
      genagelot[2])
   erde svnder alle erschvtest
   gist last gewaltigen geist
   erswarzet vinster wirt vnd
      werlt.

6. Mox in paternae gloriae
   Victor resplendens culmine,
   Cum Spiritus munimine,

   Defende nos, rex optime.

6. alsbalde an vaterlicher ere
   gesiger erschinvnd hoehe
   mit geistes sicherheite bewa-
      rvnge
   bescherme vns chvnic aller
      beste.

LXIII.

LXIII.
(S. unten Anhang Nr. V.)

1. Ad coenam agni providi
   Et stolis albis candidi

   Post transitum maris rubri
   Christo canamus principi.

1. Ze dem merod lambes vor-
      sihtige
   vnd gewande[3]) wizen wize
   nach vbervart meres rotes
   singen wir dem vursten.

2. Cujus corpus sanctissimum
   In ara crucis torridum
   Cruore ejus roseo
   Gustando vivimus Deo.

2. des heiliger lichname
   an dem alter chrv̊zes[4]) *
   blv̊te sinem rosevarwem
   chorvnde * *

3. Protecti paschae vespere
   A devastante angelo,
   Erepti de durissimo
   Pharaonis imperio.

3. bewarte der ostern abent
   vor dem erslahvnden engele
   erratte[5]) von vil hertem
   des chvniges riche gebote[6]).

LXIII. Von Ambrosius. — *Br. D. I,* 88. *Bo.* 73. *Sch. I.* 49.
[1]) Seltene Form (auch 63, 2; 99, 4) für ch r ü z e.
[2]) Seltene, bei G r a f f nicht vorkommende Form.
[3]) Lies g e w a n d e n.
[4]) S. 62, 5.
[5]) Nom. pl. part. praet. von e r r e t e n. G r a f f II, 472.
[6]) Das lat. i m p e r i o ist durch r i c h e und g e b o t e übersetzt.

4. Jam pascha nostrum Christus
     est,
   Qui immolatus agnus est,
   Sinceritatis azyma
   Caro ejus oblata est.

4. alzan oster vnser * ist·

    der geopfert ein lamb ist
    der Ivterheit brot
    lib siner gezebraht[1]) ist.

5. O vere digna hostia,
   Per quam fracta sunt tartara,

   Redempta plebs captivata,
   Reddita vitae praemia.

5. waerlichen werdez opfer
    durh daz mit dem[2]) zebrochen
                  sint die helle
    erlost livt gevangen
    widergeben lebens lon.

6. Cum surgit Christus tumulo,

   Victor redit de barathro,

   Tyrannum trudens vinculo
   Et reserans paradisum.

6. so er vfstet christ von dem
                  grabe
    sigenvnfter widerchvmt von
                  der helle
    wutrich stozende dem gebende
    vnd entsliezende den paradys.

7. Quaesumus, auctor omnium,
   In hoc paschali gaudio:
   Ab omni mortis impetu
   Tuum defendas populum.

7. wir bitten orthabe aller
    an der osterlichen vrevde
    von allem todes anlovfe
    dinez bewarest livt.

LXIV.   LXIV.

1. Te lucis auctor personent
   Hujus catervae carmina,
   Quam tu replesti gratia,
   Anastasis, potentia.

1. Dich liehtes orthabe loben
    diser menige gesanc
    die dv hast ervullet genade
    der vrstende gewalte.

2. Nobis dies haec innuit
   Diem supremum sistere,
   Quo mortuos resurgere
   Vitaeque fas sit reddere.

2. vns tac dirre seit
    den tac oberesten *
    dem die toten ersten
    vnd lebene billich si wider·
                  geben.

LXIV. Von unbekanntem Verf. — D. I, 258 hat nur die 1. Str.
[1]) Eine mir sonsther nicht bekannte Form für z u b r a h t.
[2]) Das lat. p e r q u a m ist durch d u r h d a z und m i t d e m übersetzt.

3. *Octava prima redditur,*
   Dum mors habunda[1]) *tollitur,*

   Dum mente circumcidimur

   Novique demum nascimur.

3. * erste wird widergeben
   so der tot genvhtiger wirt
   hingenomen
   swenne mv̂te wmbesniten [1])
   werden
   vnd niwe anderstvnd werden
   geborn.

4. *Dum mane nostrum cernimus*
   Redisse victis hostibus

   Mundique luxum temnimus,
   Panem salutis sumimus.

4. so morgen vnsern wir sehen
   widerchomen sin vberwnden[2])
   vienden
   vnd der werlt versmahen wir
   daz brot heiles wir enphahen.

5. *Häec alma sit sollemnitas,*
   Sit clara haec sollemnitas,
   Sit feriata gaudiis
   Dies reducta ab inferis.

5. disiv heilic si hochzit
   si berhtel disiv tvlt
   si vierlich [3]) mit vrevden
   tac widerbraht von den nidern.

LXV.

LXV.

(S. unten Anhang Nr. VI.)

1. *Aurora lucis rutilat,*
   Coelum laudibus intonat,
   Mundus exultans jubilat,
   Gemens infernus ululat.

1. Morgenrot liehtes schinet
   himel mit lobe hillet
   div werlt vrevnde singet
   svftende helle chleit.

2. *Cum rex ille fortissimus*
   Mortis confractis viribus,
   Pede conculcans tartara
   Solvit a poena miseros.

2. do chunic der vil starcher[4])
   todes zebrochen chreften
   v̂ze zetretvnde die helle
   loste von wize armer.

---

[1]) *Ist* abundans *zu lesen?*
LXV. Von Ambrosius. — Br. Bo. 596. *D. I,* 83. *Sch. I,* 46. *Sm.* 178.
   [1]) Lies umbesniten.
   [2]) Lies uberwunden.
   [3]) Richtiger ist (hier und 68, 1) virlich, d. i. vîrlîch; vgl. viernt
102, 9.
   [4]) S. oben 31, 1.

3. *Ille qui clausus lapide*

   Custoditur sub milite,
   Triumphans pompa nobili
   Victor surgit de funere.

4. *Solutis jam gemitibus*
   Et inferni doloribus,
   Quia surrexit Dominus,
   Splendens clamabat angelus.

5. *Tristes erant apostoli*
   De nece sui domini,
   Quem poena mortis crudeli

   Servi damnarant impii.

6. *Sermone blando angelus*
   Praedicit mulieribus:
   In Galilaea Dominus
   Videndus est quantocyus.

7. *Illae dum pergunt concite*
   Apostolis hoc dicere,
   Videntes eum vivere,
   Osculantur pedes Domini.

8. *Quo agnito discipuli*
   In Galilaeam propere
   Pergunt, videre faciem
   Desideratam Domini.

3. den[1]) er der versperret mit
      steine
   wirt behŷt vnder ritern[2])
   gesigende zierde edeler
   gesiger stet vf von dem *

4. zerloesten alzan svften
   vnd der helle seren
   wand daz erstŷnt herre
   schinvnder rŷfte engel.

5. truric waren die boten
   von tode ir herren
   den mit wize todes griŷ-
      lichen[3])
   schalche verdamnoten[4]) vn-
      gŷte.

6. mit choese lindem engel
   vorseit den wiben
   in dem lande herre
   sol gesehen werden vil
      schiere.

7. die so si varent snelle
   den boten daz sagen
   sehende in leben
   chussent vŷze herren.

8. dem erchandem die ivnger
   in daz lant gahes
   varent sehen antluzze
   gesŷhtez herren.

---

[1]) Hat hier keinen Sinn. Es ist wol der für den er zu lesen. Rich-
tiger wäre wol gener, jener, aber das lat. ille wird in diesen Hymnen
sonst immer durch der übersetzt.

[2]) Lies riter.

[3]) Richtiger griulichen, wie 41, 6.

[4]) Eine zu beachtende alte Praeteritalform.

9. *Claro paschali gaudio*
   Sol mundo nitet radio,
   Cum Christum jam apostoli
   Visu cernunt corporeo.

9. berhtelr[1] osterlicher vrevde
   sunne der werlt schinet schine
   do christ alzan boten
   gesivne schowent liblichem.

10. *Ostensa sibi vulnera*
    In Christi carne fulgida
    Resurrexisse Dominum
    Voce fatentur publica.

10. gezeiget in die wunden
    an christes libe schinvnden
    erstanden sin herren
    stimme beiehent offener.

11. *Rex Christe clementissime,*
    Tu corda nostra posside,
    Ut tibi laudes debitas
    Reddamus omni tempore.

11. chunic christ vil genaedic
    dv herze vnseriv besitze
    dar[2] dir lob schuldige
    erbieten wir allem zite.

LXVI.

1. *Chorus novae Jerusalem*
   Novam meli dulcedinem
   Promat colens cum sobriis
   Paschale festum gaudiis.

2. *Quo Christus, invictus leo*
   Dracone surgens obruto,

   Dum voce viva personat,
   A morte functos excitat.

3. *Quam devorarat improbus*
   Praedam refudit tartarus;

   Captivitate libera
   Jesum sequuntur agmina.

LXVI.

1. Chor niwer *
   niwes gesanges sv̊eze[3]
   vurbringe vbende mit chvschen
   osterliche tvlt vrevden.

2. an der christ vn vberwnden[4] lev
   dem drachen vfstende vber-
         wnden[5]
   so stimme lebendiger hillet
   von tode toten erchuchet.

3. die verslvnden het vnberder-
         ber[6]
   rovb widergab div helle
   vanchnusse vrier
   nachvolgent menige.

LXVI. Von Fulbertus Carnotensis. — D. I, 222.
[1] Eine seltene Form für b e r h t e l e r, wie G r a f f III, 210 hat. Vgl.
23, 1; 66, 5.   [2] Lies d a z.
[3] S. oben 38, 1.
[4] Lies v n v b e r w u n d e n.
[5] Lies v b e r w u n d e n.   [6] Lies v n b e d e r b e r.

4. *Triumphat ille splendide*
    Et dignus amplitudine,
    Soli polique patriam
    Unam facit rempublicam.

4. gesiget er schinlichen
    vnd werder wit
    erde vnd himels lant
    ein machet gemein dinc.

5. *Ipsum canendo supplices*
    Regem precemur milites,
    Ut in suo clarissimo
    Nos ordinet palatio.

5. in sigende[1]) vlegeliche
    chunic bitten wir riter
    daz in sinem vil berhtelm[2])
    vns ordene phallenz.

6. *Per saecla metae nescia*

    Patri supremo gloria,
    Honorque sit cum filio
    Et Spiritu paraclito.

6. vber die werlt endes vnwiz-
            zige
    vater oberestem lop
    vnd ere si mit dem svn
    vnd geiste troestaere.

LXVII.   LXVII.

1. *Vita sanctorum Deus angelo-*
            rum,
    Vita cunctorum pariter piorum,
    Christe, qui mortis moriens
            ministrum
    Exsuperasti.

1. Leben heiligen got der engele

    leben aller ensament gûter
    * der todes sterbende dienaer

        hast vberwnden[3]).

2. *Tu tuo laetos famulos trophaeo*

    Nunc in his serva placidus
            diebus,
    In quibus sacrum celebratur
            omnem
    Pascha per orbem.

2. dv dinem vro schalche sige-
            nvnfte
    nv an den behalte gehuldiget
            tagen
    an den heiligiv wirt begangen
            alle
    ostern vber werlt.

LXVII. Von unbekanntem Verf. — D. I, 238.

[1]) Lies **singende.**
[2]) Vgl. 23, 1; 66, 5.
[3]) Lies **vberwunden.**

3. Pascha, quo victor rediens ab
imo
Atque cum multis aliis resur-
gens
Ipse susceptam super alta car-
nem
Astra levasti.

3. die ostern do der gesiger wider-
chomende von der tiefe
vnd mit manigen andern er-
stende
dv selbe enphangenen vber die
hoehe lieb [1])
gestirne hast vf erhaben.

4. Nunc in excelsis Dominus re-
fulgens
Et supra coelos Deus elevatus,
Inde venturus homo judicatus

Denuo judex.

4. nv an der hoehen [2]) herre
schinvnde
vnd vber himel got erhaben
dannen chvnftic mennisk er-
teilter
anderstvnd rihtaer.

5. Corda tu sursum modo nostra
tolle,
Quo Patri dexter residens in
alto,
Ne resurgentes facias in ima
Praecipitari.

5. herze [3]) du vf nv vnseriv er-
heve
da dem vater zeswer sitzvnd
in der hoehe
niht erstende schafest in die tiefe
geworfen werden.

6. Hoc Pater tecum, hoc idem
sacratus
Praestet amborum pie Christe
flatus,
Cum quibus regnas Deus unus
omni
Jugiter aevo.

6. daz vater mit dir daz selbe
heiliger
verlihe beider gvter christ
geist
mit den richesent [4]) got ein
allem
emzlichen alter.

LXVIII.

1. Festum nunc celebre magnaque
gaudia
Compellunt animos carmina
promere,

LXVIII.

1. Tvlt nv vierlich [5]) vnd michel
vrevde
noetent die mv̊te gesanc vur-
bringen

LXVIII. Von Hrabanus Maurus. — D. I, 217.
[1]) Lies lib. [2]) Lies den, da hoehe sonst stf ist. [3]) So auch 76, 5.
Auch Graff IV, 1045 hat a pl. herza, herzi, herce neben herzun,
herzen. [4]) So auch 68, 6. Graff II, 395 hat die Inf. ribhison, richi-
son, richeson. [5]) S. oben 64, 5.

Cum Christus solium scandit
    ad arduum,
Coelorum pius arbiter.

do christ gesaeze ufsteic ze
    hoehem [1])
der himel g°ter rihtaer.

2. Conscendit jubilans laetus ad
    aethera,
Sanctorum populus praedicat
    inclytum,
Concinit pariter angelicus cho-
    rus
Victoris boni gloriam.

2. vf vert singvnder vror [2]) ze
    den lvften
heiligen livt prediget edelen

mit singet ensament engeli-
    scher chor
sigenvnſtaeres g°tes ere.

3. Qui scandens superos vincula
    vinxerat,
Donans terrigenis munera plu-
    rima,
Districtus rediens arbiter om-
    nium,
Qui mitis modo transiit.

3. der vfstigvnde himele gebende
    hete gevangen
gebende mennischen gabe vil
    manige
strenge widerchumt rihtaer
    aller
der senfte nv verv°r.

4. Oramus, Domine, conditor in-
    clyte,
Devotos famulos respice pro-
    tegens,
Ne nos livor edax daemonis
    obruat,
Demergat vel in inferos.

4. wir bitten herre schepfaer
    edeler
williger [3]) schalche beschowe
    bewarende
daz niht vns nit raezer tievels
    vervelle
versenche oder in die helle.

5. Ut, cum flammivoma nube re-
    verteris,
Occulta hominum pandere ju-
    dicans
Non des supplicia horrida
    noxiis,
Sed justis bona praemia.

5. daz so in der vivrinem gevul-
    che [4]) widerchumest
div tögen der livte offen [5]) ri-
    thunde [6])
nieth [7]) gebest wize grulich
    shuldigen [8])
svnder rethen [9]) g°t lon.

---

[1]) Besser hohem. [2]) Selten für vroer, vrower. [3]) Lies willige.
[4]) Lies dem v. gewulche. Vgl. 34, 1.
[5]) Seltene Form für offenen. Auch Wackernagel (altd. Leseb.
2. A. 404, 28) hat den Inf. ofen, aber aus dem 13. Jahrh.
[6]) Lies rihtunde. [7]) Eine oft bei Williram vorkommende Form
für nieht. S. Graff I, 734. [8]) Richtiger ist sculdigen oder schul-
digen. [9]) Lies rehten.

6. *Praesta hoc Genitor, optime, maxime,*
Hoc tu Nate Dei et bone Spi-
ritus,
Regnans perpetuo fulgida Tri-
nitas
Per cuncta pie saeculo.

6. lich [1]) daz vater best meist

daz dv svn gotes vn̄ gv̊t geist

richesend [2]) ewiclichen schi-
nvnde trivalticheit
vber alle gv̊t werelt.

LXIX.

LXIX.

1. *Astra polorum super ascendit*
Christus ad Patris dexteram
sedens
Victor et auctor nostrum ubi-
que.

1. Gestirne himel vber steic
* ze des vater zeswen sitz
vnde
siger vnd orthabe vnser allent-
halben.

2. *Idcirco fratres pangite melos*
Huic Deo nostro, ut merea-
mur
Scandere mente quo manet ipse.

2. darvmbe brvder singet lop
disem gote vnserm daz wir
gearnen
stigen mvte da wonet er.

3. *Gloria simul Patri perenni*
Sit Filio Spirituique
Almo Deoque semper in
aevum.

3. ere ensament vater ewigem
si dem svn vnd geiste
heiligem vnd gote iemer ewec-
lichen.

LXX.

LXX.

1. *Jesu, nostra redemptio,*
Amor et desiderium,
Deus, creator omnium,
Homo in fine temporum;

1. * vnser erloesvnge
minne vnd girde
got schepfaer aller
mennisch an ende zite.

LXIX. Von unbekanntem Verf.
LXX. Von Ambrosius. — *D. I,* 63. *Bo.* 89. *Sch. I,* 35. *Sm.* 200.
[1]) Wahrscheinlich ist zu lesen v e r l i c h
[2]) S. 67, 6.

2. *Quae te vicit clementia,*
   Ut ferres nostra crimina,
   Crudelem moriem patiens,
   Ut nos a morte tolleres.

2. div dich vberwant genaedicheit
   daz trv̊gest vnser svnde
   grivlichen tot lidvnde
   daz vns von tode naemaest [1]).

3. *Inferni claustra penetrans,*
   Tuos captivos redimens,
   Victor triumpho nobili
   Ad dextram Patris residens.

3. der helle * durhvarvnde
   dine gevangen wider chv̊fvnde
   gesiger sigenunfte edeler
   ze der zeswe vater sitzvnde.

4. *Ipsa te cogat pietas,*
   Ut mala nostra superes
   Parcendo et voti compotes
   Nos tuo vultu saties.

4. div dich twinge gv̊te
   daz sunde vnser vberwindest
   entlibvnde vnd antheizes *
   vns dinem antuze [2]) gesattest.

LXXI.

LXXI.

1. *Veni Creator Spiritus*
   Mentes tuorum visita,
   Imple superna gratia,
   Quae tu creasti pectora.

1. Chvme schepfaer geist
   mv̊te diner erwise
   ervulle oberen genade
   div du hast geschaffen bruste.

2. *Qui Paraclitus diceris,*
   Donum Dei altissimi,
   Fons vivus, ignis, caritas

   Et spiritualis unctio.

2. der troestaer wirdest genant
   gabe gotes des hoehesten
   vrsprinc   lebendigez [3])   vivr
           minne
   vnd geistlich salbe.

3. *Tu septiformis munere,*
   Dextrae Dei tu digitus,
   Tu rite promissum Patris

   Sermone ditas guttura.

3. dv sibenvaltic an der gabe
   zeswen gotes dv vinger
   dv sitelichen gehaizen des
           vater
   choese richest zungen.

LXXI. Von Karl d. Gr. — Br. Bo. 93. *D. I,* 213. *K.* 41. *Sch. I,* 104.
Sm. 209.

    [1]) Lies n a e m e s t.   [2]) Lies antluze.
    [3]) Der Uebersetzer bezog v i v u s auf i g n i s, während Andere es mit
f o n s verbinden.

4. *Accende lumen sensibus,*
   Infunde amorem cordibus,
   Infirma nostri corporis
   Virtute firmans perpeti.

4. erzunde lieht sinnen
   gv̊z [1]) in minne den herzen
   siecheit vnsers lichnamen
   tvgende vestinvnde ewiger.

5. *Da gaudiorum praemia,*
   Da gratiarum munera,
   Dissolve litis vincula,
   Adstringe pacis foedera.

5. gib der vrevde lon
   gib genaden gabe
   zerloese strites gébende
   v̊ge des vrides gelubde.

6. *Per te sciamus, da, Patrem,*
   Noscamus atque Filium,
   Te utriusque Spiritum
   Credamus omni tempore.

6. durh dich wizzen wir gib den
      vater
   erchennen wir vnd svn
   dich iewederes geist
   gelóben wir allem zite.

LXXII. LXXII.

1. *Jam Christus astra adscende-*
      rat,
   Regressus unde venerat,

   Promissum Patris munere
   Sanctum daturus Spiritum.

1. Alzan christ himel het vfge
      stigen
   wider gevarn dannen chomen
      was
   gehaizen des vater gabe
   heiligen svl geben geist.

2. *Sollemnis urgebat dies,*
   Quo mystice septemplici

   Orbis volutus septies,
   Signat beata tempora.

2. tvltlicher twanc ane lac [2]) tac
   dem bezeichenlichem sibenval-
      tigem
   ringe sibenstvnd
   bedivtet saelige zit.

3. *Dum hora cunctis tertia*
   Repente mundus intonat,
   Orantibus Apostolis
   Deum venisse nuntiat.

3. do wile allen drittiv
   gahens div werlt erhillet
   bittvnden boten
   got chomen sin chundet.

LXXII. Von Ambrosius. — Br. D. I. 64. Sch. I, 36.
[1]) Richtiger **g i u z.**
[2]) **T w a n c** und **a n e l a c** übersetzen das lat. **u r g e b a t.**

4. De Patris ergo lumine
   Decorus ignis almus est,
   Quo fida Christi pectora
   Calore verbi compleat.

4. von des vater davon liehte
   zierlich vivr heilic ist
   dem gelôbigiv. christes brust
   der hitze wortes ervulle.

5. Impleta gaudent viscera,
   Afflata sancto Spiritu,ˢ
   Voces diversas intonant,
   Fantur Dei magnalia.

5. ervullet vrevnt sich innaeder
   erwaet heiligem geiste
   stimme misliche erhaellent[1])
   redent gotes wunder.

6. Ex omni gente cogniti
   Graecis, latinis, barbaris,
   Cunctisque admirantibus
   Linguis loquuntur omnibus.

6. vz aller diete erchande
   griechin latinischen heiden
   vnd allen wundernten
   zungen redent allen.

7. Judaea tunc incredula,
   Vesano tacta spiritu,
   Madere musti crapula
   Alumnos Christi concrepat.

7. ivdeschaft do vngelôbic
   vnsinnigem gerŵret geiste
   mostes vbertrvnchen
   ivnger christes singet.

8. Sed signis et virtutibus
   Occurrit et docet Petrus,
   Falsos probavit perfidos,
   Joëlis testimonio.

8. svnder zeichen vnd tvgenden
   wider lôfet vnd leret *
   valsche bewarte vn[2])
   des wissagen vrchvnde.

9. Sic Christe, nunc Paraclitus
   Per te pius nos visitet
   Novansque terrae faciem
   Culpis solutos recreet.

9. davon nv troestaer
   durh dich gŵter vns erwise
   vnd niw mache erde antlutze
   schulden enbvnden gelabe.

10. Sit laus Patri cum Filio,
    Sancto simul Paraclito,
    Nobisque mittat Filius
    Charisma sancti Spiritus.

10. silop dem vater mit dem svn
    heiligem ensament troestaere
    vnd vns sende der svn
    gabe heiliges geistes.

---

[1]) Für e r h e l l e n t.
[2]) Ergänze v n t r i u w e.

LXXIII.

1. *Beata nobis gaudia*
Anni reduxit orbita,

   Cum Spiritus paraclitus
   Effulsit in discipulos.

2. *Ignis vibrante lumine*
Linguae figuram detulit,
Verbis ut essent proflui
Et caritate fervidi.

3. *Liguis loquuntur omnium,*
Turbae pavent gentilium,
Musto madere deputant,
Quos spiritus repleverat.

4. *Patrata sunt haec mystice*

   Paschae peracto tempore,
   Sacro dierum numero,
   Quo lege fit remissio.

5. *Te nunc, Deus piissime,*
Vultu precamur cernuo,
Illapsa nobis coelitus

   Largire dona Spiritus.

6. *Dudum sacrata pectora*
Tua replesti gratia,
Dimitte nunc peccamina
Et da quieta tempora.

LXXIII.

1. Saelige vns vrevde
des iares hat widerbraht vm-
   berinc
do geist troestaer
erschein in die ivnger.

2. vivres v[1]) liehte
zungen bilde brahte
worten daz waeren genuhtic
vnd minne heiz.

3. zungen redent allen
menige ervurhtent der diete
moste nazzen ahtent
die geist het ervullet.

4. geschehen sint disiv bezeichen-
   lichen
der ostern zergangen zite
heiliger tage zal
an dem der e wirt antlaz.

5. dich nv got vil gŷter
antluzze bitten wir vlegelich
her nider chomen vns hime-
   lischen
gib gabe des geistes.

6. stvnd[2]) beilige bruste
diner hast ervult genade
vergib nv svnde
vnd gib gerŵwet zite.

LXXIII. *Von Hilarius.* — *Br. D. I,* 6. *K.* 20. *Sch. I,* 3. *Sm.* 202.
[1]) Es fehlt die Uebersetzung des lat. vibrante.
[2]) Es fehlt wol ein zu stvnd gehöriges Wort, eine Praeposition.

LXXIV.

1. UT quaeant laxis REsonare
fibris
MIra gestorum FAmuli tuo-
rum,
SOLve polluti laBIi reatum,
Sancte Joannes.

2. Nuntius celso veniens olympo,

Te patri magnum fore nasci-
turum,
Nomen et vitae seriem geren-
dae
Ordine promit.

3. Ille promissi dubius superni,

Perdidit promptae modulos
loquelae,
Sed reformasti genitus perem-
ptae
Organa vocis.

4. Ventris obstruso positus cu-
bili,
Senseras regem thalamo ma-
nentem,
Hinc parens nati meritis uter-
que
Abdita pandit.

LXXIV.
(S. unten 2. Abtheil. Nr. XXI.)

1. Daz mvgen zerlosten lvten se-
nen [1])
wunder werche schalche diner

loese gemeiliges lefses schulde
heiliger *

2. der bote hohem chomende hi-
mel
dich vater micheln [2]) geborn
schulen werden
namen vnd lebens ordenunge
ze tv̊n
nach einander seit.

3. der geheizes zwivelvnde obe-
rest
verlos gereite stimme der
sprache
svnder hast wider gemachet
geborner verlorner
seitspil der stimme.

4. des bvches vermacheten gelei-
ter chamer
der verstv̊nde chvnic brutbette
wonvnden
davon mv̊ter sunes gaernden
ieweder
tovgen offent.

LXXIV. *Von Paulus diaconus.* — *D. I.* 209. *K.* 170. *Sch. I,* 101.
   [1]) Ahd. ist die Form mit w (s e n i w a, s e n e w a, s e n a w a, s e n w a)
gebräuchlicher. G r a f f VI, 266 hat einmal s e n n a.
   [2]) S. oben 23, 1.

5. Antra deserti teneris sub annis,
Civium turmas fugiens, petisti,
Ne levi saltem maculare vitam
Famine posses.

5. div hol der wusten marwen
vnder iaren
hvsgenozen menige vlihvnde [1]
svhtest
daz niht lihtem iedoch gemeiligen din leben
choese mohtest.

6. Praebuit hirtum tegimen camelus,
Artubus sacris strophium bidentes,
Cui latex haustum, sociata pastum
Mella locustis.

6. gab rvhez deche der olbent

gliden heiligen gurteln div schafe
dem brunne trinchen gesellet spise
honic hovschrechen [2].

7. Caeteri tantum cecinere vatum

Corde praesago jubar adfuturum,
Tu quidem mundi scelus auferentem
Indice prodis.

7. div ander zeiner not svngen
der wissagen
herzen vorsagelichem den
schin zvchunftigen
dv gewisse der werld mein benemenden
mit dem vinger zeigest.

8. Non fuit vasti spatium per orbis
Sanctior quisquam genitus Joanne,
Qui nefas saecli meruit lavantem
Tingere lymphis.

8. niht was witer vristmal [3]
durch werld
heiliger iemen geborn *

der vnbilde werlt gearnete dwahunden
netzez [4] wazzer.

9. O nimis felix meritique celsi,
Nesciens labem nivei pudoris,

9. vil saelic vnd gaernde hoher
enwizzvnd meil snewizer schame

---

[1] Graff III, 764 f. hat auch einige Beispiele mit i (flih) statt io, iu, ie.
[2] Graff VI, 575 hat houscric, houscrecho.
[3] S. Grimm II, 509.
[4] Lies netzen.

Praepotens martyr eremique cultor, *Maxime vatum.*	gewaltiger marteraer vnd wv̂ste v̂ber der meiste wissagen.

10. Serta ter denis alios coro-
nant
Aucta crementis, duplicata
quosdam,
Trina centeno cumulata fru-
ctu
Te, sacer, ornant.

10. chrenze dristvnt zehen ander
chroenent
gemert mervngen zwisbil-
div[1]) svmeliche
div dritten zehenzigestem
gehv̂fet[2]) wv̂cher
dich heiliger zieret[3]).

11. Nunc potens nostri meritis
opimis
Pectoris duros lapides re-
pelle,
Asperum planans iter, et
reflexos
Dirige calles.

11. nv gewaltic vnser gaernden
edelen
bruste herte steine vertribe

scherpfez slihtvnde vart vnd
chrumpe
rihte stige.

12. Ut pius mundi sator et re-
demptor
Mentibus pulsa livione puris,

Rite dignetur veniens sacra-
tos
Ponere gressus.

12. daz gv̂ter werlt schepfaer
vnd erlosaer
den mv̂ten vertriben vnsv̂ber-
heit lvtern
sitlichen gerv̂che chomende
heilige
setzen vv̂zstaphe.

13. Laus Deo Patri Patris atque
Proli,
Laus et amborum tibi, Pneu-
ma sacrum,
Nunc et in toto maneat fu-
turi
Tempore saecli.

13. lop got vater des vater vnd
svne
lop vnd beider dir geist hei-
liger
nv vnd in allem belibe chunf-
tiger
zite werlt.

---

[1]) Steht auch 113, 2; dagegen 34, 4; 76, 5 richtiger zwispild.
[2]) Graff IV, 834 hat hufon, hûfot, huoffonte.
[3]) Lies zierent.

LXXV.

1. *Almi prophetae progenies pia,*

   Clarus parente et nobilior
   patre,
   Quem matris alvus, claudere
   nescia,
   Ortus herilis prodidit indi-
   cem.

2. *Cum virginalis regia gloriam*
   Summi tonantis nomine pigno-
   ris
   Gestaret, aula nobilis intimo
   Caustro pudoris fertilis inte-
   gro,

3. *Vox suscitavit missa puerpe-*
   rae
   Fovitque vatis gaudia parvuli,

   Matres prophetant munere pig-
   norum,
   Mutus locutus nomine filii
   est.

4. *Scribendus hic est vocis ut*
   augeat
   Nostrae canores, duraque vin-
   cula
   Dissolvat oris, larga propheti-
   cis
   Verborum habenis litera no-
   minis.

LXXV.

1. Heiliges wissagen geslaehte
   gv̊tez
   edel von der mvter[1]) edeler
   von vater
   den mvter[1]) wambe versper-
   ren vnwizzich
   geburte herlicher zeigete wi-
   saer.

2. do meitlich chunich[2]) ere
   oberestes gotes an dem namen
   chindes
   trv̊ge phallenz edeler innerm
   sperrvnge schame berhaft gan-
   zem.

3. stimme erchuhte gesant chint-
   tragerinnen
   vnd vv̊rte wissagen vrevde
   weniges
   die mv̊ter wissagent von der
   gabe der chinde
   stumme rette[3]) an dem namen
   des svnes.

4. ze scriben dirre ist stimme
   daz mere
   vnser sanc vnd hertiv gebende

   zerloese mvndes milte wissage-
   lichen
   worte zugeln der bvhstab des
   namen.

LXXV. *Von Ambrosius.* — *D. I,* 100.
   [1]) Es ist wol mv̊ter zu lesen, s. 35, 5.
   [2]) Verschrieben, vielleicht für chunichin oder für das Adj. chunec-
lich.   [3]) Für redete.

5. Vox namque verbi, vox sa-
pientiae est,
Major prophetis et minor
angelis,
Qui praeparavit corda fidelium

Stravitque rectas justitiae vias.

5. stimme wand wortes stimme
der wisheit
meror[1]) den wissagen noh
minner engelen
der bereite[2]) herze[3]) gelöbi-
gen
vnd ebenete rehte des rehtes
wege.

6. Sit Trinitati gloria unicae,
Virtus, potestas, summa po-
tentia
Regnum retentans quae Deus
unus est
Per cuncta semper saecula
saeculi.

6. si drivalticheit ere einiger
tvgent gewalt oberestiv her-
schaft
rich behabvnde div got ein ist

vber alle iemer *.

LXXVI.

1. Aurea luce et decore roseo

Lux lucis omne perfudisti
saeculum,
Decorans coelos inclyto mar-
tyrio
Hac sacra die, quae dat reis
veniam.

2. Janitor coeli, doctor orbis
pariter,
Judices saecli, vera mundi
lumina,
Per crucem alter, alter ense
triumphans
Vitae senatum laureati possi-
dent.

LXXVI.

1. Guldinem liehte vnd gezierde
rosvarwer
lieht des liehtes alle hast be-
gozzen werlt
ziervnde himel edeler marter

disem heiligem tage der da git
schuldigen antlaz.

2. torwertel himels laeraer[4])
werld ensament
rihtaere werld wariv werlt
lieht
durh daz chruze einer der ander
swerte gesigvnde
lebens herschaft chroenete
besitzent.

LXXVI. Von Elpis. — Br. D. I, 156. *Sch. I,* 83.
[1]) Eine aus **mèr** neu gesteigerte Form, wofür oben 25, 5 **merer** steht.
[2]) Für **bereitete.**
[3]) S. oben 67, 5.   [4]) Auch **Graff** II, 259 hat einmal **laerari.**

3. Jam bone pastor Petre, clemens
accipe
Vota precantum, et peccati
vincula
Resolve tibi potestate tradita,

Qua cunctis coelum verbo clau-
dis, aperis.

3. nv gv̂ter hirte ＊ genaedich
enphahe
antheiz bittvnde vnd der svnde
gebende
zerloese dir gewalte gegebe-
nem
mit dem allen himel mit worte
versperrest vftv̂st.

4. Doctor egregie Paule, mores
instrue
Et mente polum nos transferre
satage,
Donec perfectum largiatur ple-
nius
Evacuato quod ex parte gem-
imus.

4. laerer[1]) edeler ＊ site lere

vnd mv̂te himel vns vûren
vlize
vnze durnaehtich gebe vollec-
licher
zestortem daz von teile svften.

5. Olivae binae, pietatis unicae
Fide devotos, spe robustos
maximae
Fonte repletos caritatis gemi-
nae
Post mortem carnis impetrate
vivere.

5. obbovme[2]) zwene gv̂te einiger
gelobe willige mit gedingen
starche aller meiste
dem vrspringe ervulte minne
zwispilde
nach den[3]) tode des libes er-
bitet leben.

6. Sit trinitati sempiterna gloria,
Honor, potestas atque jubilatio,
In unitate cui manet imperium

Ex tunc et modo per aeterna
saecula.

6. si drivalticheit ewigiv lop
ere gewalt vnd gesanc
in der einvalticheit der staete
ist rich
do vnd nv vber ewige werlt.

LXXVII.

LXXVII.

1. Apostolorum passio
Diem sacravit saeculi,
Petri triumphum nobilem,
Pauli coronam praeferens.

1. Der boten marter
tac hat geheiliget werlte
＊ sig edelen
chrone vortragvnde.

LXXVII. Von Ambrosius. — D. I, 101.
[1]) S. Seite 76, Str. 2. [2]) Lies **olbovme.** [3]) **Lies dem.**

2. *Conjunxit aequales viros*
   Cruor triumphalis necis,
   Deum secuti praesulem
   Christi coronavit fides.

2. hat gevůget geliche manne
   blůt sigenvnftiches todes
   got nachvolgvnde bischof
   christes hat gechronet gelovbe.

3. *Primus Petrus apostolus*
   Nec Paulus impar gratia,
   Electionis vas sacrae
   Petri adaequavit fidem.

3. der erste * bote
   noch * vngelich genade
   erwelvnge vaz heiliger
   hat gelichet gelovben.

4. *Verso crucis vestigio*
   Simon honorem dans Deo
   Suspensus ascendit, dati
   Non immemor oraculi.

4. verchertem chrvzes vůzspor
   * ere gebende gote
   erhangener vfsteic gegebener
   niht vngehvge wissagvnge.

5. *Praecinctus ut dictum est senex*
   Et elevatus ab altera
   Quo nollet ivit, sed volens

   Mortem subegit asperam.

5. gegurter als geseit ist alter
   * vferhaben von dem andern
   dar ninewolde [1]) gie svnder
           gerende
   tot vndertrat scherphen.

6. *Hinc Roma celsum verticem*
   Devotionis extulit,
   Fundata tali sanguine
   Et vate tanto nobilis.

6. davon div stat hohen obenende
   gůtes willen vferhůb
   grvntfestet solhem blůte
   vnd wissagen so grozem edele.

7. *Tantae per urbis ambitum*
   Stipata tendunt agmina,
   Trinis celebratur viis
   Festum sacrorum martyrum.

7. so grozer durh stete vmbe
   scharhhafte [2]) lovfent menigen
   an drin wirt begangen wegen
   tvlt heiliger marteraere.

8. *Prodire quis mundum putet*
   Concurrere plebem poli,
   Electa gentium caput
   Fides magistri gentium.

8. vurgen wer die werlt waene
   zesamen lovfen daz livt himels
   erwelt der diet hovbet
   triwe maisters der diete.

---

[1]) Lies nine, (niene) wolde.

[2]) Verschrieben für scharhafte; bei vmbe fehlt ein Wort (vielleicht umbevart?); für menigen ist menige zu lesen.

LXXVIII.

1. *Deo Patri Jesu Christe, auctor*
     vitae, qui in tuo
   Sanguine peccatum lavasti Adae
         Mariae Magdalenae
   Tribuisti salutarem fructum
         poenitentiae.

2. *Pretiosam margaritam stellam-*
         que clarissimam
   Eam locasti in arce uranicae
         curiae,
   Ut esset evidens tuae exemplum
         clementiae.

3. *Interventu ergo ejus sis nobis*
         propitius,
   Ac nostra dele peccata et da
         vitae gaudia,
   Qui regnas cum Deo Patre ac
         Spiritu compare.

LXXVIII.

1. Got vater iesv christ orthab
         lebens dv in dinem
   blvte die svnde wusche adames
         marien magdalenen
   gaebe heilhaften wůcher der
         lihte.

2. die tvre gemme vnd stern vil
         berhtel
   sie steteneste in der hohe
         himelisches hoves
   daz waere sihtech diner bilde
         gnade.

3. von hilfe ir sist vns gnadich

   vnd vnser vertilege svnde vnd
         gib lebens vrevde
   dv rihsnest mit got vater vnd
         geiste gelichem.

LXXIX.

1. *Votiva cunctis orbita*
   Lucis triumphat gratia,
   Qua scandit astra vernula

   Maria Christi fulgida.

2. *Calcans beata luridam*
   Saecli ruentis machinam,
   Ardore sancti Spiritus
   Ignes subegit lubricos.

LXXIX.

1. Willigem allen vmbvart
   liehtes signvnftet gnade
   an dem stiget ze den sternen
         dienesthaft
   * christes lichtiv.

2. tretend saeligiv vnsvber
   der werlt vallend gescaft
   mit hitze heiliges geistes
   vivre vndert slifende.

LXXVIII. Von unbekanntem Verf.
LXXIX. Von unbekanntem Verf. — D. I, 286 hat die 1. Str.

3. *Haec sacras Jesu lacrymis*
   Plantas rigavit intimis,
   Tersit capillis osculans,
   Vitae tenebras expians.

3. div heilig iesv mit zaehern
   vůze vuhtet innern
   wiscet mit lochen chvssend
   gmůtes [1]) vinster reinendiv.

4. *Te quaesumus, gratissima,*
   Deposce nobis veniam,
   Coelestis aulae tinnulis
   Quo perfruantur organis.

4. dich bitte wir vil liebe
   ervleg vns antlaz
   himelisces palaze scellen
   daz wir brvchen orgelen.

5. *Salve beata Trinitas*
   Alterno manens gaudio,
   Viva creatrix saeculi

   Quae regnas in perpetuum.

5. wis grvzet saelig drinisse
   mit ewiger belibent vrevden [2])
   lebendiv scephaeringie [3]) der
              werlt
   dv rihsenst ewichlichen.

LXXX.

LXXX.

1. *Hujus diei gloria*
   Det Christo mundo gaudia,
   Quo junctus est coelestibus

   Frater Joannes Jacobus.

1. Des tages ere
   geb christ der werlt vrovde
   an dem gesellet ist den hime-
               liscen
   der brůder iohannis iacvbus.

2. *Qui te vocante littore*
   Prompto secutus pectore

   In navi patrem liquerat
   Et cuncta quae possederat.

2. der dich ladenten an dem stad
   mit greitem [4]) nachvolgenter
               herzen
   an dem sceffe den vater liez
   vnd elliv div er besaz.

3. *Vivens adhuc in corpore*
   Formam conspexit gloriae,
   Qua te post finem saeculi

   Lucis videbunt filii.

3. lebent ienoch in libe
   daz bilde gesach der eren
   in dem dich nah den [5]) ende
               der werlt
   liehtes gesehent chint.

LXXX. Von unbekanntem Verf. — D. I, 287.
[1]) D. i. gemůtes.
[2]) Lies vrevde.
[3]) Lies scephaerinne, wie 90, 5.
[4]) D. i. gereit.   [5]) Lies dem.

4. *Fundens pro te sanguinem*
Idem bibebat calicem,
Quem tu gustabas hostia
Nostrae salutis gratia.

4. giezzent vnb [1]) dih blůt
der selb tranch chelech
den dv chortes opfer
vnser heiles gnade.

5. *Hinc judicandis ovibus*
Te judex agnoscentibus
Juncto sibi Christophoro
Sis pius in judicio.

5. den rihtvnden den scafen
dich rihtaere erchennenden
gesellet im chistoforo
si gnadich an dem vrteile.

6. *Ambobus exorantibus*
Absolve nos erroribus;
Stantes ne cadant robora,
Lapsos ut surgant, adjuva.

6. beiden bittvnden
loese vns von irretvmen
steend [2]) niht vallen chreftig
sliffende daz vfsten hilf.

7. *Sanctorum qui pro nomine*

Haec festa colunt hodie,
Solennitati coelibum
Intersint in perpetuum.

7. der heiligen die durh den
namen
die hohzit vbent hivte
der hohzite der himeliscen
mitsin ewecliche.

8. *Ut supplices exaudias,*
Pacemque veram conferas,
Omnes fideles protegas,
Te deprecamur, Trinitas.

8. daz vlegige horest
vnd vride ware [3]) bringes
alle getriwe scirmes
dich bitte wir trinisse.

LXXXI.

LXXXI.

1. *Martyris Christi colimus trium-*
phum
Annuum tempus venerando, cu-
jus
Cernua vocis prece jam ro-
tundus
Orbis adorat.

1. Marteraeres christes vbe wir
signvnfte
iaerlich zite ewirdigend des

sihtigem stimme gebet alzan
sinewilliv
werlt anbettet [4]).

LXXXI. *Von unbekanntem Verf.* — *D. I,* 245 *hat die* 1. *Str.*
[1]) Hier und unten 82, 2; 93, 4 steht vnb für das gebräuchlichere vmb.
Auch Wackernagel (altd. Leseb. 2. A. 225, 25, 28) hat vnbe für vmbe.
[2]) Eine seltene Participialform für stande, stende.
[3]) Lies waren. [4]) S. oben 40, 7.

2. *Pontifex Sixtus monuit mini-*
   strum
   Fixus in ligno crucis exeque-
   ris
   Me cito poenam patiendo mag-
   nam
   Ibis ad astra.

2. der biscof sixtus mante sin
   dienestman
   genagelet an dem holze des
   chrvces dv nacvolges
   mih scier witze lidende mi-
   chel
   verst ze himele.

3. *Tortor iratus petit, ut talenti*

   Pondus ignoti manifestet omne
   Mente vesana cupiens vorare

   Aurea lucra.

3. wizigaer zornich bittet daz
   des phvndes
   wage vnchvndes offen allez
   mit mvte vnsinnigem gerent
   vrezzen
   gvldiniv vucher.

4. *Sprevit hic mundum peritura*
   dona,
   Fert opem nudis, alimenta
   claudis,
   Dividit nummos miseris cater-
   vis
   Corde flagranti.

4. versmaht der die werlt die
   verlorn gabe
   er braht hilfe den nacheten
   libnar den halzen
   er teilet die phenninge der[1]
   armen scaren
   mit herzen brinnendem.

5. *Igne torquetur stabili tenore*

   Cordis accensus superat mina-
   ces
   Ignium flammas in amore vi-
   tae
   Semper opimae.

5. mit vivre wurt[2] er gwizeget
   mit statiger wisen
   des herzen gezvndet vberwin-
   det droliche
   der vivre lovge in minne le-
   benes
   alzite vlegigem.

6. *Uritur postquam latus omne*
   testis,
   Verte, profecto loquitur jo-
   cando
   Corporis partem laniando coc-
   tam
   Dentibus atris.

6. do gebrennet wart div sitte[3]
   elliv mit dahen
   chervmb ze dem rihtar sprach
   er spottende
   des libes teil zankende ge-
   braten
   mit zanden svarzen.

---

[1] Lies d e n.   [2] Seltene Form.
[3] Statt s i t e. Auch **Graff** VI, 458 hat ein Beispiel mit tt statt t
(s i t t o n o).

7. *Spiritum sumpsit chorus an-*
   gelorum,
   Intulit coelo pie laureando,

   Ut scelus laxet hominum pre-
   cando
   Omnipotentem.

7. den geist entphie der chor
   der engel
   vnd inbrahte dem himele liep-
   liche zechronen
   daz er die svnd lose der men-
   schen bittende
   den almahtigen.

8. *Supplici voto rogitemus om-*
   nes
   Sancte Laurenti veniam pre-
   ceris
   Qui tuum festum celebrant
   ubique
   Voce vel actu.

8. mit vlegigem antheizze [1])
   bitte wir alle
   sanct laurente antlaz bit vns

   die din tvlt vbent allenthal-
   ben
   mit stimme vnd werche.

9. *Gloriam Patri resonemus omnes*
   Ejus et Nato jubilemus apte,

   Cum quibus regnat simul et
   creator
   Spiritus almus.

9. ere dem vater singe wir alle
   vnd sinem svne singe wir
   gevŭcliche
   mit den rihsent ensamet ovch
   sephaer [2])
   geist here.

LXXXII.

1. *Conscendat usque sidera*
   Coelique pulset intima
   Vox atque cantus omnium
   Te Deum collaudantium.

2. *Adest namque festivitas*
   Et dies venerabilis,
   In qua coelum pro meritis

   Laurentius ingressus est.

LXXXII.

1. Stige unze ze himele
   vnd himels anchloppe inneriste
   stimme vnd sanch aller
   dich got lobende.

2. ineist [3]) warlich div hohzit
   vnd der tach herlich
   in dem den himel vnb [4]) sin
   garnde
   laurencius ingevarn ist.

LXXXII. Von unbekanntem Verf. — D. I, 291 hat die ersten 3 Str.
  [1]) Sonst **antheiz.** Auch **Graff IV,** 1087 hat mehrere Beispiele mit
zz statt z.   [2]) Lies **scephaer.**   [3]) Sonst **inne ist,** von **inne sîn.**
  [4]) S. oben 80, 4.

3. *Qui superatis ignibus*
    Et impiis tortoribus,
    Devictis saevis hostibus

    Nunc gaudet in coelestibus.

3. der vberwunden den vivren
    vnd vbeln wizzigaern
    vberwunden den vbeln vien-
        den
    nv vrovt sich in den himelen.

4. *Ipse dignetur Dominum*
    Rogare clementissimum,
    Ut ab aeternis ignibus
    Nos solvat et daemonibus.

4. er gervͦche got
    bitten den gnadigen
    daz von ewigen vivren
    vns lose vnd von tieveln.

LXXXIII.

LXXXIII.

1. *Quem terra, pontus, aethera*
    Colunt, adorant, praedicant,
    Trinam regentem machinam
    Claustrum Mariae bajulat.

1. Den erde mer vnd lvft
    lobent anbettent [1]) predigent
    die driliche rihtende gescafte
    div sperrvng marien traget.

2. *Cui luna, sol et omnia*

    Deserviunt per tempora,
    Perfusa coeli gratia,
    Gestant puellae viscera.

2. dem mane svnne vnd elliv
        dinch
    dienent vber zite
    vergozzen von himeles gnade
    tragent der magde lib.

3. *Mirantur ergo saecula,*
    Quod angelus fert semina,
    Quod aure virgo concepit,

    Et corde credens parturit.

3. wundern ovch die werlt
    daz der engel bringet samen
    daz mit oren div maget ent-
        phie
    vnd mit herzen gelovbent ge-
        birt.

4. *Beata mater munere,*
    Cujus supernus artifex
    Mundum pugillo continens
    Ventris sub arca clausus est.

4. saligiv mvter von der gabe
    des oberst listwurchaer
    die werlt mit hande bevahent
    des bvches vnder arche be-
        spart ist.

LXXXIII. Von Fortunatus. — *Br. D. I,* 172. *Sch. I,* 90. *Sm.* 252.
[1]) S. oben 407.

5. Benedicta coeli nuntio,

Foecunda sancto Spiritu,
Desideratus gentibus
Cujus per alvum fusus est.

6. O gloriosa femina
Excelsa super sidera,
Qui te creavit provide
Lactasti sacro ubere.

7. Quod Eva tristis abstulit,

Tu reddis almo germine;

Intrent ut astra flebiles,

Coeli fenestra facta es.

8. Tu regis alti janua,
Et porta lucis fulgida
Vitam datam per virginem

Gentes redemptae plaudite.

5. gesegenet von des himels bo-
ten
berhaft von heiligem geist
gegert von der werlt
des von wambe vurbraht bist.

6. ersamiv vrowe
heriv vber den himel
der dih gescȯf bedahticliche
tetest[1]) mit leiger[2]) bruste.

7. daz eva unvro benam
daz gibest wider mit herem
gslaehte[3])
daz ingen die himel die chla-
genten
des himel[4]) tor bist dv wor-
den.

8. dv chvneges heres tor
vnd port liehtes schinigiv
daz leben gegeben von der
magede
ir diete erloste lobete[5]).

LXXXIV.

1. O quam glorifica luce coruscas
Stirpis davidicae regia proles

Sublimis resides virgo Maria
Supra coeligenas aetheris om-
nes.

LXXXIV.

1. Mit wie herem liehte scinestv
geslahtes davides chvniclich
chint
hohiv sitzestv maget maria
vber die himeliscen des lvftes
alle.

LXXXIV. *Von unbekanntem Verf. — D. I,* 245 *hat die* 1. *Str.*

[1]) Das ahd. **tuon** ist weiterer Sinnes und Gebrauches als unser **thun**.
S. Grimm IV, 594 f. Vgl. 86, 3.

[2]) Lies **heiliger.** [3]) Lies **geslaehte.** [4]) Lies **himeles.**

[5]) Lies **lobet.**

2. *Tu cum virgineo mater honore*
   Angelorum domino pectoris au-
   lam
   Sacris visceribus casta parasti,

   Natus hinc Deus est corpore
   Christus.

2. dv mit magedelichem mvter ere
   der engel herren der brvste
   palnze
   in hailigem libe chvsciv ma-
   chestv

   geborn danne got ist von libe
   christus.

3. *Quem cunctus venerans orbis*
   adorat,
   Cui nunc rite genu flectitur
   omne,
   A te petimus te subveniente

   Abjectis tenebris gaudia lucis.

3. den elliv ewirdent div werlt
   anbettent [1])
   dem nv sitliche chnie brov-
   chet man allez
   von dem wir bitten dir cho-
   mente
   verworfen den vinstern vrovde
   liehtes.

4. *Hoc largire Pater luminis*
   omnis
   Natum per proprium Flamine
   sacro
   Qui tecum nitida vivit in
   aethera
   Regnans ac moderans saecula
   cuncta.

4. daz gib vater liehtes alles

   svn durh dinen eigen mit
   geiste heiligem
   der mit dir in liehtem lebet
   himele
   rihsent vnd mezzent werlt alle.

LXXXV.

LXXXV.

1. *Assertor aequi non opè regia*

   Nec morte dura linquere tra-
   mitem
   Veri coactus: non licet, ait,
   tibi
   Uxorem habere fratris adul-
   teram.

1. Vrgihtaer des rehtes niht von
   hilfe chvneclicher
   noch von tode hertem lazen
   die vart
   der warheit genote niht zimet
   sprach dir
   die chonne haben dines brv̊-
   der hv̊rliche.

LXXXV. Von Ambrosius. — D. I, 100.
[1]) S. 83, 1.

2. *Hinc ira regis saevaque fu-*
nera
Saltationis munere vendita,

Mensas tyranni et virginis
ebrius
Luxus replevit sanguine so-
brio.

2. davon der zorn chvneges vñ
scerfe rewe
der springvnge gabe ver-
chovfte
die tisce des wutriches vñ der
magde trvnken
gelust ervult mit blv̊te chvs-
cem.

3. *Haec vitricus dat dona vesa-*
nior
Quam si veneni pocula trade-
ret,
Negare praestat quam dare
vitricum,
Odisse praestat, plus nocet
horum amor.

3. div der stiefvater gibet gebe
tobender
dan ob er aeiters tranch gaebe

verzihen verlihet[1]) danne ge-
ben den stiefvater
hazzen verlihet mer scadet
der minne.

4. *Sit Trinitati gloria unicae,*
Virtus, potestas, summa po-
tentia
Regnum retentans quae Deus
unus est
Per cuncta semper saecula
saeculi.

4. si der drinisse ere ainlicher
tvgent gewalt oberst herscaft

rich behabent div got einer
*
vber elliv iemmer werlt der
werlt

LXXXVI.   LXXXVI.

1. *Gaude visceribus mater in in-*
timis
Felix ecclesia, quae sacra re-
plicas
Sanctae festa Mariae
Plaudant astra, solum,
mare.

1. Vrov dich in dem libe mv̊ter
inneristem
saeligiv christenheit div hei-
lig averest
sante hohzit marien
lobene[2]) himel erde
mer.

LXXXVI. *Von unbekanntem Verf. — D. 1,* 245.

[1]) Der Uebers. hat hier **praestat** (**es ist besser**) unrichtig über-
setzt.   [2]) Lies **lobent**.

2. *Cujus magnifica est generatio,*
Cujus vita sacris claruit acti-
    bus
Cujus finis honorem
Summum sine tenet fine.

2. der herlich ist gebvrt
der leben mit heiligen erlvhte
    werchen
der ende ere
oberiste an ende habet.

3. *Quae virgo peperit virgoque*
    permanet,
Lactavit propriis visceribus
    Deum,
Portantemque gerebat
Ulnis prona trementi-
    bus.

3. div maget gebar vnd maget
    belibet
tatte [1]) mit eigen brusten got

vnd tragentem [2]) trv̊ch
    mit armen gneigeten[3])
    bibenenten.

4. *Felix multiplici laude puer-*
    pera
Regis porta sui clausa peren-
    niter
Mundi stella fluentis
Floris virgula regia.

4. saligiv mit manchvaltem lobe
    chintbaer
chvneges borte sines verspart
    ewiclichen
der werlt stern fliezendes
blv̊des gerte chvniclich.

5. *Te nunc suppliciter, sancta*
    theotocos,
Regis perpetui sponsaque po-
    scimus,
Ut nos semper ubique

Miti munere protegas.

5. dich nv vlegliche heiligiv go-
    tes mv̊ter
chvneges ewiges vnd brvt bitte
    wir
daz dv vns alzit allenthal-
    ben
    mit senfter gabe be-
    scirmes.

6. *Sanctis obtineas virgo preca-*
    tibus
Pacis praesidium dulce diuti-
    nae
Nobis atque beati
Regni dona perennia.

6. mit heiligen behabe maget
    beten
frides hilfe sv̊tze tageliche

vns vnd saliges
riches gabe himelische.

---

[1]) S. 82, 6.
[2]) Lies tragenten.
[3]) Lies geneiget, gneiget.

7. *Praesta summe Pater, Patris*
   ac Unice
   Amborumque simul Spiritus
   annue,
   Qui regnas Deus unus
   Omni tempore saeculi.

7. daz verlih obrister vater vnd
   vaters einige svn
   vn̄ beider geliche geist hilf

   dv rihsenst got einer
   alle zite der werlte.

LXXXVII.

1. *O sancta mundi domina,*
   Regina coeli inclyta,
   O stella maris Maria,
   Virgo mater deifica.

2. *Merge dulcis filia,*
   Nitesce jam virguncula
   Florem latura nobilem
   Christum Deum et hominem.

3. *Natalis tui annua*
   En colimus sollemnia,
   Quo stirpe allectissima
   Mundo fulsisti gentia.

4. *Per te sumus terrigenae*
   Simulque jam coeligenae
   Pacati pace nobili
   More inaestimabili.

5. *Sit Trinitati gloria,*
   Sit semper ac victoria
   In unitate solida
   Per saeculorum saecula.

LXXXVII.

1. Vil heiligiv der werlt vrowe
   chvneginne himels heriv
   stern meres maria
   maget mv̊ter gotlichiv[1])

2. vurvar sv̊ziv tohter
   scine alzan magdelin
   blvde bringendiv edele
   christ got vnd mennische.

3. gebvrte diner iarliche
   begen wir hohzite
   danne von geslaehte vil sv̊zem
   der werlte erscine dv geborn.

4. von dir bir wir ercbaerige[2])
   vnd damit alzan himelbaerige
   gefridet mit fride edelem
   mit sit verahticlichem.

5. si der drinisse er
   sit[3]) ovch alzit signvnfte
   in einvsse ganzer
   vber der werlt werlt.

LXXXVII. Von unbekanntem Verf. — D. I, 277 *hat die* 1. *Str.*
[1]) Für g u o t l i c h i u.
[2]) Lies e r d b a e r i g e.
[3]) Lies s i.

LXXXVIII.   LXXXVIII.

1. *Salve crux sancta, salve mundi
        gloria,
    Vera spes nostra, vera ferens
        gaudia,
    Signum salutis, salus in peri-
        culis,
    Vitale lignum, vitam portans
        hominum.*

1. Wis grv̂z chrvze heilig wis
        grv̂z der werlt ere
    wariv zôversiht vnser wariv
        tragente vrovde
    zeichen des heiles heil in vrei-
        sen
    leblich holz leben tragende
        der mensken.

2. *Te adorandam, te crucem vivi-
        ficam
    In te redempti dulce decus
        saeculi
    Semper laudamus, semper tibi
        canimus
    Per lignum servi, per te lig-
        num liberi.*

2. dich anbetten[1]) solde dich
        chruce lebelich
    an dir si[2]) wir erlost svzze
        ziere der werlte
    alzit lob wir dich alzit dir
        singen
    von holze si[2]) wir scalche von
        dir holze si[2]) wir fri.

3. *Originale crimen necans in
        cruce
    Nos a privatis, Christe, munda
        malis,
    Humanitate miseratus fragili-
        ter
    Per crucem sanctam lapsis
        dona veniam.*

3. die angengelichen scvlde to-
        tende an dem crvce
    vns von tagelichen christ reine
        mailen
    die mennescheit erbarment
        brode
    durch daz cruce heiligez be-
        slifen gib antlaz.

4. *Protege, salva, benedic, sanc-
        tifica
    Populum cunctum crucis per
        signaculum,*

4. scirme heile segene heilige

    daz volch allez cruces durh
        daz zeichen

LXXXVIII. Von unbekanntem Verf. — *D. I*, 243 *hat die* 1. *Str.*
1) S. 83, 1.
2) Für s i n.

Morbos averte corporis et ani-
mae,
Hoc contra signum nullum stet
periculum.

siehtvm [1]) hinkere libes vnd
sele
wider daz zeichen dehein
ste vreise.

5. *Sit Deo Patri laus in cruce*
Filii,
Sit coaequalis laus sancto Spi-
ritui,
Civibus summis gaudium sit
angelis
Honor in mundo crucis exal-
tatio.

5. si got vater lop an cruce des
svnes
si ebenliche lob dem heiligen
geiste
burgarn [2]) den obersten vrovd
si den engeln
er in der werlt sit [3]) des
cruces hohunge.

LXXXIX.

1. *Alma Christi quando fides*
mundo passim traditur
Et per latos orbis fines igne
flagrans floruit,
Tunc elegit sibi gratum mili-
tem Mauricium.

2. *Qui loricam fide textam forti*
gestans pectore,

Qua beata Thebaeorum indue-
bat agmina,
Ad coelorum ut consortes in-
citaret praemia.

LXXXIX.

1. Herer christes do glovbe der
werlt witen geben wart
vnd durh wite der werlt ende
mit vivre brinnende blŷte
do erwelte er im lieben ri-
ter mauricium.

2. der den halsperch mit dem
glŏben geflohten mit star-
chen [4]) tragent bruste
damit saeligiv thebeorum an-
leit samenunge
ze der himele daz si ir ge-
liche reizete lone.

LXXXIX. Von unbekanntem Verf. — D. I, 262 *hat die* 1. *u.* 4. *Str.*
   [1]) Hier und 104, 4 steht siehtvm, siehtv̆m, sonst (110, 3) siech-
tŭm. Auch G r a f f VI, 139 hat die doppelten Formen.
   [2]) Seltene Form für burgaeren.
   [3]) Lies si.
   [4]) Lies starcher.

3. *Martyr sacer, quo vocavit in-*
    clytus Mauricius
    Omnes simul quasi unus vir
    dictu mirabile
    Ad coronam promerendam pro-
    perabant coelitus.

3. marteraer heilige dar ladete
    der herre[1]) mauricius
    alle samet als einer man ze
    sagen wunderlich
    ze chronen zarnen ileten si
    himeliscen.

4. *Tunc armati spiritali ense*
    Christi milites
    Submittentes velut agnus pia
    colla jugulo,
    Triumphabant trucidati spreto
    mundi principe.

4. do gewafent mit geistlichem
    sverte christes riter
    nider lazent als ein lamp senfte
    halse bi der halsader
    sigent si erslagen versmahet
    der werlt vursten.

5. *Contemnentes blandimenta ty-*
    rannorum noxia,
    Flocci pendunt mundi poenas
    sub momento vincere,
    Ut ditentur sempiterno sine
    fine munere.

5. versmaht der zarluste[2]) der
    wůtriche[3]) scedlichiv
    versmahent der werlt witze in
    einer wile vberwunden[4])
    daz si gerichet werden mit
    ewiger an ende gabe.

6. *Diem festum revolutum anni*
    monstrat orbita,
    Quo beatam Thebaeorum le-
    gionem colimus,
    Aegris salus quo praestatur,
    caecis visus redditur.

6. den tac hohzitlichen widerbrah-
    ten des iars zeiget vmbvart
    an dem salige thebeorum die
    scar wir loben
    den siechen heil an dem ge-
    geben wirt blinden gesi-
    hene widergeben wirt.

7. *Tunc quapropter supplicantes*
    illi preces fundimus,
    Ut dignetur nobis Christum
    facere propitium,
    Quem amavit, cum quo regnat
    nunc et in perpetuum.

7. danne darvmb vlegende dem
    gebet vurbringe wir
    daz er gerůche vns christ ma-
    chen gnadich
    den er minnet mit dem er
    rihsent nv vnd ewicliche.

---

[1]) Lies h e r e.
[2]) Lies z a r t l u s t e.
[3]) Es ist wol wůt r i c h e zu lesen.
[4]) Lies v b e r w i n d e n.

XC.　　　　XC.

1. Christo coelorum agmina
Dent laudes et mortalia,
Cum multis septus millibus

Scandit astra Mauricius.

2. Thebaea felix legio
Cruore compta muricis

Victrix triumphi laurea

Fide vicisti terrea.

3. Plaudent honore coelici
Canendo melos obvii,
Tendunt et ulnas gaudii
Vitae ducentes principe.

4. Sis nostri memor domina,
Dum pangis agno cantica,
Gravatos sorde libera
Delendo mortis crimina.

5. Salve beata Trinitas
Simul et una Deitas,
Viva creatrix saeculum
Qui[1]) regnas in perpetuum.

1. Christ der himele samenung
gebent lob vnd totlichiv
mit manigen vmbgeben tvsen-
den
vfstiget die himele mauricius.

2. thebea saeligiv scar
mit blûte gezieret der roten
varwe
sighaftiv mit sigenunftes[1])
chrone
mit glôben vberwunden div
irdiscen.

3. loben mit eren die himeliscen
sigend[2]) sanch gegenwertige
ilent vnd arme der vrovde
des lebens leitende vursten.

4. wis vnser gehvge vrowe
so dv singest dem lamp sanch
besvaret mit svnden lose
tiligende toedes[3]) scvlde.

5. wis gesvnd saeligiu drinvsse
vnd damit ein gotheit
lebendiv scepharinne vberwerlt
dv rihsenst ewicliche.

XC. *Von unbekanntem Verf.*

[1]) Lies *saeculi quae.*

[1]) Das Wort kommt sonst nur als Fem. vor. Entweder ist hier ein
Fehler in der Handschr., oder das Wort ist hier kein Fem.

[2]) Lies **singend.**

[3]) Lies **todes.**

XCI.   XCI.

1. *Christe, sanctorum decus ange-*   1. Christ heiliger zier engel
   lorum
   Rector humani generis et auc-   rihtaer mennischliches geslahtes
   tor ,   vn̄ orthab
   Nobis aeternum tribue benigne   vns daz ewige gib gnadicliche
   Scandere coelum.   stigen riche.

2. *Angelum pacis Michaël ad*   2. engel des frides michahel ze
   istam   diser
   Coelitus mitte, rogitamus, au-   himelische sende bitte wir
   lam ,   palnze
   Nobis ut crebro veniente cres-   vns daz emzicliche chomen-
   cant   dem wahsen
   Prospera cuncta.   behagliche elliv dinch.

3. *Angelus fortis Michaël, ut*   3. engel starcher michahel daz
   hostem   den viende [1])
   Pellat antiquum, volitet ab alto   vertribe alten fliege von himele
   Saepius templum veniens ad   ofte sal chom ze disem
   istud
   Visere nostrum.   sehen vnserem.

4. *Angelum nobis medicum salutis*   4. engel vns arzat des heiles
   Mitte de coelis Raphaël, ut   sende von himele daz alle
   omnes
   Sanet aegrotos, pariterque no-   heile sichen vnd damit vnseriv
   stros
   Dirigat actus.   rihte werch.

5. *Hinc Dei nostri genitrix Ma-*   5. darnach gotes vnsers mûter
   ria ,   maria
   Totus et nobis chorus angelo-   aller vnd vns chor der engel
   rum

XCI. *Von Rhabanus Maurus.* — *Br. D. I,* 218. *Bo.* 599. *Sch. I,* 109.
[1]) **Lies** vie nd.

Semper adsistat, simul et beata
Concio tota.

alzit zꝰste damit vnd saeligiv

scar alliv.

6. *Praestet hoc nobis Deitas beata*
Patris ac Nati pariterque san-
cti
Spiritus, cujus reboat in omni
Gloria mundo.

6. verlihe daz vns gotheit saligiv
vaters vnd svnes vnd damit
des heiligen
geistes des erscillet in aller
divere [1]) werlte.

XCII.

XCII.

1. *Tibi, Christe, splendor Patris,*
vita ac virtus cordium,
In conspectu angelorum votis,
voce psallimus,
Alternantes conerepando melos
damus vocibus.

1. Dir christ ein schin des vaters
leben vnd tugent der herzen
in anscowe der engel mit ant-
heizen mit stimme singe wir
wehselende schellunde sanch
geb wir mit stimmen.

2. *Collaudamus venerantes om-*
nes coeli milites
Et praecipue primatem coele-
stis exercitus
Michaëlem in virtute conteren-
tem Zabulon.

2. lob wir ewirdigende alle hi-
mels riter
vnd maeiste den vursten hi-
melisces heres
michahelem mit chreften ze-
drvchenten den tieuel.

3. *Quo custode procul pelle, rex*
Christe piissime,
Omne nefas inimici, mundos
corde et corpore
Paradiso redde tuo nos sola
clementia.

3. dem einem hv̂taere verre trip
chunic christ vil gûte
allez mein des viendes reine
in herzen vnd libe
dem paradise gib wir [2]) dinem
vns mit einer gnade.

XCII. *Von Rhabanus Maurus.* — *Br. D. I*, 220. *Bo.* 169. *Sch. I*, 110.
[1]) Lies div ere, s. auch 3, 3.
[2]) Ist zu tilgen.

4. Gloriam Patri melodis perso-
    nemus vocibus,
Gloriam Christo canamus, glo-
    riam Paraclito,
Qui Deus trinus et unus ex-
    stat ante saecula.

4. er dem vater sanges singe wir
    mit stimen [1])
   * * * er dem trostsamen

   dv got drilicher vnd einer ge-
   stat vor der werlt.

XCIII.

XCIII.

1. Alma lux siderum
   Robur martyrum,
   Te omnia laudum
   Carmina te
   Sancti Domine
   Laudant hodie.

1. Herez lieht der sterne
   chraft der marteraere
   dich elliv der lobe
   sanch dich
   heilige herre
   lobent hivte.

2. Quia sanctissimum
   Dionysium
   Ariopagitam
   Jam coelicolam
   Illis sociasti
   Sede perenni.

2. wand dem vil heiligen
   dionisium
   von ariopago
   alzan himelbuwaren [2])
   den gesellestv
   in gesidele ewigem.

3. Qui portans proprium
   Caput abscisum
   Cantu angelico
   Venit subito
   Ductus ad tumulum
   In Parisium.

3. der tragent eigenez
   hovbet abgeslagen
   mit gesange engeliskem
   chom algahes
   geleitte [3]) ze grabe
   hinze paris.

4. Martyr tu Domini
   Dionysi
   Cum tuis sociis
   Ora pro nobis
   Et plebi Dominum
   Fac propitium.

4. martraer dv gotes
   dionisi
   mit dinen gesellen.
   bitte vnb [4]) vns
   vnd dem volche
   den herren mache gnadich.

XCIII. Von unbekanntem Verf.
[1]) Lies **stimmen,** wie 101, 6.
[2]) Sonst (1, 8; 40, 2) steht **himelbuwaer.**
[3]) Lies **geleitet** oder **geleittet** (nach 3, 2).   [4]) S. oben 80, 4.

5. *Virtus Trinitati,*
   Laus Unitati,
   Honor et gloria
   Sit per tempora
   Priora futura
   Ac praesentia.

5. tugende der drinusse
   lob der einusse
   er vnd herscaft
   si vber zite
   eroriv chvmftigiv
   vnd gegenwurtigiv.

XCIV.

XCIV.

1. *Vita sanctorum, via, spes sa-*
   lusque,
   Christe, largitor probitatis at-
   que
   Conditor pacis, tibi voce,
   sensu
   Pangimus hymnum.

1. Leben der heiligen wech zů-
   versiht vnd heil
   chrıst gebaer heil vnd frumic-
   heit vnd
   sceffaer frides dir mit stimme
   mit sinne
   singe wir lob.

2. *Qui est virtus manifesta totum*
   Quod pii possunt, quod ore

   Corde vel factis cupiunt amo-
   ris
   Igne flagrantes.

2. der ist tvgent offeniv allez
   daz gů̈te megen[1]) daz mit
   mvnd
   mit herze[2]) * mit werchen
   gerent mit minne
   vivre brinnende.

3. *Qui tua sanctum pietate Gal-*
   lum
   Indicem lucis supernae[1]) de-
   disti
   Ejus ut docti monitis tenebras

   Mente fugiamus.

3. dv mit diner heiligen gů̈te
   gallum
   chundaer liehtes des obersten
   gab[3])
   sinen daz geleret von manun-
   gen vinstern
   mit mů̈te wir fliehen.

XCIV. *Von unbekanntem Verf. — D. I,* 269 *hat die* 1. *Str.*
[1]) Lies *superae.* — In Str. 2, 1. 2 stecken auch noch Fehler.
[1]) Lies m a g e n oder m u g e n.
[2]) Lies h e r z e n, so auch 95, 2.
[3]) Seltene Form für g a b e.

4. Hic ad exemplum volucris ca-
        norae
    Actibus sese prius excitavit,

    Ut quod ingessit vigor in-
        struentis
    Vita probaret.

4. der ze bilde vogeles des schel-
        len
    werchen sich selben ee wahc-
        te [1])
    durh daz anbrahte chraft des
        lerenden
    daz leben bewaret.

5. Qui potens verbo, venerandus
        actu
    Semper aeternis inhians lucel-
        lis
    Plura virtutis meruit super-
        nae
    Signa patenter.

5. der geweltic [2]) mit warte [3])
        ewirdich mit werche
    alzit ewigen gerend wûchern

    manigiu der tugent garnde der
        oberisten
    zeichen offenliche.

6. Quaesumus mundi sator et
        redemptor,
    Ut sacris ejus precibus tueri

    Hanc velis plebem tribuens,
        quod optat
    Corde benigno.

6. bitte wir der werlt scepphaer
        vnd losaer
    daz mit heiligen sinen gebe-
        ten scirmen
    dise wellest diet gebent daz
        si wunscet
    mit herzen willigen [4]).

7. Temporum pacem, fidei teno-
        rem
    Languidis curam veniamque
        lapsis,
    Omnibus praesta pariter beatae
    Munera vitae.

7. der zite fride des glôben
        maze
    den siechen rûche vnd antlaz
        den besliffen [5])
    allen gib da mit saelige
    gabe des libes.

8. Hoc Patris proles, Pater hoc
        benignus
    Spiritus praesens hoc utrique
        compar
    Nunc et aeterno faciat manere

    Tempore saecli.

8. daz vaters chint vater daz
        gnadiger
    geist gegenwvrtig daz ietwe-
        derm ebenlich
    nv vnd in ewigem scaffe be-
        liben
    zite der werlte.

---

[1]) Lies wachte. [2]) S. oben 13, 3. [3]) Lies worte. [4]) Lies wil-
ligem. [5]) Lies besliften wie 2, 7.

XCV.

1. *Christe, qui virtus sator et*
vocaris,
Cujus ornatur pietate quidquid
Vel statu claret vel honore
pollet,
Suscipe laudes.

2. *Ecce sollemnis diei voluptas*

   Plena sanctorum meritis tuo-
   rum
   Corde devotam sociando tur-
   bam
   Personet hymnos.

3. *Haec dies Christi genitricis*
   almae
   Laude sacratur, pariter pre-
   camur
   Ejus obtentu veniam petenti

   Da piae plebi.

4. *Haec dies festum colit ange-*
   lorum,
   Ut tuam semper faciem videntes
   Semper in nostro vigilent fa-
   vore
   Te miserante.

5. *Et choros ducit sub apostolo-*
   rum
   Turba praeclaro nitidos ho-
   nore

XCV.

1. Christ dv tugent vn̄ schephaere
heizzest
des geziert wirt mit gv̂te svaz
ode mit wonvng scinet oder
mit eren dihet
entphah dise lobe.

2. sehent des herlichen dages
wollust
volliv der heiligen garnde di-
ner
mit herze [1]) willige gesellende
menige
scelle div lob.

3. der tach christes mv̂ter herer

   mit lobe geheiliget wirt ge
   maine bitte wir
   von ir behabde antlaz bittun-
   der
   gib gv̂ter diete.

4. der tach hohzit v̂bet der
engel
daz din alzit bilde sehente
alzit in vnserre [2]) wachen hilfe

   dir erbarmende.

5. vnd die chorc leittet [3]) vnder
der boten
div menige liehter scinige mit
ere

XCV. Von unbekanntem Verf.
[1]) S oben 94, 2.
[2]) Aus unserere, wie Notker bei Graff I, 390 auch unserro hat.
[3]) S. oben 3, 2.

Per preces quorum meat et *loquela* *Tuta per hostes.*	durĥ der gebet vert ovch div red sicher dvrĥ di [1]) viend.

6. *Martyres festis veneramur*
   aptis,
  Vota confessor capit omnis
   ista,
  Virgines sanctas monachos-
   que claros
  Laude sonamus.

6. die marteraer mit hohziten
   ere wir gezemelichen
  die antheize bihtaer ent-
   pha [2]) ieglich dise
  die magde heilige vnd mv-
   niche herlich mit
  lob singe wir.

7. *Omnis hoc digna patriarcha*
   partem
  Doctor et vates habet et sa-
   cerdos,
  Gaudio quorum numero su-
   perna
  Scriptio servat.

7. ieglich daz wirdich patriarcha
   teil
  leraer vnd wissag hat vnd
   ewart
  mit vrovden der in zal div
   oberst
  brievunge behaltet.

8. *Omnium sane pariter tuorum*

  Festa sanctorum colimus pre-
   cantes
  Hos tibi qui jam meruere
   jungi
  Nostra tueri.

8. aller waerliche gemeine di-
   ner
  hohzite heiligen vbe wir bit-
   tunde
  di [3]) die dir alzan garnten
   gesellet werden
  vnseriv bescirme.

9. *Et quibus vitae stadium mi-*
   nistris
  Curritur horum precibus bea-
   tis
  Fulgido coeli gremio locemus

  Perpete vita.

9. vnd den lebens zil dienest-
   mannen
  belovfen wirt der bete [4])
   saeligen
  in scinigem himels scoze
   werd wir gestetent
  mit ewigem leben.

---

[1]) Auch Graff und Wackernagel haben Beispiele mit di statt die.
[2]) Lies entphahet.
[3]) S. Str. 5.
[4]) Lies beten.

10. Gloriam sanctae piae Tri-
nitati
Turba persultet, canat et re-
volvat,
Quae manens regnat Deus
unus omni
Tempore saecli.

10. er heiliger guter drinvsse

div menige singe singe vnd
wideravere
div staete richsenet got
eine [1]) allem
zite werelte.

XCVI.

XCVI.

1. Christe, redemptor omnium,
Conserva tuos famulos,
Beatae semper virginis
Placatus sanctis precibus.

1. O christ erloeser aller
behalte dine scalche
saeliger iemer meide
gehuldiget heiligen gebet [2]).

2. Beata quoque agmina
Coelestium spirituum,
Praeterita, praesentia,
Futura mala pellite.

2. saeligiv ovch schare
himelischer geiste
vervaren gagenwurtigiv
chvnftigiv vbel vertribet.

3. Vates aeterni judicis
Apostolique domini
Suppliciter exposcimus
Salvari vestris precibus.

3. wissagen ewiges rihters
vn̄ boten herren
vlegelichen wir bitten
behalten werden iwern ge-
beten.

4. Martyres Dei inclyti
Confessoresque lucidi,
Vestris orationibus
Nos ferte in coelestibus.

4. marteraere gotes edele
vn̄ bihtaere liehte
iwern gebetten [2])
vns bringet in den himelischen.

5. Chorus sanctarum virginum
Monachorumque omnium,
Simul cum sanctis omnibus
Consortes Christi facite.

5. chor heiliger meide
vnd mvneche aller
ensament mit heiligen allen
ebentailich christes machet.

XCVI. *Von unbekanntem Verf.* — *D. I,* 256. *Br. Bo.* 170.
Sch. I, 217.
[1]) Lies **einer**
[2]) Lies **gebeten**, wie sonst häufig.

6. *Gentem auferte perfidam*
 Credentium de finibus,
 Ut Christo laudes debitas
 Persolvamus alacriter.

6. diet tŷthin vngetriwe
 gelŏbigen von enden
 daz christes lob schuldige
 vol gelten vrolichen.

7. *Gloria Patri ingenito*
 Ejusque unigenito
 Una cum sancto Spiritu
 In sempiterna saecula.

7. ere dem vater vngebornem
 vn̄ sinem einbornem
 ensament mit heiligem geiste
 in die ewigen werlt.

XCVII.

XCVII.

1. *Jesu, salvator saeculi,*
 Redemptis ope subveni,

 Et pia Dei genitrix
 Salutem posce miseris.

1. * heilant werlt
 erloesten mit hilfe chvm ze
  hilfe
 vn̄ gŷtiv gotes mŷter
 heil bite armen.

2. *Coetus omnes angelici*
 Et patriarcharum cunei
 Et prophetarum merita
 Nobis precentur veniam.

2. menige alle engelische
 vn̄ patriarchen schare
 vnd wissagen gaernde
 vnz [1]) bitten antlaz.

3. *Baptista Christi praevius*
 Et claviger aethereus
 Cum caeteris apostolis
 Nos solvat nexu criminis.

3. tovfaer christes vorwege
 vnd sluzzelaer himelischer
 mit andern boten
 vns enbinde von bande der
  svnde.

4. *Chorus sacratus martyrum,*
 Confessio sacerdotum
 Et virginalis castitas
 Nos a peccatis abluat.

4. chor heiliger marteraere
 lop der ewarte
 vnd meidelich chvsche
 vns von svnden gewasche.

XCVII. Von unbekanntem Verf. — *Br. D. I,* 297. *Sch. I,* 249.
[1]) **Lies** v n s.

5. *Monachorum suffragia,*
   Omnesque cives coelici
   Annuant votis supplicum
   Et vitae poscant praemium.

6. *Laus, honor, virtus, gloria*
   Deo Patri cum Filio
   Sancto simul Paraclito
   In sempiterna saecula!

5. der mvneche vnderdige
   vnd alle hvsgenoze himelische
   hengen antheizen vlegelichaer
   vnd lebens bitten lon.

6. lop here [1])

XCVIII.

XCVIII.

1. *Martine, confessor Dei,*
   Valens vigore Spiritus,
   Carnis fatiscens [1]) *artubus,*
   Mortis futurae praescius.

2. *Qui pace Christi affluens*
   In unitate Spiritus
   Divisa membra ecclesiae
   Paci reformans unicae.

3. *Quem vita probabilem,*
   Quem mors cruenta non laedit,
   Qui callidi versutiis
   In mortis hora derogas.

4. *Haec plebs fide promptissima*
   Tui diei gaudia
   Votis colit fidelibus,
   Adesto mitis omnibus.

1. Dv herre bihtiger gotes
   maehtic mit chrefte geistes
   libes mv̊dende liden
   todes chvnftigen vorwizzeger.

2. der vride christes genv̊gende
   an der einvnge geistes
   getaeilet lid christenheit
   vride wider schepfende ein-
   lichem.

3. den leben saeit lobelichen
   den tot blv̊tic niht saeriget
   der charges honchusten
   an des todes wile widerstest.

4. diz volc gelovben vil gereit
   dines tages vrevden
   antheizen v̊bet getriwelichen
   wis bi senfte allen.

XCVIII. Von unbekanntem Verf. — D. I, 260 *hat die* 1. *Str.*
[1]) Die Handschr. hat *fatescens.*
[1]) Das Andere fehlt; es steht oben 31, 7.

5. *Per te quies sit temporum,*
   Vitae detur solatium,
   Pacis redundet commodum,
   Sedetur omne scandalum.

5. durh dich rûwe si der zite
   lebens werde geben trost
   vrides genuhte gemach
   gestillet werde alle wirse-
       runge.

6. *Ut caritatis spiritu*
   Sic affluamus invicem,

   Quo corde cum suspiriis
   Christum sequamur intimis.

6. daz der minne geistel
   also werden gesament mit
       einander
   daz herzen mit svften
   christ nachvolgen innern.

XCIX.

1. *Laus angelorum inclyta,*
   Spes conditorum unica,
   Lumen, Deus, de lumine
   Tu nos ab alto respice.

2. *Nobis secundans hunc diem*
   Apostoli sollemnia
   Andreae, cujus per orbem
   Clara micat confessio.

3. *Qua te redemptorem saecli*
   Verbo probavit fidei

   Pro te trusus ab egea
   Tetri carceris intima.

4. *Dehinc caesus scorpione*
   Sub septeno ternione
   Nexus cruci per biduum

   Pendens docuit populum.

XCIX.

1. Lop der enge[1] edel
   gedinge geschaffener einig
   lieht got von liehte
   dv vns von hoehe beschowe.

2. vns vransmŷtende[2] disen tac
   des boten hohzit
   * des vber die werlt
   berhtel schinet lop.

3. an dem dich erloesaer werlt
   dem worte hat bewaeret ge-
       lôben
   durh dich gestozen von *
   vinsters charchaers in die tiefe.

4. darnach geslagen mit geislen
   vnder sibenvaltigem rihtaere
   gebundem[3] dem chrûz[4] vber
       zwene tage
   hangende lerte daz livt.

XCIX. *Von unbekanntem Verf.*
[1] Lies **engel.**
[2] Das Wort ist verschrieben. Man kann an **vram** = **vorwärts**
vnd **mûten** denken.   [3] Lies **gebunden.**   [4] S. oben 62, 5.

5. *Sic ejus aeterno Christe*
   Clarificatum lumine
   Spiritum sumens in pace
   Coeli locasti in aethere.

5. also sin ewigem christ
   erliuhtet liehte
   geist enphahende mit vride
   himels hast gestettet in lvfte.

6. *Cuncti cui proclamemus*
   Andrea succurre pius,
   Quo pro nobis exorante
   Memento nostri Domine.

6. alle dem wir rv̊fen
   * hilfe vns gvter
   dem vmbe vns bittvnde
   gehvge vnser herre.

7. *Laus et honor tibi Christe*
   Una cum regnante Patre
   Almoque simul Flamini
   Uni sub trino nomine.

7. lop vnd ere dir christ
   ensament mit richsendem vater
   vnd heiligem sament geiste
   einem vnder trivaltigem namen.

C.

C.

1. *Plaudat laetitia lux hodierna,*
   Vox coeli jubilet, terra resul-
   tet,
   Promant laude pia gaudia
   digna.

1. Lobe mit vrevde lieht hivtic
   stimme himeles singe erde
   widerschelle
   vurbringen lobe gv̊tem vrevde
   wirdic.

2. *Praesul praecipuus qua Nico-*
   laus
   Defert ad Dominum vota ro-
   gantum
   Pellens ipse prece noxia quae-
   que.

2. bischof vorderste an dem *

   bringet ze dem herren antheiz
   der bittvnde
   vertribende er mit gebet sche-
   delich elliv.

3. *Hic agnis Domini pabula verbi*

   Donat corporeae tempore vitae
   Dispensando fide pondus he-
   rile.

3. dirre lembern herren spise
   gotes wortes
   gib [1] libliches zite lebens
   antreitunde gelôbe burde lon[2]
   erbaerez.

C. *Von unbekanntem Verf.*
[1] Lies **gibet**.
[2] Das lat. **pondus** ist durch 2 W. (**burde, lon**) übersetzt.

4. *Servans militiae castra super-*
       nae
    Praedones cohibet, daemones
       arcet,
    Adstans exiguis causa salu-
       tis.

4. behaltende riterschefte gezelt
       hoeher [1])
    rovber twinget tievel enget

    bistende wenigen sachen [2])
       heiles.

5. *Rerum summe Deus, vernula*
       fidus
    A te promeruit filius, ut sit

    Terrae pro gentes [1]) coelicus
       haeres.

5. aller dinge oberoster got chneht
       getriwer
    von dir hat gearnet chint daz
       er si
    erden geslaehte himelischer
       erbe.

6. *Virtutis validae tu Nicolaë*
    Promptos servitio semper ab
       alto
    Nos orando fove nocte die-
       que.

6. tvgende maehtiger dv *
    gereite dem dienste iemer
       von hoehe
    vns bittvnde heile nahtes vnd
       tages.

7. *Laus uni Domino nomine trino,*

    Laudent hunc hodie condita
       quaeque
    Decantemus eum nunc et in
       aevum.

7. lop einem herren namen tri-
       valtigem
    loben den hivte geschaffen
       elliv
    singen wir in nv vnd ewec-
       lichen.

CI.

1. *Urbs Jerusalem beata, dicta*
       pacis visio,
    Quae construitur in coelis vi-
       vis ex lapidibus,

    Et angelis coornata ut spon-
       sata comite.

CI.

1. Burch* saeligiv genant vrides
       beschowede
    div wirt gezimbert in den
       himeln lebendigen von
       steinen
    vnd engeln geziert als gebriv-
       tet dem graven.

CI. *Von unbekanntem Verf. — Br. D. I,* 239. *Sch. I,* 490. [1]) Ist
verschrieben, vielleicht für *genitis; genti* passt des Metrums wegen nicht.
   [1]) Lies h o c h e r.
   [2]) Eine zu beachtende Form, wenn sie nicht verschrieben ist.

2. *Nova veniens e coelo nuptiali*
   thalamo
   Praeparata ut sponsata copu-
   latur Domino,
   Plateae et muri ejus ex auro
   purissimo.

2. niwe chomende von himel
   brutlichem bette
   bereitet als gemehelt wirt
   gevûget herren
   gazzen vn̄ mivre [1]) sine von
   golde vil lŷterm [2]).

3. *Portae nitent margaritis ady-*
   tis patentibus,
   Et virtute meritorum illuc in-
   troducitur
   Omnis, qui pro Christo Deo
   hic in mundo premitur.

3. tor schinent mit den gimmen
   den ewegen [3]) offen
   vnd tvgende der garnende dar
   wirt ingevûret
   aller der vmb christ got hie in
   der werlt ist verdruc-
   chet.

4. *Tunsionibus, pressuris expo-*
   liti lapides
   Suis coaptantur locis per ma-
   num artificis,

   Disponuntur permansuri sa-
   cris aedificiis.

4. stozen drucchen geslehtet
   steine
   den ir gevûget werdent ste-
   tin [4]) mit der hant list-
   wurchen
   werden gantreitet die beliben
   suln heiligen gezimbern.

5. *Angulare fundamentum lapis*
   Christus missus est,
   Qui compage parietum in utro-
   que nititur,
   Quem Sion sancta suscepit, in
   quo credens permanet.

5. winchel gruntveste stein christ
   gesant ist
   der an der vûge wende an iet-
   wederm an einander get
   den div stat heiligiv hat en-
   phangen an dem gelô-
   bende belibet.

6. *Omnis illa Deo sacra et dile-*
   cta civitas
   Plena modulis in laude et ca-
   nore jubilo,
   Trinum Deum unicumque cum
   favore praedicat.

6. elliv div gote heiligiv vnd lie-
   biv stat
   vollev [5]) stimmen an dem lobe
   vnd gesange vrolichem
   trivaltigen got vnd einvalti-
   gen mit * prediget.

---

[1]) Eine mir sonsther nicht bekannte Form für mûre.
[2]) Diese Form hat Graff IV, 1105 f. nicht, s. oben 5, 3.
[3]) Lies ewigen.
[4]) Graff VI, 640 hat im dat. pl. stetim und stetin. Vgl. mû-
tin 112, 4. [5]) S. oben 30, 4.

7. *Hoc in templo, summe Deus,*
       exoratus adveni,
    Et clementi bonitate precum
       vota suscipe,
    Largam benedictionem hic in-
    funde jugiter.

7. disem in sal oberester got
       gebeten zvchvm
    vnd genaediger gv̂te der bete
       antheiz enphahe
    milten segen hie gebende em-
    zeclichen.

8. *Hic promereantur omnes pe-*
       tita acquirere
    Et adepta possidere cum san-
       ctis perenniter,
    Paradisum introire, translati
    in requiem.

8. hie gearnen alle gebeteniv *
    vn̄ gewunnev[1]) besitzen mit
       heiligen eweclichen
    ze den [2]) paradys chomen ge-
       vv̂ret in die rv̂we.

9. *Gloria et honor Deo usque-*
       quaque altissimo
    Una Patri, Filioque inclyto
       Paraclito,
    Cui laus est et potestas per
       aeterna . saecula.

9. lop vnd ere gote allechichen[3])
       dem hoehestem
    ensament vater vnd svne ede-
       lem troestaer
    dem lop ist vn̄d gewalt durh
       ewige werelt.

CII.

CII.

1. *Christe cunctorum dominator*
       alme,
    Patris aeterni genitus ab ore,

    Supplicum vota pariterque hym-
       num
    Cerne benignus.

1. Christ aller herre heiliger
       des vater ewiges geborn von
          mvnde
    vlegelicher antheizen vnd en-
          sament lop
    schowe gv̂tlicher.

2. *Cerne quod puro, Deus, in*
       honore
    Plebs tibi supplex resonat in
       aula,

2. schowe daz livterm got in der
          ere
    livt dir vlegelich hillet in der
          phallenz

CII. Von Ambrosius. — D. I, 107.
[1]) Lies gewunnenev und vgl. oben 30, 4.
[2]) Lies dem.
[3]) Lies alleclichen. Graff I, 218 hat allelichen. Die ganze Str.
s. oben 39, 3.

Annua cujus redeunt colenda

Tempore festa.

iaerigiv der widerchoment ze
v̊ben
zite hohżit.

3. *Haec domus rite tibi dedicata*
Noscitur, in qua populus sa-
cratum
Corpus assumit, bibit et bea-
tum
Sanguinis haustum.

3. diz hvs sitlichen dir gewihet
wirt erchant in der ¹) volc
heiligez
lichnamen enphaehet trinchet
vnd̓ saeligen
blvtes tranc.

4. *Hic sacrosancti latices veter-*
nas
Diluunt culpas, perimuntque
noxas
Chrismate vero genus ut cree-
tur
Christicolarum.

4. hie vil heilige brvnnen alte

abdwahent schulde vn̄ ertoe-
tent schulde
chresme warem geslaehte daz
geschaffen werde
der christen.

5. *Hic salus aegris, medicina*
fessis,
Lumen orbatis veniaque no-
stris
Fertur offensis, timor atque
moeror
Pellitur omnis.

5. hie heil siechen erzenie den
mv̊den
lieht verwaeiseten vnd antlaz
vnsern
wirt braht svnden vorhte vnde
trivre
wirt vertriben aller²).

6. *Daemonis saeva perit hic ra-*
pina
Pervicax monstrum pavet et
retenta
Corpora linquens fugit in re-
motas
Ocyus umbras.

6. tievels grimmiv²) verdirbet
hie rovb
welistic getroc ervurhtet vnd
behabde ³)
lichnämen verlande ⁴) vlivhet
in hingeruhte
snelle vinster.

---

¹) Nach dem lat. Text, ohne Beziehung auf h v s.
²) Nach dem Latein. ohne Beziehung auf t r i v r e, r o v b.
³) D. i. ḅehabede.
⁴) D. i. verlazende.

7. *Hic locus nempe vocitatur*
    aula
    Regis immensi niveaque coeli

    Porta quae vitae patriam pe-
    tentes
    Accipit omnes.

7. disiv stat gewisse wirt genant
    phallenz
    chvniges grozes vnd wiziv hi-
    mels
    porte div lebens lant sv̊-
    chende
    enphaehet alle.

8. *Turbo quam' nullus quatit,*
    aut vagantes
    Diruunt venti penetrantque
    nimbi,
    Non tetris laedit piceus te-
    nebris
    Tartarus horrens.

8. windesbrvt die nehain schv̊tet
    oder wadelvnd
    zervv̊rent winde vnd durhva-
    rent sneregen
    niht swarzen saeriget bechvar
    den vinstern
    helle egelich.

9. *Quaesumus ergo Deus ut*
    sereno
    Annuas vultu, famulos gu-
    bernans
    Qui tui summo celebrant
    amore
    Gaudia templi.

9. wir bitten darvmb got daz
    heiterm
    gewers antluzze schalche be-
    ratende
    die dines oberester viernt[1]
    minne
    vrevde sales.

10. *Nulla nos vitae cruciet mo-*
     lestas,
     Sint dies laeti placidaeque
     noctes,
     Nullus ex nobis pereunte
     mundo
     Sentiat ignes.

10. enhain vns lebens wizene
     leide
     sin tage vro vnd rv̊wige naht

     enheiner vz vns verderbende
     der werlt
     erchvnne div vivr.

11. *Haec dies in qua tibi con-*
     secratam
     Conspicis aram, tribuat per-
     enne

11. dirre tac an dem dir gewihet

     sihest alter gebe ewige

---

[1]) Graff III, 666 hat die Formen uiront, uìrent. Vgl. vier-
lich 68, 1.

Gaudium nobis vigeatque longo Temporis usu.	vrevde vns vnd wer langem des zites nutze.
12. *Gloria summum resonet Parentem* *Gloria Natum pariterque sanctum* *Spiritum dulci modulemur hymno* *Omne per aevum*	12. ere oberosten helle vater ere den svn vnd ensament heiligen geist svezem[1]) singe lobes allez vber alter.

CIII.   CIII.

1. *Christe, coelorum habitator alme,*

   Haec domus fulget sub honore cujus,

   Hostiam clemens tibi quam litamus,

   Suscipe laudis.

2. *Omnium semper chorus angelorum*

   In polo temet benedicit alto

   Atque te sancti simul universi Sedulo laudant.

3. *Quaesumus quorum precibus sacratis*

   Nos in hoc templo tibi dedicato

   Cernuarum vota precum canentes

   Cerne benignus.

1. Christ himelbiwaer heiliger

   diz hvs schinet vnder ere des

   opfer genaediger dir die opfern

   enphahe lobes.

2. aller iemer chor engele

   in dem himel dich selbe[2]) saegenet hohem
   vnd dich heilige ensament alle
   emzichichen[3]) lobent.

3. wir bitten der gebet heiligen

   vns in disem sal dir gewihtem

   vlegelicher antheiz bete singende
   schowe gvtlicher.

CIII. *Von unbekanntem Verf. — D. 1,* 263 *hat die* 1. *Str.*
[1]) S. oben 38, 1.
[2]) Richtiger **selben**.   [3]) Lies **emziclichen**.

4. *Virginis sanctae meritis Ma-*
    riae
   Atque cunctorum pariter pio-
    rum
   Contine poenam pie, quam
    meremur,
   Daque medelam.

4. der meide heiliger gaernden ∗
   vnd aller ensament gů̂ter
   enthabe die wize gů̂t die wir
    garnen
   vnd gib erzenie.

5. *Sic tuam praesta celebrare*
    laudem
   Flebilem vitam miseratus istam,
   Fiat ut nobis licitum videre
   Te sine fine.

5. also dine verlihe began lob
   chlaegelich leben erb [1]) ditze
   werde daz vns mů̂zlich sehen
   dich an ende.

6. *Doxa sublimi maneat Parenti*
   Ejus et Nato pariterque san-
    cto
   Pneumati trino domino et uni

   Semper in aevum.

6. ere hohem belibe vater
   sinem vnd svn vnd ensament
    heiligem
   geiste trivaltigem herren vnd
    einem
   iemer eweclichen.

CIV.

CIV.

1. *Exsultet coelum laudibus,*
   Resultet terra gaudiis,
   Apostolorum gloriam ,
   Sacra canunt sollemnia.

1. Mende himel mit lobe
   widerschelle erde mit vrevden
   der boten ere
   heilige singent hohzit.

2. *Vos saecli justi judices,*
   Et vera mundi lumina,
   Votis precamur cordium,

   Audite preces supplicum.

2. ir werlt rehte rihtaere
   vnd wariv werlt licht
   antheizen wir bitten der her-
    zen
   vernemet gebet vlegelicher.

CIV. *Von unbekanntem Verf.* — *Br. Bo.* 174. *D. I,* 247. *Sch. I,* 199.
[1]) Lies e r b a r m e n d e.

3. *Qui coelum verbo clauditis,*
   Serasque ejus solvitis,
   Nos a peccatis omnibus
   Solvite jussu, quaesumus.

3. die himel worte versperret
   vnd sloz siniv vſtv̂t
   vnd von svnden allen
   zerloeset gebote bitten wir.

4. *Quorum praecepto subditur*
   Salus et languor omnium,
   Sanate aegros moribus,
   Nos reddentes virtutibus.

4. der gebote wirt vndertan
   heil vnd siehtv̂m [1]) aller
   heilet sieche an den siten
   vns widergebende tvgenden.

5. *Ut, cum judex advenerit*
   Christus in fine saeculi,
   Nos sempiterni gaudii
   Faciat esse compotes.

5. daz so der rihtaer zv̂chvme
   christ an ende werlt
   vns ewiger vrevde
   mache sin gevage.

CV.

CV.

1. *Aeterna Christi munera,*
   Apostolorum gloriam
   Laudes ferentes debitas
   Laetis canamus mentibus.

1. Ewigi [2]) christes gabe
   boten ere
   lob bringende schuldige
   vro singen mvt [3]).

2. *Ecclesiarum principes,*
   Belli triumphales duces,
   Coelestis aulae milites,
   Et vera mundi lumina.

2. christenhaeit vursten
   vrlivges sigenvnftige herzogen
   himelischer phallenz riter
   vnd wariv werlt lieht.

3. *Terrore victo saeculi*
   Poenisque spretis corporis

3. der eise vberwnden [4]) werld
   vnd wizen versmaehet [5]) lich-
   namen

CV. *Von Ambrosius.* — *Br. D. I*, 27. *Sch. I*, 11. *Sm.* 282.
1) S. oben 88, 4.
2) Lies e w i g e, wie 107, wo Str. 1 und 3 wiederholt sind.
3) Gewöhnlich steht m û t, m u o t. S. die verschiedenen Formen bei
G r a f f II, 679 f. Es sollte übrigens nach dem Lateinischen heissen v r o e n
m û t e n.
4) Lies v b e r w u n d e n, v n v b e r w u n d e n.
5) Unten 107, 2 steht flectiert v e r s m a e h t e n.

Mortis sacrae compendio

Vitam beatam possident.

des todes heiliges churzer ta-
geweide

leben saeligez besitzent.

4. *Devota sanctorum fides,*
    Invicta spes credentium,

    Perfecta Christi caritas
    Mundi triumphat principem.

4. willig heiligen gelόbe
    vnvberwnden[1]) gedinge gelό-
    benden
    durnaeht christes minne
    der werlt gesiget vursten.

5. *In his paterna gloria,*
    In his voluntas Spiritus,
    Exsultat in his Filius,
    Coelum repletur gaudiis.

5. an den vaterlichiv ere
    an den wille geistes
    vrevt sich an den der svn
    himel wirt ervollet[2]) vrevden.

6. *Te nunc, redemptor, quaesu-*
    mus,
    Ut ipsorum consortio
    Jungas precantes servulos
    In sempiterna saecula.

6. dich * erloeser wir bitten

    daz ir genozschefte
    vủgest bittvnde chnehtelin
    in ewige werlt.

CVI.

CVI.

1. *Sanctorum meritis inclyta gau-*
    dia
    Pangamus socii gestaque for-
    tia,
    Nam gliscit animus promere
    cantibus
    Victorum genus optimum.

1. Heiligen gaernden edele vrevde

    singen gesellen vnd werch
    starchiv
    wand vlizet der mủt vurbrin-
    gen gesange
    gesigender geslaehte daz
    beste.

CVI. Von unbekanntem Verf. — Br. D. I, 203. *Sch. I,* 116.
[1]) S. Seite 113, CV, Str. 3.
[2]) Sonst steht **ervullet**. **Graff** III, 489 f. hat die Inf. **arfull-**
jan und **arfollόn**. Letzteres hat im Part. pr. **erfollot, ervollit;**
daraus **ervollet**.

2. *Hi sunt, quos retinens mundus inhorruit,*
   Ipsum nam sterili flore per aridum
   Sprevere penitus teque secuti sunt,
   Jesu rex bone coelitus.

2. dise sint die behabende werlt erschuhte
   in wand vnberhafte blvme [1] durren
   vermanten gaerliche vnd dich gevolget habent
   * chvnic gv̂ter himelischen.

3. *Hi pro te furias atque ferocia*
   Calcarunt hominum saevaque verbera,
   Cessit his lacerans fortiter ungula,
   Nec carpsit penetralia.

3. dise durh dich tobeheit vnd grvlichiv
   habent getreten mennischen vnd scherpfiu anslaht
   entweich den zerrende starche chla
   noch zebrach inner chraft.

4. *Caeduntur gladiis more bidentium;*
   Non murmur resonat, non querimonia,
   Sed corde tacito mens bene conscia
   Conservat patientiam.

4. werdent geslagen mit swerte nah site der schafe
   niht murmel lv̂tet [2] niht chlage
   svnder herzen stillem mv̂t wol gewizzen
   behaltet gedvlte.

5. *Quae vox, quae poterit lingua retexere,*
   Quae tu martyribus munera praeparas?
   Rubri nam fluido sanguine, laureis
   Ditantur bene fulgidis.

5. welch stimme welch mvge zvnge erhellen
   die dv den marteraeren gabe bereitest
   rote wan vliezvndem blv̂te lorbömen
   werdent gerichent wol schinenden.

6. *Te, summa Deitas, unaque poscimus,*
   Ut culpas abluas, noxia subtrahas,

6. dich oberstiv goteheit vnd einiv bitten wir
   daz schulde abdwahest schadelichiv enziehest

---

[1] Sonst richtiger b l û m e.
[2] Diese Form ist sonst nicht **gebräuchlich**, s. 2, 2.

Des pacem famulis, nos quo-　　　gebest vride schalchen wir
　　que gloriam　　　　　　　　　　ovch ere
Per cuncta tibi saecula.　　　　　vber alle dir werlt.

CVII.　　　　　　## CVII.

(S. unten Anhang Nr. VII.)

1. Aeterna Christi munera　　　1. Ewige christes gabe
　Et martyrum victorias,　　　　　vnd marteraere sige
　Laudes ferentes debitas　　　　　lob bringende schuldige
　Laetis canamus mentibus.　　　　vro singen mv̊ten[1]).

2. Terrore victo saeculi,　　　　2. der eise vberwnden werlt
　Poenisque spretis corporis　　　　vnd wizen versmaehten lich-
　　　　　　　　　　　　　　　　　　namen
　Mortis sacrae compendio　　　　todes heiliges churzer tage-
　　　　　　　　　　　　　　　　　　weide
　Vitam beatam possident.　　　　leben saeligez besitzent.

3. Traduntur igni martyres　　　3. werdent geben vivre die mar-
　　　　　　　　　　　　　　　　　teraere
　Et bestiarum dentibus,　　　　　vnd tiere zanden
　Armata saevit ungulis　　　　　gewafent wtet[2]) chlon[3])
　Tortoris insani manus.　　　　　wizenaeres vnsenniges[4]) hant.

4. Nudata pendent viscera,　　　4. nachetiv hangent innaeder
　Sanguis sacratus funditur,　　　blv̊t heiligez wirt gegozzen
　Sed permanent immobiles　　　　svnder belibent vnbeweget
　Vitae perennis gratia.　　　　　lebens ewiges genade.

CVII. Von Ambrosius. — Bj. 49. Br. D. I, 27. Sch. I, 11.
[1]) Diese u. die 2. Str. s. oben 105, 1, 3.
[2]) Lies wütet.
[3]) Oben 106, 3 steht der Sing. chla. Graff IV, 544 hat chloa,
chawa, im dat. pl. chloun, chlauuon.
[4]) Sonst (72, 7; 81, 3) steht richtiger unsinnig.

CVIII.

1. *Rex gloriose martyrum,*
   Corona confitentium,
   Qui respuentes terrea
   Perducis ad coelestia.

2. *Aurem benignam protinus*
   Appone nostris vocibus,
   Tropaea sacra pangimus,
   Ignosce quod delinquimus.

3. *Tu vincis in martyribus,*

   Parcendo confessoribus,
   Tu vince nostra crimina
   Donando indulgentiam.

CIX.

1. *Deus tuorum militum*
   Sors et corona, praemium,
   Laudes canentes martyris
   Absolve nexu criminis.

2. *Hic nempe mundi gaudia*
   Et blandimenta noxia
   Caduca rite deputans
   Pervenit ad coelestia.

CVIII.

1. Chvnic herlich marteraere
   chron beiehenden
   der versmaehende irdischiv
   vol leitest ze den himelischen.

2. or gv̊tlichez ＊
   zv̊ vûge vnsern stimmen
   sige heilige singen wir
   vergibe [1]) daz wir missetv̊n.

3. dv gesigest an den martae-
   raeren [2])
   entlibende bihtaern
   dv vberwinde vnser svnde
   gebende antlaz.

CIX.

1. Got diner riter
   loz vnd chron lon
   lob singende marteraeres
   enbinde bande der svnde.

2. dirre gewisse werlte vrevde
   vnd lint choese schadelich
   zerganclich sitlichen ahtende
   vol chom ze den himelischen.

CVIII. *Von unbekanntem Verf. — Br. D. I,* 248. *Sch. I,* 203. *Bo.* 175.
CIX. *Von Ambrosius, — Br. D. I,* 109. *Sch. I,* 53. *Bo.* 176.
[1]) S. 38, 8.
[2]) Lies marteraeren.

3. *Poenas cucurrit fortiter,*
    Et sustulit viriliter;
    Pro te effundens sanguinem,
    Aeterna dona possidet.

3. wize livf starche
    vnd vertr v̊c manlichen
    durh dich vzgiezzende [1]) bl v̊t
    ewige gabe besitzet.

4. *Ob hoc precatu supplici*
    Te poscimus piissime,
    In hoc triumpho martyris
    Dimitte noxam servulis.

4. durh daz bete vlegelicher
    dich wir bitten aller beste
    an dem sige marteraeres
    verlaze schulden dinen schal-
    chen.

5. *Laus et perennis gloria*
    Deo Patri cum Filio,
    Sancto simul Paraclito,
    In sempiterna saecula.

5. lop vnd ewigiv ere
    got vater mit dem svne
    heiligem ensament troestaere
    in die ewige werlt.

CX.

CX.

1. *Iste confessor Domini sacra-*
        tus,
    Festa plebs cujus celebrat per
        orbem,
    Hodie laetus meruit secreta
        Scandere coeli.

1. Dirre bihtiger herren gehei-
        ligeter
    tvlt daz volc des beget vber
        die werlt
    hiv̇te vro hat gearnet t v̊gen
    stiegen [2]) himels.

2. *Qui pius, prudens, humilis,*
        pudicus,
    Sobrius, castus fuit et quie-
        tus,
    Vita dum praesens vegetavit
        ejus
    Corporis artus.

2. der g v̊ter witziger diemvt [3])
        schaemich
    n v̊hter chusche was vnd ge-
        rvwet
    leben do gagenwrt [4]) ger v̊ric
        machete sines
    lichnamen glider.

CX. Von unbekanntem Verf. — D. I, 248. *Sch. I,* 204.
    [1]) **Sonst steht giezen.** Auch G r a f f IV, 281 hat einige Beispiele
mit z z.
    [2]) Lies s t i g e n, wie 113, 3.
    [3]) Lies d i e m u̇ t, wie 35, 7.
    [4]) Lies g a g e n w u r t.

3. *Ad sacrum cujus tumulum*
   frequenter,
   Membra languentum modo sa-
   nitati
   Quolibet morbis fuerint gra-
   vata
   Restituuntur.

3. ze heiligem des grab enzec-
   lichen
   glider siechen nv gesvnde

   swelhem siechtvm sint be-
   swaeret
   werdent widerbraht.

4. *Unde nunc noster chorus in*
   honore
   Ipsius hymnum canit hunc
   libenter,
   Ut piis ejus meritis juvemur

   Omne per aevum.

4. von div nv vnser chor in der
   ere
   sin lob singet ditz gerne

   daz gvten sinen gaernden
   werden geholfen
   allez vber alter.

5. *Sit salus illi, decus atque*
   virtus,
   Qui super coeli residens cacu-
   men
   Totius mundi machinam gu-
   bernat
   Trinus et unus.

5. si heil dem gezierde vnd tv-
   gende
   der vfe himels sitzvnde hoehe

   aller werelde geschepfede be-
   rihtet
   trivaltic vnd einer.

CXI.   CXI.

1. *Hic est verus christicola,*
   Apostolorum assecla,
   Cujus mater ecclesia
   Sacra promit sollemnia.

1. Dirre ist warer christenman
   der boten nachvolgaer
   des mvter christenheit
   heilige vurbringet hohzit.

2. *Quis ille felix gaudia*
   Ovans conscendit ardua
   Coeligenarum epulis
   Fruiturus perennibus.

2. an den der saelige vrevde
   vrolich vfsteic hohe
   himelbiwaere wirtschefte
   niezenden [1]) ewigen.

CXI. Von unbekanntem Verf. — D. I, 303 *hat die* 1. *Str.*
[1]) **Lies** n i e z e n d e r.

3. *Hujus o Christe meritis*
   Nostris adesto precibus,
   Quo tibi laudum debita
   Deferamus obsequia.

3. des christ gaernden
   vnsern wis bi digen
   daz dir der lobe schuldigiv
   bringen dienst.

4. *Tibi Patrique gloria*
   Cum sancto sit Spiramine
   In summa coeli curia
   Nunc et per cuncta saecula.

4. dir vnd vater ere
   mit heiligem si geiste
   in oberestem himels hove
   nv vnd vber alle werlt.

CXII.

CXII.

1. *Jesu, corona virginum,*
   Quem mater illa concepit,
   Quae sola virgo parturit,
   Haec vota clemens accipe.

1. * chrone meide
   den mv̊ter div enphie
   div eine meit gebar
   dise antheize genaedic en-
   phahe.

2. *Qui pascis inter lilia,*
   Septus choreis virginum,
   Sponsus decorus gloria,
   Sponsisque reddens praemia.

2. der haltest vnder lilien
   bezvnet choeren der meide
   brvtego̊m zierlich ere
   vnd brivten widergebende lon.

3. *Quocunque pergis, virgines*
   Sequuntur, atque laudibus
   Post te canentes cursitant,
   Hymnosque dulces personant.

3. swar verst meide
   nachvolgent vnd lobe
   nach dir singende lovfent
   vnd lob sveze haellent.

4. *Te deprecamur largius,*
   Nostris adauge mentibus,
   Nescire prorsus omnia
   Corruptionis vulnera.

4. dich bitten wir volleclicher
   vnsern gemere mv̊tin [1]
   niht wizzen alliv
   verwerticheit wunde.

CXII. Von Ambrosius. — Br. D. I, 112. Sch. I, 57. Bo. 176.
[1] Sonst steht mů ten; vgl. stetin 101, 4.

CXIII.

CXIII.

1. Virginis proles, opifexque matris,
Virgo quem gessit, peperitque virgo,
Virginis festum canimus tropaeum:
Accipe votum.

1. Meide chint vnd schepfaer der mv̊ter
meit den trv̊c vnd gebar meit
der meide tvlt wir singen sig
emphahe antheiz.

2. Haec tua virgo duplici beata
Sorte, dum gestit fragilem domare
Corporis sexum, domuit cruentum
Corpore saeclum.

2. disiv din meit zwisbildem[1] saelic
loze so si gert broede zamen
lichnamen geslaehte zamte blv̊tige
libe werlt.

3. Unde nec mortem, nec amica mortis
Saeva poenarum genera pavescens,
Sanguine fuso, meruit secreta
Scandere coeli.

3. davon neweder tot neweder vrivndinne todes
grimmiv wize geslaehte vurhtende
blv̊te vergozzen hat garnet tougen
stigen himels[2].

4. Hujus obtentu Deus alme nostris
Parce jam culpis, vitia remittens,
Quo tibi puri resonemus almum
Pectoris hymnum.

4. der vnderdige got heiliger vnsern
entlibe alzan schulden achuste verlazende
daz dir lv̊ter[3] singen heilige
bruste lop.

CXIII. Von unbekanntem Verf. — Br. D. I, 250. Sch. I, 207.
[1] S. oben 74, 10.
[2] Vgl. 110, 1.
[3] S. oben 5, 3.

5. *Sit decus Patri, genitaeque*   5. ere vater vnd gebornem svn
         Proli,
    Et tibi compar utriusque sem-   vnd dir gelich iewederes iemer
         per
    Spiritus sancte, Deus unus   geist heiliger got einer allem
         omni
    Temporis aevo.   zite werlt.

Zweite Abtheilung.

Originallieder und freie Bearbeitungen lateinischer Hymnen aus dem 14. bis 15. Jahrhundert.

Vierzehntes Jahrhundert.

I.

Ave daz wort hat got gesant[1]).

1. Ave daz wort hat got gesant.
Dir vrawe von himellant.
Er hat dich lange vor erchant.
der engel dich alain vant.
Maria genad dez meres stern.
der vinstern werlt ein chear lucern.
du macht[2]) den sunder wol gewern.
wes er zu recht chan an dich gern.

2. Gratia Genad zeucht fur recht.
daz han ich vrawe wol gespecht.
swie wir in sunden sein gevecht.
wildu so wiert alles geslecht.

3. Plena. Genaden bistu vol.
dar vmb ich dich loben schol.
chaiserinn nü tü so wol.
vnd lose vns von der sunden dol.

---

[1]) Die Ueberschrift ist von jüngerer Hand.
[2]) D. i. (ver-) magst.

4. Dominus Got der herre guet.
   geren deinen willen tuet.
   nu halt uns vrawe in deiner hut [1]).
   vnd lesch an vns der sunden gluet.

5. Tecum. mit dir vil suezzen ist.
   dez vater muetter brawt du als man dichk von dir list.
   gewinne vraw der buezze vrist.

6. Benedicta. gesegent vor allen vrawen.
   seit [2]) wir alle wol getrawen.
   so hilf vns daz wir hie gebawen.
   daz wir dein chint vnd dich beschawen.

7. Dv du rose vnder dorn.
   bist zu selden vns geborn.
   got hat dich svnderleich erchorn.
   ze stillen seinen grozzen zorn.

8. In aller der werlt sint die mer.
   du seist ez di seldenber.
   dew den hailant vns geber.
   do wart geringet vnser swer.

9. Mulieribus. den weiben allen.
   scholt du vraw wol gevallen.
   si schullen dir ze fuezzen vallen.
   daz du in zerbrecht der sunden gallen.

10. Et auch hastu den gewalt.
    von sund err [3]) wierd manichualt.
    swelich sunder ist iunch oder alt
    das er zu got wirt gezalt.

11. Benedictus der gesegent.
    Chom in der werlt gegent.
    die himel haben dich her geregent.
    Im hastu frawe fur uns begegent.

---

[1]) Lies huet.   [2]) Das Wort kann in der Handschrift seit und sen gelesen werden.   [3]) Irgendwie verschrieben.

12. Vructus deines leibes suezze vrucht.
    ist aller genaden ein vollew genuht.
    czu deme trost ist vnser flucht.
    daz du vns buezzt der sunden sucht.

13. Ventris deines leibes arch.
    taugenleich in sich barch.
    Altissimum den levn starch.
    do wart vernicht der tieuel charch.

14. Tui. deines lobes stat.
    tuet allem lob vrawe mat.
    nu hilf vns von der pfat[1]).
    vnd daz der sele werd rat.

15. Amen daz bittet alle werden war.
    so daz wir alle chomen dar.
    da sich vreut der engel schar.
    dez helf vns die magt chlar.
    Amen. das werd war.

---

[1]) Vor pfat fehlt ein Wort, etwa sunde.

Vierzehntes bis fünfzehntes Jahrhundert.

II.

Maria virgo des müniehs.

1. Muter   guter   sach dy pest
   christen   vristen   solt du vest
   vor des tieuels listen prait.
   Anger   swanger   mit dem wort
   züchtig   früchtig   edler hort
   du hast euen fluch verjait.

2. Richten   slichten   sol dein güt
   krummez   tummez   falsch gemüt
   gar in aller christenhait
   Järlich   klärlich   ist der tag
   heilig   selig   da got pflag
   füren dich in ewikhait.

3. Achten   trachten   hin zu got
   geren   leren [1]   sein gepot
   mach vns frau alzeit berait
   Vnder   wnder   leichem syn
   steuren   feuren   sol dein myn
   dy vns zu dem pesten lait [2].

---

[1] D. i. lernen.   [2] D. i. leitet.

4. Jungen   tungen   sol dein huld
alter   kalter   hertz in schuld
dy in sünden sint verzait[1])
Reihlich   freilich[2])   ist dein trost
süntlich   grüntlich   sel erlost
gar auz aller aribait.

5. Geben   leben   ymmermer
süzlich   grüzlich   lust dein er
daz chain zung dein güt vol sait[3]).
Oben   loben   got vnd dich
leiden   meiden   ewiklich
hilf vns múterleiche mait.

III.

Das ave Maria des münichs.

1. Maria pis gegrüzzet
dein zarter hochgelopter nam
vor allen dingen süzzet
du sölge hymelport.
Wer möcht dein lob durchgründen
seind got von hymel zu dir quam[4])
vnd vns erlost von sünden
durch dich vil edler hort
Du pist der weg voṅ got zun vns
vnd von vns hyn zu got
Durch all dy. lieb deins trauten suns
hilf daz wir hy auf erden
von ym gegrüzzet werden.
des pis Maria pot.

2. Genaden hast du funden
dy Eua vns verloren hat
gib wider frau zu stunden
wann vnser ist dein fund

---

[1]) D. i. verzagt.   [2]) D. i. reich und frei.   [3]) D. i. sagt.
[4]) D. i. kam.

Dnrch vns pist du gereichet
daz got durch dich tut vnd auch lat[1]
daz nyman dir geleichet
das ist an dir wol kund.
Du hast genad vnd auch gewalt
mit vns zu aller frist
dein zärtleich iunkfraulich gestalt
sol vns genad erwerben
erwend vns ewigs sterben
seind du genadig pist.

3. Got ist mit dir verainet
daz er dem sünder zürnet nit
den dein genad wol mainet
dar vmb ward er dein kint
Wy oft wir sünd begingen
daz wir den durch dein fleglich pit
genad von ym empfingen
dy nymand an dich fint
o wy gar selge küssen drukt
dein mund an kindleins mund
do er sich an dein brüstlein smukt
vnd saugt an deinem hertzen
man[2] in an kintlich scherczen
sprich pis mit yn all stund.

4. Du pist ob allen weiben
gesegēt daz dy warhait muzz
daz wunder von dir schreiben
daz muter magt[3] mag sein.
Vnd wort zu fleisch ist worden
da prach an dir der englisch gruzz
den natürlichen orden
de[4] ny an weib ward schein[5]

---

[1] D. i. lässt.
[2] D. i. mahne.
[3] D. i. Jungfrau.
[4] Lies der.
[5] D. i. sichtbar.

Dein vater ist dein kind mit recht
das wold got sein durch dich
der edlist herr ist worden knecht
der für vns hat geliten
durch den frau wir dich piten
gesegn vns ewiklich.

5. Deins leibes frucht geseget
ist jhesus christ der sich verparch
zu dir vil rainer meget[1])
der vns durch dich erlost.
Du pist frau aller engel
der trinitat ein edler sarch
der selikait vmbvengel
des sünder höchster trost.
Dich pitt dy ellend christenhait
in dysem iamertal
gib vns zu deiner frucht gelait
daz wir in gotes namen
zu hymel varen amen
in aller heilgen zal.

IV.
Das guldein vingerlein des münichs.

1. Mein trost Maria raine mait
der deinen wirdikhait
hab ich berait
ain guldein vingerlein
mit sexerlay gestain durchlait[2])
das dir den namen sait[3])
den geren trait
dein junkfreuliche güt.
Ain J mit perlein
H zuhant
topasion genant
E vnzetrant
von smaragd keusch vnd fein

---

[1]) D. i. Jungfrau.   [2]) D. i. durchlegt.   [3]) D. i. sagt.

ain S rubin von osterlant[1])
ain V saphir bekant
ayn dyamant
sein S dapey behüt[2]).

2. Wy ich in sünden pin verpflicht·
wy lützel guts von mir geschicht
wy krancke kunst wy snödz geticht
ydoch der trost mein hercz aufrichtt
daz ny chain mensch ward so vernichtt
der dir mit ganczer treü zuspricht.
yn tröst dein junkfräulichz gesicht.
Also schenk ich dir muter chlar
das ringlein gen dem newen jar.

3. In perlein weizz ist nu gestalt
dy zeit sne hat gewalt
der jenner kalt
ist vnd hornung dapey
reif machet all frücht greis vnd alt
dy jung[3]) maria palt
daz manigvalt
yr blümlein dir hofir.
Das. new iar vah mit sälden an
als. christ den snyt[4]) gewan
vnd auf der pan
zuriten[5]) künig drey
vnd wy yn taufte sand Johan
vnd wes Jhesus began
do weins zeran[6])
auz wazzer wein ward schir.
Dein lichtmess ist dy selben vart
so hilf vns keüsche muter zart
daz leib vnd seel sein wol bewart
sneweizz nach margariten art

---

[1]) D. i. Ostland.
[2]) In der Handschrift sind die Einzelbuchstaben (Jhesus) in den entsprechenden Farben der Edelsteine.   [3]) D. i. mache jung.
[4]) Schnitt, dann Bildung, Gestalt überhaupt.
[5]) D. i. zuritten.   [6]) D. i. zerrann, fehlte.

der vasnacht schimpf[1]) vns nicht verschart
daz an vns werd dein güt gespart
dar vmb schaff säldenreicher gart
daz all dürr sel gewinnen saft
von des hailigen geistes kraft.

4. Hyn für Mercz Abril dy zwen mon
als ein topasion
sich gilben schon
ich wän dem winder scheücz
dy heilig vasten ist so fron
mit erenreichem lon
der mensch davon sich leütert als das gold.
Dein kündung vns vil sälden tut.
mit rosenvarbem plut
hat vns behut
dein kind an fronem kreücz
do er starb mit manlichem mut
sein vrstend[2]) was vns gut
für helle glut
dy er da prechen wold.
Hilf den dy er erloset hat
so gar dy heilig zeit jngat
daz yglich mensch meid missetat
vnd laz sich rewen[3]) fru vnd spat
sein schuld vnd volg der prister rat
daz ym dy götlich maiestat
verleich dy engelischen wat[4])
dy er den liben ewiklich
wil leihen in dem hymelrich.

5. Der may mit dem prachmayen geit[5])
smaragdes grüne zeit
mit widerstreit
erklingt der voglein schal

---

1) D. i. Scherz.
2) D. i. Auferstehung.
3) D. i. reuen
4) D. i Kleidung.
5) D. i. geht.

yglichez sein gemahel freit
perg anger haide weit
gar lustlich leit [1])
bedekt mit laub vnd gras.
Deins kindes aufvart nam du war
der tröster leret gar
zwelfboten [2]) schar
der werlt sprach vberal
yr leer bracht vns der sälden nar [3])
maid hilf vns frölich dar [4])
keüsch grün gevar
da ny chain dorren [5]) was.
Mach daz ain yglich mensch bejag [6])
andacht an gotes lichnams tag
daz man ym also sing vnd sag
vnd yn mit sölcher zir vmbtrag
daz ez ym wol von vns behag
daz vns chain hellisch pein icht [7]) nag
dein hilf Maria das vermag
des pitt Johannes keuscher leib
wann heilger kind getrug ny weib.

6. Heẃmoned augst [8]) als ain rubein
sich röten chlar vnd fein
mit haizzem schein
kumbt manig schedlich schaur
das wend mit den genaden dein
mach all frücht sicher sein
vor aller pein
kum vns vnd yn zu trost.
Den vngesunden tagen wer [9])
das icht yr hiez verczer
das menschlich her
dy plöden creataur

---

1) **D. i. liegt.**
2) **D. i. Apostel.**
3) **D. i. Nahrung.**
4) **D. i. dahin.**
5) **D. i. Dorn.**   6) **D. i. zu erwerben suche.**   7) **D. i. etwa.**
8) **D. i. August.**   9) **D. i. wehre.**

auf puzz auf pezzrung vns erner
lang leben vns bescher
der sünden mer
verpren auf gnaden rost.
Bedenk den freüdenreichen schal
da du furst in dem hymelsal
du hast den pesten tail vnd wal
dein mähtikhait ist gar an[1]) zal
tröst vns in disem iamertal
wenn vnser gute werch sind smal
in sünden hicz auch worden val
mach vns mit guten werchen feücht
daz vns das götlich licht erleücht.

7. Zwen herbstmon bringent wein vnd prot
für durst vnd hungers not
haiz zeit was rot[2])
dy stet saphirlich plau
dy wag der sunne gank verschrot
dy gar hoch erpot
dy hicz ist tot
der luft pringt sein zuflucht.
Hilf durch all christenleich gepet
so man das koren set[3])
vnd grumad met[4])
daz vns dy sunn anschau
wann hoher wint in lüften wet
so mach das weter stet
bis man jnleit
vnd schon behalt all frucht.
Du ymmer wernder selden stam
dein raine purd[5]) was wunnesam
vns da sy von frau anna kam
vnd got von dir dy menschheit nam

---

[1]) D. i. ohne.
[2]) Das Wort kann in der Handschrift rot und not gelesen werden.
[3]) D. i. Korn säet.
[4]) D. i. Korn mähet.
[5]) D. i. Geburt.

den mach raine maid so czam
daz er abtilg der sünden scham
dy vns anerbent von Adam
vnd daz des heilgen gaistes luft
vns all behüt vor helle gruft.

8. Mit allen heilgen winder vest
anvahet vnd das lest
yr tunkchel glest [1]
swarz diamant gevar
der tag ist kurcz val sind dy est [2]
erdreich dy wurczen mest [3]
das aller pest
gib raine maid darzu.
Das guldein tor sich ny entslozz
dein iunkfreüliche schozz
tet wunder grozz
da sy got mensch gepar
dir ward ny creatur genozz
got vater begozz
mit gaistes slozz
erwirb vns ewig ru.
Mach vns genädig Jhesum christ
der got ob allen götten ist
der haiden Juden keczer list
ist gar betort zu aller frist
seind aller zaichen yn geprist
dy vns oft nerent dy genist
durch Jhesum des du muter pist
Maria hilf daz vns geling
zu dem des nam stet an dem ring.

V.
Zu weihnachten des münichs.

1. Maria keusche muter zart
wy lustlich war dein raine art
dem höchsten got der sich verspart

---

[1] D. i. dunkler Glanz.　　[2] D. i. Aeste.　　[3] D. i. mästet.

zu dir du wol verlossner gart
da er menschleich bechlaidet wart
daz ny dein mägdleich plum verschart
in chainerlaye dingen.
Gib raine maid mir kraft vnd macht
daz ich an dyser heilgen nacht
dein iunkfraulich gepurd betracht
wy sich dein vater in dich slacht
daz ich kúnstloser darnach acht
wy ich mit andacht rüff dy wacht
dar zu gib mir gelingen.
Wol auf allz das zu hymel sey
mit aller süzzen symphoney
vnd singen got der eren krey
dem ainen vnd driualden
daz vns der frid hy wone pey
des guten willen wandels frey
des herpfen in der ierarchey
dy vir vnd zwaniczig alden.
dar zu ich vnverdinter schrey
ain sündig mensch auf dürrem zwey [1]
hilf junkfraüliche magt marey
daz sein gelük müzz walden.

2. Als got in seiner maiestat
den sun in ym geporen hat
durch den er schuf sein hantgetat
do welt er dich mit weysem rat
daz er, näm von dir menschlich wat
dar jnn er sich noch sehen lat [2]
in hymel vnd auf erden.
Dein keüsch geperen hat enplekt
das wort das menklich was verdekt
der slang der euen het gehekt
des haup [3] ist deinem trit gestrekt
dein trost süzzlich den sünder wekt
daz yn der laidig veint nicht schrekt
daz er icht zweiflig werde.

---

[1] D. i. Zweig.
[2] D. i. lässt. [3] Lies haupt.

Durch dich nam end Adames we
durch dich lebt in der arch noe
durch dich verhiez got pey mambre
dy frucht herr Abrahamen.
Durch dich sah moyses wunders me [1]
durch dich kom dauid von yesse
durch dich gab got dy neüen ee
da er dich kchos zu ammen.
Hilf daz der sünder widerste
wenn yn der sündlich lust ange [2]
so zünd in ym durch dein Aue
des heilgen gaistes flammen.

3. Du pist hester dy got erpit
du slehst den vaigen als Judit
dein schön Thamar verr übertrit
du tust nicht als Ruth in dem snyt
dir wont Susannen vnschuld mit
Abigail mit klugem sit
mag dir gar chlain geleichen.
Waz wunders ye von got geschach
waz ye propheten mund gesprach
des was dein leib ain obedach
Nabuchodonosor des iach [3]
da er den stain ablauffen sach
den hand noch fuzz ny abgeprach
da ym traumt von vir reichen.
Ain rut dy plünd [4] ward Aaron
dy woll dar vmb pat Gedeon
sig Josue gen Gabaon
pey hocher sunne prangen
Du pist des höchsten gotes thron
den er ym hat gepawet schon
da von geticht hat Salomon
gesang von den gesangen [5]

---

[1] D. i. **Wunders mehr.**
[2] D. i. **angehe.**
[3] D. i. **sagte.**
[4] D. i. **blühend.**
[5] D. i. **das hohe Lied** (*canticum canticorum*).

Zwelf steren zyrent wol dein chron
dich chlaydt dy sunn dich schücht der mon
als dich sach sand Johans gar fron
in taugenhait vmbvangen.

4. Freẅ dich ezechieles port
daz du vmbvangen hast das wort
das gar vmbgreift der himel ort
du hast ainvaltiklich betort
das tausendvaldig listig mort
vnd hast des tyvels frais erstort
als dauid mit den slingen.
Der jüdisch glaub ist gar zetrent
Balam der haiden das benent
der steren ward dir schon gesent
vnd auch drey küng von orient
ysayas vns das bekent
daz dromedar vnd grozze gent
jherusalem wurd dringen.
Augustus hizz [1]) dy werlt gemain
daz yglich mensch solt kömen hain [2])
da komst du swangre maget rain
mit joseph zu den stunden.
Gen bethlehem das chastell chlain.
da vns dein chint zu trost erschain
vnd got an sich nam fleisch vnd pain
als yn dy hyrten funden.
Der tut vnd lat durch dich alain
wes du begerst an allez nain [3])
dich fürchtt natur vnd anders chain
dy du hast ÿberwunden.

5. Frau aller christenhait genyst
pit vnsern herren jhesum christ
daz er vns arem sünder frist
vor allem das vns schedlich ist
seind du des wol gewaldig pist.
erfüll mit gnad waz vns enprist [4])
wenn wir dy schuld verraiten [5]).

---

[1]) D. i. hiess.   [2]) D. i. heim.   [3]) D. i. ohne alles nein.
[4]) D. i. gebricht, fehlt.   [5]) D. i. berechnen.

Sündlich begir an vns erwend
daz werltlich lust den leib icht plend
der armen seel dein ruder send
damit sy saliklich zu lend
peüt vns dein baremherczig hend
zu trost an vnserm letzten end
dy vns zu freüden laiten.
Sich menschlich plödikhait recht an
daz laider frawen vnd auch man
gar hart an sünd beleiben kan
dy wir all täglich meren.
Dein gruntlos barmung vns wol gan [1])
me hails denn y [2]) chain mensch besan
gelaub lib hoffnung auf den wan
sol vns dein weishait leren
Maria muter lobesan
dein gütlich trost vns ny zeran
hilf vns zu dem der vns gewan
mit seinem blut verreren.

VI.

Von dem heiligen gaist in der selben weise des münichs.

(S. LXXI, S. 68.)

1. Küm senfter trost heiliger gaist
seind du der armen vater haist.
dein syben gab an vns vollaist [3])
dy du ainsprüchiklichen saist
gib götlich weishait allermaist
gib recht verstendnüss als du waist
dy leib vnd sel behalden.
Gib vns in leiden deinen rat
gib gütikhait für übeltat
gib kunst dy sich nicht laichen lat [4])

---

[1]) D. i. gönne.
[2]) D. i. je.
[3]) D. i. voll leiste.
[4]) D. i. spotten lässt.

gib sterk dy sünden widerstat
gib götlich forcht vns fru vnd spat
wann wer dein syben gab nicht hat
des mag gelük nicht walden.
Als got beschuf in anegeng
hoch tyf licht finster weit vnd eng
der sun was annvang der anveng
mit seiner hand zu machen.
All form er pildet kürcz vnd leng
du paider mitler an gedreng
natur nam von dir dein gespreng
frucht sel in allen sachen.
Durch dich hant stym der engel seng
durch dich gesammet wirdt dy meng
gelaub vnd sprach dy sint yn streng
dy kan dein güt anvachen.

2. Dein kraft nach deinem willen went.
dy hymel vnd dy element
der höchst vnd etlich steren stent
darnach dy andern all vmbgent
der syben man planeten nent
der yeder seinen lauf volent[1])
in seiner model raiffen[2]).
Nym ab ir pös naturlich pünd
damit der mensch such sündlich fünd
dein liblich fewr in vns enzünd
dein luft ler piten vnser münd
dein wazzer wasch ab gar dy sünd
dein erd behut vor helle gründ
went aller wind abstraiffen.
Got vater sun dir des gehilt
daz du pist allez daz du wilt
nu ler waz menschlich ist gepildt
gerechtikait hy werben.
Erwirb vns deiner güt pyvilt
durch all dein vberflüzzig milt

---

[1]) D. i. vollendet.
[2]) D. i. in seines Modells (seiner Form) Reifen (Kreisen).

dy leczten raitung für vns gilt
wann wir hy müzzen sterben.
Wenn vnser täg sint auzgezilt
vnd vns der tod das leben stilt
so pis vns dort ain scheremschilt[1])
für ewiklich verderben.

3. Durch dich ist dy heilig geschrift
darinn du künftig zeit begrift
dy gar dy newen ee antrift
du hast all gaistlich leer gestift
daz man yr süzzikhait durch kchift
damit der mut wirdt so geschift
daz er gen hymel fleüget.
Durch dich sprach weissaglich gemüt
durch dich der zwelfpot flamt vnd glüt
durch dich der martrer frölich blüt
durch dich verjeher lebt in güt
durch dich dy maid yr keüsch behüt
ain sydel fleuhet werltlich flüt
der sich zu wald versmeüget.
Dein segen bringet haimlich dar
dy syben hailikhait sogar
daz got kümbt in ein prot so chlar
mit pristers handelungen.
Das tauffen geit der sele nar[2])
öl chrisem machet sünden par
dy beicht libt sich der engel schar
so hercz redt mit der zungen.
Dy heilig ee vor sünd bewar
dy leczten salb an vns nicht spar
hilf daz es gänczlich wider var
den alten vnd den jungen.

4. Du zündest syben candelir
du pist der syben steren zir
der syben gaist ain durchflorir
der syben doner magistrir

---

dy syben sigill offen schir
ze hymel mit figuren vir
sach sand Johan solch wunder.
Nu ler dy syben kyrchen hy
wamit man got dien vnd auch wy
dem sich muz pigen yglich knÿ
wann laider seind die werlt anvy [1])
geliez der mensch sein sünden ny
wy hart ez ym dar vmb ergy
noch libt ez ym besunder.
Gib vns der syben künst geticht
ler daz dy red sey wolgericht
ler falsch erkennen pey der slicht
ler raine wort zu blümen.
Ler singen das zu got verpflicht
ler zal dy all sünd gar verjicht
ler mezzen hoch gaistlich gesicht
ler hymlisch kunst anrümen.
Geduldig mach wen laid anvicht
wann an dein hilf sey wir enwicht
mach werltlich freüd vns gar zu nicht
daz wir davon gestümen.

5. O von dem früchtig ward marey
O höchster trost nu won vns pey
für zweifel vnd für keczerey
mach vns zu allen zeiten frey
sünd dy in dich gesündet sey
daz vns dy vrtail nicht beschrey
dy Jhesus tut den faigen.
Mach durch dein heilig syben gab
daz yglich christen recht gelab [2])
verbrenn mit deines fewers schab
ob chain artikel yn betab [3])
daz ym chain veint sein sel icht rab
der sein synn streut recht als den stab
dem solt du hilf erczaigen.

---

[1]) D. i. seit die Welt anfieng.
[2]) D. i. lebe.
[3]) D. i. betäube.

Betrübte hercz tröst senftiklich
vnd la [1]) sy hy erbarmen dich
in herczenlaid dy sünd nicht rich
bedenk plöd creaturen.
Bis mild vertrag vnd vbersich
des ist vns not besunderlich
gewönlich güt an vns nicht prich
laz vns dein güt nicht suren [2]).
Got vater vmb vns all zusprich
durch Jhesus pittern herczenstich
hailiger gaist vns hy verjich
dort ewig freüd für truren.

VII.
Von gotes leichnam auch in derselben weise des münichs.

1. Got in driualdikait ainvalt
ain ding ain wesen drey gestalt
an zuval weder jung noch alt
der alle ding schuff mit gewalt
der hat vns christen auzgeczalt
daz er vns ewiklich behalt
in seiner engel chören.
Er hat mit vil figuren schein
geczaiget daz zu lest sol sein
das wirdig opfer brot vnd wein
gemischt mit wazzer chlar vnd fein
das vns abtilg dy ewig pein
wann es ist aller sälden schrein
der dy dar zu gehören.
Melchisedech was anevank
des höchsten opfer sunder wank
do Abraham vir künig twank
da pracht man ym zu eren
Gesegentz prot vnd auch getrank
moyses kom dar nach vber lank
da pharo in dem mer versank
da wolt got wunder meren.

---

[1]) D. i. lass.   [2]) D. i. sauer sein, betrüben.

Das hymelprot sich herab swank
dy Juden sagten chlainen dank
do dauid ward von hunger krank
der azz solch prot recht geren.

2. Da dy genadenreich zeit cham
daz got erlösen wolt Adam.
da wuchs ain säldenricher stam
Maria machet got so czam
daz er dy menschhait an sich nam
dy für vns starb recht als ain lam
durch vnser hail erwerben.
Got leczt sich vor mit seiner schar
jhesus verwandelt sich da gar
in brot in wein dy selbig nar
pot sich yn allen selber dar
vnd sprach meins leidens nemet war
wy oft euch dicz ding widervar
so denket an mein sterben.
Sein gnad sich da zu vns verpant
er saczt vns gar ein kostlich pfant
sich selb mit der gerechten hant
vns armen hy zu geben.
Damit sein weishait vns ermant
besiczen seines vater lant
wer hy gen got ist recht erkchant
vnd chan ym dinen eben.
Der schacher an dem kreücze vant
daz ym dy ewig pein verswant
got wirdt all tag herabgesant
vnd auch das ewig leben.

3. Versuchen smeken grif gesicht
mag götlich kraft besynnen nicht
gelaub mit hören das verjicht
daz mit fünf worten da geschicht
daz got sein fleisch in prot verpflicht
wann wazzer wirdt zu plut gericht
mit handlung [1]) der naturen.

---

[1]) S. oben S. 142 VI, 3, 18.

Wy chlain man tailt das sacrament
doch wirdt dy gothait nicht zetrent
noch von dem ezzenden verswent
got wirdt in ydem tail genent
gancz me noch mynner unverwent
wer daz einvaldiklich bekent
dem ist ez gut für truren.
Got lat sich nÿzzen bös vnd gut
doch wer sich selber haldt in hut
vnd neüzzet yn mit rainem mut
dem chan er freüd beschaiden.
Wer aber lebt in sünden flut
vnd an ym selb so übel tut
vnd neüzzet got vnd trinkt sein plut
das muzz ym ymmer laiden.
Straft yn nicht hy dy götlich rut
so wirdt sein leib vnd sel verbrut [1])
dort ewiklich in helle glut
als Juden keczer hayden.

4. Ain liblich speis ist vns berait
zu trost der höchsten selikhait
sy ist der ellenden gelait
vnd senfte ru nach aribait
der sünder scham sy zyrlich chlait
der sel ain süzzer gast gemait
der yr dy freud kan slichten.
Dy engel von des pristers mund
got vater tunt das opfer kund
das ist vns hy auf erd gesund
ez wirdt gesendet ab zu grund
den dy yr sünd han angeczund
dy tröstet ez zu aller stund
vnd chan yn pein vernichten.
Dy selig mess das vrtail geit
der mensch wird tailhaft nahentweit
der sělikhait dy daran leit
mit allen rainen herczen.

---

[1]) D. i. verbrühet.

Wann wer des segens da erpeit[1]
der wirdt gesegent vnd gefreit
wenn man das sacrament zedreit[2]
für ewiklichen smerczen.
Wenn so der tod das leben sneit
sölch gütikhait zu got aufschreit
daz er helf an der letzten zeit
zu hymelischen scherczen.

5. Mensch pit got daz er dich gewer
daz er dich seinen willen ler
wil du dich fre^wen ymmermer
bedenk dy pitte^{rl}ichen ser
kreücz nagel kron vnd auch das sper
daz blut mit wazzer ran daher
damit er dich erarnet.
Werltliche freüd ist laider saur
der sel ain schedlich nachgebaur[3]
yr süzzikhait sleht als der schaur
dar vmb durch gottes willen traur
daz dich yr süzzhait icht behaur
got zaigt dir doch yr falsch figaur
daz er dich vor yr warnet.
Dar vmb dein got an vnderpint[4]
dy weil man ob dem altar vint
so ist gütig marien chint
gen chistenlichem namen.
Wy daz dy sichtlich form verswint
dy haimlich lib ez doch begint
davon dein sel genad gewint
daz got vnd sy sich samen[5].
In lib dy ewiklichen brint
dy nymmer hy noch dort zerinnt
sölch freüd chains menschen hercz besynnt
got helf vns schir dar Amen.

---

[1] D. i. erwartet.
[2] D. i. zuträgt.
[3] D. i. Nachbar.
[4] D. i. ohne Rückhalt.
[5] D. i. vereinigen.

VIII.

Dy Letaney.

Singt man als oben (Nr. IV, S. 131): „*Das guldein vingerlein des münichs.*"

1. Herr got allmëchtig drey person
   ain got drey namen fron
   verainet schon
   in ain drivaltikhait
   küng aller küng in deinem tron
   mit kaiserlicher chron
   der ewig lon
   der pist du vater zart.
   Der sun in seiner maiestat
   durch seinen weisen rat
   sein hantgetat
   hat gar mit fleizz berait
   der heilig gaist natürlich lat
   sein wegung waz vmb gat
   yglichez hat frucht sel nach seiner art.
   Ob vns pey dir dy sëlig schar
   dy ist bestëtt für wandel gar
   dy vnder ist der selden par
   vns mittel seliklich bewar
   daz vns dein barmung widervar
   dein hilf darvmb an vns nicht spar
   das menschlich fleisch ist würmig nar [1])
   noch ward ny creatur nach dir
   gepildet zarter got als wir.

2. Maria wy gar fro du pist
   daz dein sun Jhesus christ
   ze hymel ist
   fürst aller creatur
   bey dem dir chainer sach geprist [2])
   dem dein hant manig frist
   durch sein genist
   ain prüstlin pot zu mund.

---

[1]) D. i. würmige Nahrung.   [2]) D. i. gebricht, fehlt.

Wan got der väterlichen güt
deim sun waik [1]) sein gemüt
in gaistes glüt
erczünd dein zart figur
bit daz got still des meres flüt
das vmb all menschen wüt
vnd vns behüt
vor sünd vnd helle grunt
Yr engel sëlig manigvalt
yr liben gaist zu yn geczalt
yr werden vir vnd zwainczig alt
vertreibet pöser gaist gewalt
ain yglich engel der helf palt
dem menschen dem er ist gestallt
daz er ym leib vnd sel behalt
daz vns erfreu der herpfen klank
vnd aller engel süzz gesank.
Hans tauffer der genaden krey
pitt waz vns nüczlich sey
dy namen drey
vorgengel gotes suns
propheten patriarchen frey
durch ewer prophecey
bestet vns pey
vor dem gelobten got.
Zwelf poten werde hymelczir
euangelisten vir
hymlische tir
yr bittet auch für vns
daz got dy sel so rain visir
daz er sey nicht verlir
des helf vns schir
dy kindlich heilig rot.
Sand Stephan vnd all marterer
pischöf ainsidel beichtiger
Junkfraun witiben an gever
in gotes lib vnwandelber
all heilign daz euch got gewer

---

[1]) D. i. wich.

des bitet all wann wir sein ler
der guten werch der snöden swer [1])
daz wir bedürffen ewer wol
wann yr seit aller sälden vol.

3. Herr bis genädig übersich
erlös vns ewiklich
dem tyuel brich
sein tausent listig fünd
den gähen tod wend sunderlich
geschoz würf sieg vnd stich
herr hinder dich
flich [2]) wir fur allez laid.
All zauber gift den donerslag
wa falsche zung vns nag
herr das verjag
vnd auch all tödlich sünd
erlös vns an dem jungsten tag
helf daz chain mensch verczag
schand böse chlag
hy vnd auch dort hyn schaid.
Durch dein geburd lös vns auz not
vnd durch dein sacrament in prot
vnd durch dein heiligz plut so rot
durch deinen pitterlichen tot
dein vrstent aufvart vns erpot
den tröster für der sünden sot
der helf vns wenn der tod verschrot
das ellend leben hy auf erd
daz denn dy sel behalden werd.

4. Wir sünder pitten herr gemain
ker vns dir freüntlich hain
dy kyrchen rain
gib vns genad vnd frid
all frücht gesegen grozz vnd klain

---

[1]) **D. i. der schnöden (bösen), schwer, voll.**
[2]) **D. i. fliehen.**

vnrecht begir verpain [1])
träg mut vnd sain
mach resch zu deiner huld.
Gib leib vnd sel yr täglich speis
das hymlisch paradeis
mit hochem preis
ler steigen deine lid
straf vns mit deiner barmung reis
gar väterlich vnd leis
in sölcher weis
daz menschlich kraft erduld.
Gelaubig sel tröst herr behend
durch all dein güt lesch ab yr prend
vest rew von hymel vns her send
daz hy dy beicht dort puß erwend
das heilig öl all sünd verswend
dein froner leichnam vns hin lend
zu dir mit ainem guten end
des helf got hy vnd anderswa
vnd auch dy süzze Maria. Amen.

IX.

Der ympnus christe qui lux es (XI, S. 11).

1. Christe du bist liecht vnd der tag
   du bedekest ab dy vinstern nacht
   des liechtes liecht ye in dir lag
   der sälden liecht het aus dir pracht.

2. Wir bitten dich heiliger herr
   bewar vns heint in diser nacht
   gib rue in dir das vns icht nag
   verleich ein ruesam nacht [2]).

---

[1]) D. i. verbanne.
[2]) In der Handschrift steht noch „in vuser acht etc."

3. Vns won chain swäres slaffen zue
   noch das der veint vns icht becher[1])
   das fleisch im chain verhengen tue
   davon wir dir sten schuldig vor.

4. Dy augen slaffens sein begreif
   das hercz dir wach zu aller stund
   dein zesem zer schermen icht entsleif[2])
   die dich lieb haben im herczengrunnt.

5. Anplikch vns vnsers hailes kemph
   vnd wider werb der sunder glüt
   hilf vns das er die icht vertemph
   die da erloeset hat dein bluet.

6. Gedahtig pis o herre mild
   an vns in disem swären leib
   du pist allein der sele schilt
   nu won vns bey von dir nicht treib.

7. Got vater ymmer glory sey
   vnd auch seinem aingeporn sun
   dar zue dem geist des trost vns pey
   sey ewigkleichen in allem tun. Amen.

X.

Der ympnus Rex christe factor omnium (LXII, S. 58).

1. Kunig christe macher aller ding
   du hast erledigt mit guettem geling
   den menschen aus der helle quall
   den adam bracht mit seinem vall.

2. Du pist ein schöpfer der firmament
   von himel her zu vns gesent
   du hast dich bechlait mit vnser wat
   dy dir der tot zw rissenn[3]) hat.

---

[1]) Lies bechor, d. i. versuche.
[2]) D. i. deine Rechte zu schirmen nicht enschliefe, entschlüpfe.   [3]) D. i. zerrissen.

3. Dir hat der Juden falscher list
dein henndt gepunden herr ihesu crist
zeprochen hast du vnser panndt
vil vngemachs wardt dir bechannt.

4. Dein ángstlicher vnd pitter tod
hat vns geholffen herre aus notf
dein sell schikest du dem vater dein
ein ende hat des vater pein.

5. Die sunn irn liechten schein verlos
des erdtrichs toben was so gros
dy tatten gaben zeugnus dar
das du bardt [1]) christus gancz vnd gar.

6. Nu pist du chomen her zu rest
hast vns in deinem scherme vest
mit deinem vater ebikleich [2])
das bir [3]) dich sehen in himelreich.

XI.
Zu dem laus tibi christe in der vinster metten.

1. Eya der grossen liewe [4])
die dich gepunden hat
gar hertigkleich einem dyeppe
warer mensch vnd barer [5]) got
du hast herr gegeben
mit deinem bluette rot
vns das ebig [6]) lebenn
dankch sey dir milter got
kyrie leyson Christe leyson
kyrie leyson Christe leyson
kyrie leyson Christe leyson.

---

[1]) D. i. w a r e s t.   [2]) D. i. e w i g l i c h.   [3]) D. i. w i r.
[4]) D. i. L i e b e.
[5]) D. i. w a h r e r.
[6]) D. i e w i g.

2. Sun vater in der ewichait
    aller welde trost
    von deines todes pittrichait
    du bluet geswiczet hast
    das es gar krefftikleichen
    flos durch dein gewannt
    du chamst willikleichen
    in deiner veint hannt
    kyrie leyson etc.

3. Sy habenn gar vngenossen[1]
    dich gegriffen an
    eya des grossen
    stössen das sy dich haben getan
    dy hennt vnd auch dein arme
    dar zue dein zartes har
    habent sy an alles erparmen
    gevnräynt als enpor
    kyrie leyson etc.

4. Eya wy grosse vngenad
    dein antlicz herre zart
    mit spaicheln vnd mit vnflat
    dir angeleget ward
    da du für gerichte
    gefangen burdest[2] bracht
    da ward falsch getichte
    herr auf dich erdacht
    kyrie leyson etc.

5. Eya der pakchen slege
    die sy dich sluegen da
    vergib das ich dich frage
    warvmb littest du also
    vnd liest dich handlen
    warer mensch vnd got
    du woldest also wandeln
    vnser sele tod
    kyrie leyson etc.

---

[1] D. i. unfein, grob.   [2] D. i. wurdest.

6. Der arge bischof annas
   dein erster richter was
   vnd der falsch caiphas
   auch an dem rechten sas
   vor dem dw lieber herr
   bist geslagen seer
   der sich billikleich
   lies slahen ymmermer
   kyrie leyson etc.

7. Pylatus het gross vnrecht
   herr an dir getan
   herodes vnd auch sein chnecht
   dich verspottet haben
   mit ainem wessen chlaide
   das dir baid angetan
   eya des grossen layde
   dy sy dich legtten an
   kyrie leyson etc.

8. Eya der grossen menschait
   wie sy gegaiselt ist
   du hast an der gothait
   nicht gelitten christ
   ein vrtail ward gesprochen
   des bas den iuden gach [1]
   nu haben sy dich erstochen
   an einem galgen hach
   kyrie leyson etc.

9. Des sull [2] wir alle dankchen
   der pittern marter dein
   den nageln vnd den zangen
   der chrone dürnein
   dem sper vnd auch den bunden [3]
   die dir gestochen warden
   dy haben vns enpunden
   vor der helle fart
   kyrie leyson etc.

---

[1] D. i. das war den Juden gach, schnell.
[2] D. i. sullen   [3] D. i. Wunden

10. Das raine wasser das tewer plüt
aus deinem leibe flos
vnd sich mit genaden güt
auf vnser seel ergoss
eya der edeln salben
die vns gegeben ist
sy hailet allenthalben
dankche sey dir milter christ
kyrie leyson etc.

XII.

Des münichz passion.

1. Dy nacht wirt schir des hymels gast
des tages glast [1])
wil sein gewaltig sein
Er chümbt mit grossem vberlast
sein schein zutrent
das firmament
pis man in prehen [2]) siecht
Er leücht dort her
der Lucifer
gar seldenwär
mit seinem chlaren schein
fleuch vinstre nacht dir bird se swär [3])
dy morgen röt
die dich benött
das schaiden dir geschicht
Der himel sich verstellet hat
von graben [4]) chlaid zu weissem wat
dy suessenn windt der hane chrät [5])
beczaichennt vns den tag
Dar vmb bit ich hewt gotes chrafft
vnd auch all hymlisch ritterschafft
das ich mit selden werd behafft
vnd göttlich huld beyage.

---

[1]) D. i. Glanz.   [2]) D. i. leuchten, glänzen.
[3]) D. i. dir wird so (zu) schwer.
[4]) D. i. grauem,   [5]) D. i. krähet.

Das mir sein huld werd nymmer gram
das er mich von ym schaid
also rüeff ich den morgenn an
als got die marter laidt. etc. *)

2. Gen zedron gie [1]) Jhesus die vart
do was ein gart
do ez [2]) vil geng hin tet
mit seinenn lieben iungern zart   .
Judas cham dar
mit grosser schar
got sprach wen suechet ir
Mit grossen stymmen schriern [3]) sy
wir suechen hie
Jhesum von nazareth
er sprach ich pins ir chrafft engieng
sy vielen hin
got sprach zu in
vnd vorschet ir nach mir
So lasset hin die iunger mein
sy viengen in mit grosser pein
das bard gesait [4]) der mueter sein
bol [5]) vmb dy metten zeit
Die sach vnd hort sein vngemach
das pitter laid ir hercz zuprach
da Jhesus bard beschrait [6])
In schachers weis frewnd vnd mag
von im geflohen was
das was der mueter sein ein plag
das sy gar cham [7]) genas.

3. Zu prein zeit [8]) furet der judisch ratt
den berden [9]) got
pylato für gericht
sy tetten ym vil manigen spot

---

[1]) D. i. gieng.   [2]) Lies er.   [3]) D. i. schrien.
[4]) D. i. ward gesagt.   [5]) D. i. wol.
[6]) D. i. ward geschmähet.
[7]) D. i. kaum.   [8]) D. i. zur Primzeit.   [9]) D. i. werthen.
*) Das Nachfolgende steht in der Handschrift auf einem kleinern eingesetzten Blatte, aber von derselben Hand geschrieben.

vnd vngemach
pylatus sprach
er ist vnschuldig czwar.
Sy zigen yn vil falscher sund
der iuden mund
verspierczten[1]) sein gesicht
pylatus sprach ich vind chain sund
dy an im sey
ich las in frey
als ainen alle iar
Do patten sy umb barrabam
das was ein vbeltätig man
maria chlagen do began
das man dem lieben chind
mit gaiseln gab so manigen straich
das im dy menschlich chrafft entbaich[2])
das bluet aus seinen bunden slaich
sy sluegen in so geswint
Das er dy staynein sewl begas[3])
mit seinem bluete so rat[4])
mit armen er dy seul vmbslas[5])
vnd laid durch vns dy nat[4]).

4. Jesus ward geseczet schon
auf chuniges thron
ze Tercz in purpar chlaid[6])
sy drukchten im ein ein durnein chron
der iudisch grus
was falsch vnd sues
als er ir chunig war.
Sein mueter volget mit der vert
es was so hert
sein pein vor allem laid
pylatus wolt in haben ernert[7])
er fuertt in dar vnd sprach

---

[1]) D. i. verspien.
[2]) D. i. entwich.   [3]) Dass er die steinerne Säule begoss.
[4]) Für rot.. not.   [5]) D. i. umschloss.
[6]) D. i. Purpurkleid.
[7]) D. i. erhalten, genesen machen.

nym war mensch wie gar pitter swär
Da schray der juden falscher syn
heb auf heb auf vnd chreuczig in
pylatus hies in fuern hyn
er twueg [1]) sein hend vnd sprach
Ich pin an disem menschen rain
Da schriern sy paid gros vnd chlain
sein bluet sey vber vns gemain
als pald dy red geschach
do ward Jhesus vervrtailt gar
zu yamerlicher pein
er muest das swäre chreucz tragen dar
zu der marter sein.
Die juden tailten sein gewant
dy gelider dennt ym manig sayl
durch hennt vnd fues man im zu hannt [2])
drey nagel slueg
gar vngefueg
das kreucz ward aufgericht
Sein plöde menschait ward so chranchk
das in betwang
der durst nach menschen hail
sy puten [3]) im dar gallen tranchk
vnd hiengen dar
zu schanden gar
zu ym zwen pöswicht
Gesmas erbarb [4]) im ewig pein
dy smasen ward genade schein
Jhesus sprach du solt bey mir sein
hewt in dem paradeis
Die Juden sprachen gee herab
das man an dich gelauben hab
der andern menschen lere gab
der ist an im selb vnweiss
Maria sach in hangen blos
bol [5]) vmb die sechsten stund
sein bluet auf ir chlaider flos
das schuef vil manig wund.

---

[1]) D. i. wusch.   [2]) D. i. zu Hand, sogleich.
[3]) D. i. boten.   [4]) D. i. erwarb.   [5]) D. i. wol.

5. Jesus empfalch sein mueter schon
wol vmb dy Non
Johansen in sein pflicht
er schray mit iämerlichen don
dy herren schrey hely hely
lamazabatonj
Mein got wie hast du mich verlassen
sein sele aus gan
sach man an der geschicht
das swert davon
sprach Symeon
Mariam snaid
ir hercz vor laid
vnd aller smerczen frey
Longinus stach ir liewes [1]) chind
der was ein Jud gewesen blindt
der selb gesach an vnderpind [2])
vnd ward ein heilig man
Die sunn verlos den liechten glast [3])
hart velssen tatten manigen chrafft [4])
der vmbhang in dem tempel brast [5])
Centurio began
Den juden sagen da sin war
der hie gemartert ist
der ist von got geporn czwar
Messias Jhesus Christ etc.

XIII.
Ave praeclara des munichtz.

1. Ich gruess dich gerne
meres sterne
lucerne aller kristenhaite.
czu got vns belaite.

---

[1]) D. i. liebes.   [2]) D. i. ohne Rückhalt, sogleich.
[3]) D. i. Glanz.
[4]) D. i. manigen Krach.
[5]) D. i. barst.

Frew dich gotes porte
du des vater worte
peöffent vnd beslossen
du brächt vns den waren Gotes schein
den hat dein käwscher leib hebleich beslossen.

1. Ave praeclara maris stella, in lucem gentium, Maria, divinitus orta.

2. Euge Dei porta, quae non aperta; veritatis lumen, ipsum solem justitiae. indutum carne, ducis in orbem.

2. Maria dein ere
ziert den hymmel sere.
auserwelte klare sunn
schön als der mon
hymnel[1]) far
dy dich mynn bewar
deiner genad in günne.

3. Virgo decus mundi, regina coeli, praeelecta ut sol, pulchra lunaris ut fulgor: agnosce omnes te diligentes.

3. Maria guete
edle yesse bluende ruete
mandelreis
dew hat den preis
in aller weis
beiaget
du mueter vnd maget.

4. Te plenam fide, virgam almae stirpis Jesse nascituram priores desideraverant patres et prophetae.

4. O werde frawe
lebentigs holcz von hymel tawe.
tugende gurt
dein hochgepurd
von helle furt
in trewen
den alten vnd newen.

---

[1]) Lies h y m m e l.

5. *Te lignum vitae, sancto rorante pneumate parituram divini floris amygdalum, signavit Gabriel.*

> 5. Genad deiner hande
> wann du brächt vns czu lannde
> aller werllt aufhab
> der siechen stab
> von moab
> czu syon pey rainen kinden
> müg wir in vinden.

6. *Tu agnum, regem terrae dominatorem, Moabitici de petra deserti ad montem filiae Sion traduxisti.*

> 6. Den vngefúegen
> den du Jhesu erslúeget
> den leuiathan
> der all man
> bracht in han
> dein mueter den allten slangen
> hat sy gefangen.

7. *Tuque furentem Leviathan, serpentem tortuosumque et vectem collidens, damnoso crimine mundum exemisti.*

> 7. Uns erwelt got aus der haydenschaft
> das wir süllen gedencken deiner kraft
> dy so sigehaft
> das du gepärd got ain mensch an alle swäre
> Jhesus christ der rain
> ist mit got gein deinem kind sun gemaine verain
> vns mit got in aller der mynne haft.

8. *Hinc gentium nos reliquiae, tuae sub cultu memoriae mirum in modum quem es enixa propitiationis agnum, regnantem coelo aeternaliter, devocamus ad aram, mactandum mysterialiter.*

> 8. Das osterlamb uns in der allten ee
> das hymmelprot viel nyder auf den klee
> wie das nu erge
> das sich versüene fewer vnd pusch der ynn me
> mach Moysi gesichte
> muet in eren pflichte
> du verrichte vns deines himmelprots in ymmermer.

9. *Hinc Manna verum Israelitis veris, veri Abrahae filiis admirantibus quondam Moysi quod typus figurabat: jam nunc abducto velo datur perspici.* *Ora virgo, nos illo pane coeli dignos effici.*

> 9. Hilf vns der wunne
> das wir dem prunne
> der flos aus dem staine
> was beczaichent weis vns frawe raine
> du czaig vns den slangen
> der wart erhangen
> für all sunder gift[1]) an dem krewcz altersaine[2]).

10. Fac fontem dulcem quem in deserto petra promonstravit degustare cum sincera fide, renesque constringi lotos in mari, anguem aeneum in cruce speculari.

> 10. Gib vns die stewer
> das wir dem fewer
> gotes werden nahen
> vnd wirdikleichen christ enphahen
> mit gerainnten munde
> von herczen grunde
> pegiret vnd beschelt mit stab czu im hingahen.

11. Fac igni sancto patrisque verbo quod, rubus ut flammam, tu portasti virgo mater facta pecuali pelle discinctos pede, mundos labiis cordeque propinquare.

> 11. Hör vns wol
> fraw genaden vol
> dein kind dich nichtz verczeihet
> Genad vns krist
> seit sy dein mueter ist
> ain gepet sy vns verleihet

12. Audi nos, nam te filius nihil negans honorat.

13. Salva nos Jesu, pro quibus virgo mater te orat.

---

[1]) Nach der Handschrift kann es heissen **gift vnd gist**.
[2]) D. i. **ganz allein**.

12. Gib vns des herczen rainikait
das wir den prunnen vns berait
sehen in der ewikait
Got vnd mensch nw ler vns ye
wy wir got diennen vnd auch wie
welich dir wol dienen.

14. *Da fontem boni visere, da purae mentis oculos in te*
defigere.

15. *Quo hausto sapientiae saporem vitae valeat mens intelligere.*

13. Wir kristen sein nach dir genant
Christ pis gemant
deiner mueter
Jhesu herre gueter
weis vns czu deinem lannt
mit gerechter hannt
ewikleichen Amen.

16. *Christianismi fidem operibus redimire, beatoque fine ex*
hujus incolatu, saeculi auctor, ad te transire.

XIV.
Salve mater salvatoris des münichs.

1. Salve grüest pist mueter hailes
vas erkesen pas[1]) par mailes
vas der hymmelischen genad
Pey got ewig vas beschawet
vas geformet vnd gepawet
mit der hannt weisleicher pfad.

1. *Salve mater salvatoris,*
Vas electum, vas honoris,
Vas coelestis gratiae,
Ab aeterno vas provisum,
Vas insigne, vas excisum
Manu sapientiae.

---

[1]) Lies v a s.

2. Salve mueter hochgeporen
pluem von doren auserkoren
pluem in ruem des dorneichs er.
Wir das dorneich mit der sünde
darvmb verwunden in die gründe
du gar par vor dornechz ser.

2. *Salve verbi sacra parens,*
Flos de spinis, spina carens
Flos, spineti gloria:
Nos spinetum, nos peccati
Spina sumus cruentati,
Sed tu spinae nescia.

3. Port verslossen prunn der garten
czell hueterin der salb czartten
tell gepuluerisch ter misch.
ymein süesz ein v̇berprüef
mirr ballsam ain czinsig schruef
aller tugent v̇berfrisch.

3. *Porta clausa, fons hortorum,*
Cella sustos unguentorum,
Cella pigmentaria:
Cinnamomi calamum,
Myrrham, thus et balsamum
Superas fragrantia.

4. Salve grüest pist czierd der maid.
götleich menschleich vnderschaid
salden ein gepeterin[1])
Mirtten pawm du temperung
ros dultig in fast entsprung
nardus smagk flagrancz der synn.

4. *Salve decus virginum,*
Mediatrix hominum,
Salutis puerpera:

---

[1]) Lies ge pe re rin.

Myrtus temperantiae,
Rosa patientiae,
Nardus odorifera.

5. Du talnakung diemüetikait
   die erd dy nye sich versnaid
   vnd doch früchtig früchte tuet.
   Veld pluem der muetig[1]) tal
   sunder lilgen misseual
   christus aus dir plüemleichen plüet.

5. *Flos campi convallium,*
   Singulare lilium,
   Christus ex te prodiit:
   Tu convallis humilis,
   Terra non arabilis,
   Quae fructum parturiit.

6. Du hymmel paradis in syten
   lyban weiser vnversnyten
   der doch smagks süesz nye vermaid.
   du durchseinig du durchscheinig
   du durchgrüessig du durchsüessig
   vollaist aller selikait.

6. *Tu coelestis paradisus,*
   Libanusque non incisus,
   Vaporans dulcedinem:
   Tu candoris et decoris,
   Tu dulcoris et odoris
   Habes plenitudinem.

7. Du pist der thron Salomonis
   dein geleicht sich keines thrones
   forme nach ir vnderstent.
   Adler helffant weisz in kewsche
   prunyertes gold gelffig rewsche
   du vol schönst wol behent.

---

[1]) Lies demuetig.

7. *Tu thronus es Salomonis,*
   Cui nullus par in thronis
   Arte vel materia:
   Ebur candens castitatis,
   Aurum fulgens caritatis,
   Praesignans mysteria.

8. Palmen aller maide werde
   traist dw sunder kain substancz auf erde
   noch vnder dem hymmel geleicht sich dir
   Lob lobsam menschlich geslëchte
   aller tugent ein v̈bermächte
   du traist in polierter czir.

8. *Palmam praefer singularem,*
   Nec in terris habes parem,
   Nec in coeli curia:
   Laus humani generis,
   Virtutum prae caeteris
   Habens privilegia.

9. Sunnen glast den manen v̈berglenczt
   des mans schein die steren
   stent so ist Maria wol v̈berkrenczt
   creaturen allen in eren

9. *Sol luna lucidior,*
   Et luna sideribus,
   Sic Maria dignior
   Creaturis omnibus.

10. Sunn der glenst vnd nye der laster
    ist der maide kawsche pluem.
    prunstleich prunst der nye enbrast
    vntadleiche lieb in ruem.

10. *Lux eclipsin nesciens,*
    Virginis est castitas,
    Ardor indeficiens,
    Immortalis caritas.

11. Salve mueter gueter rēten
     der gedreyten triniteten
     edels schöns gedreytz geslos.
     Gotes sun got vater worte
     sunder magenkreftig porte
     vbergehews dein maidelich schos.

11. *Salve mater pietatis*
     Et totius Trinitatis
     Nobile triclinium:
     Verbi tamen incarnati
     Speciale majestati
     Praeparans hospitium.

12. O maria stern des meres
     ain wirdikait sunder weres
     vnd des hymelischen heres
     ordenung ain vberpag
     In gestalt des höchsten hymmel
     wasch von vns der sünden schymel
     das wir deines kindes geczymel
     auch sein frey vor veintes trog.

12. *O Maria stella maris*
     Dignitate singularis
     Super omnes ordinaris
     Ordines coelestium.
     In supremo sita poli
     Nos assigna tuae proli,
     Ne terrores sive doli
     Nos supplantent hostium.

13. An der leczten hine ferte
     dein sichre beschaw vnser warte
     fraw mueter magt tochter czarte
     tawsentlistig feintes arte
     weicht pald von den tugenden dein.
     Jhesu sun des iungen allten
     hilff vns das wir werden behalten
     die lob deiner mueter stalten
     ainleich an deiner dryfalten
     czw flicht vns gedrigkt dem schein.

13. In procinctu constituti
Te tuente simus tuti,
Pervicacis et versuti
Tuae cedat vis virtuti,
Dolus providentiae:
Jesu verbum summi Patris
Serva servos tuae matris,
Salva reos, salva gratis
Et nos tuae claritatis
Configura gloriae.

XV.

Mittit ad virginem münichs.

1. Des menschen liebhaber
   sand czu der maide her
   von seiner engel schar
   nur ainen engel klar
   der starkke potschaft wach.

1. Mittit ad virginem
Non quemvis angelum,
Sed fortitudinem
Suam, archangelum,
Amator hominis.

2. Durch vns ein starcker pot
   gesendet wart von got
   darvmb das er betwangk
   mit kraft naturen gank
   an der jungkfrawen gepurd.

2. Fortem expediat
Pro nobis nuntium,
Naturae faciat
Ut praejudicium
In partu virginis.

3. Natur er vberwant
   der eren künig geporn
   im diennen alle lannd
   er hat den allten czorn
   dem menschen abgelait.

3. *Naturam superat*
   Natus rex gloriae,
   Regnat et imperat
   Et zyma scoriae
   Tollit de medio.

4. Der hochfart in verdros
   in twangk sein maisterschaft
   die hohen vnd sein genos
   stört er mit aigner kraft
   des sey im lob gesait.

4. *Superbientium*
   Terat fastigia,
   Colla sublimium
   Calcet vi propria
   Potens in proelio.

5. Von im verstossen wart
   der fürst so snöder art
   er hat sein mueter czart
   mit im tailhaft gemacht
   der kraft des vater sein.

5. *Foras ejiciat*
   Mundanum principem,
   Matremque faciat
   Secum participem
   Patris imperii.

6. Zeuch hin pot gotes knecht
   vnd entsleus dyse gab
   offenbar newe recht
   tue dy allt ee hinab
   mit kraft der potschaft dein.

6. *Exi qui mitteris,*
Haec dona dissere,
Revela veteris
Velamen literae
Virtute nuntii.

7. Trit nahent der jungkfrawn czu
vnd sprich aue czu ir
vnd sprich got sey mjt dir
vnd sprich genaden vol
vnd sprich nicht fürchte dich.

7. *Accede, nuntia,*
Dic Ave cominus,
Dic Plena gratia,
Dic Tecum Dominus
Et dic Ne timeas.

8. Alldo dy jungkfraw guet
enphieng den gotes hort
in dem ir kauscher leib
belaib gancz an allem ort
der nye verzugkte sich.

8. *Virgo suscipiens*
Dei depositum,
In quo perficiens
Castum propositum
Et votum teneat.

9. Dye maid gelawbig was
vnd hort seine potschaft
sy enphieng vnd genas
ains suns von gotes kraft
der wunderleich genannt.

9. *Audit et suscipit*
Puella nuntium,
Credit et concipit
Et parit filium
Sed admirabilem.

10. Den rat des menschen tod
mit recht verderbet hat
der starcker vater got
gelawbhaft dy sein bestat
dem dy kristen sein erkant.

10. *Consiliarium*
Humani generis
Et Deum fortium
Et Patrem posteris,
In fide stabilem.

11. Der mues geruechen vns
ablas der sünde geben
vnd durch dy lieb seins suns
gab er vns das ewig leben
dort in der engel lannd.

11. *Qui nobis tribuat*
Peccati veniam,
Reatus diluat
Et donet patriam
In arce siderum.

XVI.
Von vnnser frawen münichs.

1. Wjr süllen loben all dy raine
dye got erwelt hat allaine
vnd die mueter die ich maine
die ist Maria genant.
Sy ist gelobet in dem throne
von den engeln allso schone
auf tregt sy der hymmel krone
voller genaden ist sy da.

2. Ave liechter morgensterne
frawe süesser mandelkerne
in deiner huet so wär ich gerne
vnd deins suns heren Jhesu christ.

Ave frawe mynnickleiche
balsams aller genaden reiche
liebe mueter van vns nicht weiche
seit du so genedig pist.

3. Sunner [1]) süenerinne raine
pitt dein kint für vns allaine
vnd die engel all gemaine
dy dich loben durch das iar.
Als er siezt an dem gerichte
aller werlt czu angesichte
frawe vns mit im verflichte
vnd für vns an der engel schar etc.

XVII.
Mundi renovatio zw Ostern münichs.

1. Aller werlde gelegenhait
frewde pirt vnd ist gemait
seit erstanden ist nw krist
alles das da lebentig ist
frewt sich gein der lieben czeit
elementen lachent weit
vnd treibt alles reich beiag.

1. *Mundi renovatio*
Nova parit gaudia,
Resurgenti Domino
Conresurgunt omnia;
Elementa serviunt
Et auctoris sentiunt
Quanta sint sollemnia.

2. Fewer in den lüften swebt
wasser seine trüebe lät
süesser wint wät vberal
vnd grogierent perg vnd tal

---

[1]) Lies s u n d e r.

alle swär hebt sich zu tal
alle ring in lüften swebt
gein dem osterleichen tag.

2. *Ignis volat mobilis,*
    Et aër volubilis,
    Fluit aqua labilis,
    Terra manet stabilis,
    Alta petunt levia,
    Centrum tenent gravia,
    Renovantur omnia.

3. Hymmel schein ist worden klar
    vnd das mer gestillet gar
    süesse winde nament war
    vnnser pergk vnd vnnser tal
    stent mit pluemen vberall
    das der frost ee machet fal
    todes frost ist gar dahin.

3. *Coelum fit serenius,*
    Et mare tranquillius,
    Spirat aura levius,
    Vallis nostra floruit.
    Revirescunt arida,
    Recalescunt frigida
    Post quae ver intepuit.

4. Vnd der feind hat kainen sin
    das er hab an vns gewin.
    er ist grob vnd vngeslecht
    wo er richt sein falsch geprecht
    er verlos dy seinen recht
    das ist alles offenbar
    got vns allczeit bewar
    vor in.

4. *Gelu mortis solvitur,*
    Princeps mundi tollitur,
    Et ejus destruitur
    In nobis imperium,

Dum tenere voluit,
In quo nihil habuit
Jus amisit proprium.

5. Und der engel cherubin
der sein hüeter solde sein
der lät alle nu dar ein
die da komen in rechter weis.
Do das leben vberwant
den tod mit götleicher hant
do wart offen vnd czutrant
vns das frone paradeis.

5. *Vita mortem superat,*
Homo jam recuperat,
Quod prius amiserat
Paradisi gaudium:
Viam praebet facilem
Cherubim versatilem,
Ut Deus promiserat
Amovendo gladium.

XVIII.

Von vnnser frawen.

1. Sälig sey der sëlden czeit
an der all mein frewde leit
wann der liebe Jhesus christ
von dem tod erstanden ist
alle dingk vernewen sich.
Juden gelaub der ist nu plint
sey gelobt der magde kind.

2. Christen vnd die christenhait
haben in got sicherhait
wer hye klagt sein missetat
vnd in frewden lebt noch rat[1])

----

[1]) D. i. nach Rath.

der hat dort vor aller not
frid vns vor der helle tot
vnd auch speis mit der engel brot.

3. Hymmel tuer in offen ist
sehent sy an vnderfrist
Jhesum vnd die mueter sein
dy trait hymmelischen schein
wenn in ir verslossen lag
aller engel ostertag
nyemant sey volloben mag.

4. Sy ist der steren von jacob
grüener pusch der nye verpran
Salomon der weise man
czuget vns pey seinem thran[1])
vnd dy gerten hern Aaron
vnd zwelf stern leuchten in irer kron.
Daniel sach einen pergk
einen stein von mannes werk.

5. Gedeon czaigt vns sein fel
sein porten Ezechiel.
Dauid mit der hörpfen sein
lobt mit mir dy frawen mein
lob sey ir von mir gesait
gelobt sey all ir wirdikait.

XIX.

Von gotes leichnam der ympnus Pange lingua munichs.

1. Lobt all czungen des ernreichen
gotes leichnams wirdikait
vnd sein pluet gar kostparleichen
das czu trank ist vns berait
dy frucht des leibes adeleichen
schenkcht der künig der werllde prait.

---

[1]) D. i. Thron.

1. *Pange ligna gloriosi*
Corporis mysterium
Sanguinisque pretiosi,
Quem in mundi pretium
Fructus ventris generosi
Rex effudit gentium.

2. Uns geporen vns gegeben
von der magt wandel blos
in der werlt gewandelt eben
als seins worttes frucht entspros
we vnd handel seinem leben
wunderleichen er beslos.

2. *Nobis natus, nobis datus*
Ex intacta virgine,
Et in mundo conversatus
Sparso verbi semine,
Sui moras incolatus
Miro clausit ordine.

3. An dem lesten abendessen
do er mit den jungern as
vnd verpracht gar vnvergessen
was von im gesaczt was
speis den zweifligen er vermessen
sich selb mit seinen handen mas.

3. *In supremae nocte coenae*
Recumbens cum fratribus,
Observata lege plene
Cibis in legalibus,
Cibum turbae duodenae
Se dat suis manibus.

4. Wortt vnd fleisch ein lawters prot
da czu fleisch er do macht
wein wirt christes pluet rot

ob kain syn des czweifels tracht
lawters hercz bevesten drate
der gelaub allain genueg vesach [1]).

4. *Verbum caro, panem verum*
Verbo carnem efficit,
Fitque sanguis Christi merum,
Etsi sensus deficit
Ad firmandum cor sincerum
Sola fides sufficit.

5. So getewerdes sacramende
wirdigen wir dyemüetikleich
allte weis vnd ler behende
newes siten scham entweich
der gelaub erfüll vnd auch wende
allen czweifel ewikleich.

5. *Tantum ergo sacramentum*
Veneremur cernui,
Et antiquum documentum
Novo cedat ritui,
Praestet fides supplementum
Sensuum defectui.

6. Dem geperér dem geporen
sey lob in herczen iubilus
darczu wird kraft gesworen
sey vnd reiches lobes dus
den geist von den czwaien hergefaren
sie [2]) geleiches lob allsus.   Amen.

6. *Genitori Genitoque*
Laus et jubilatio,
Salus, honor, virtus quoque
Sit et benedictio,
Procedenti ab utraque
Compar sit laudatio.

---

[1]) **Lies versach.**   [2]) **D. i. sei.**

XX.

Von gotes leichnam dy sequenczen Lauda syon münich.

1. Lob o syon deinen schepher
   lob den fürsten lob den hertten
   mit lobsangk in stymme klar.
   Frew dich was du ymmer machte
   gros ob allem lob betrachte
   noch vollobstu in nymmer gar.

1. *Lauda Sion salvatorem,*
   Lauda ducem et pastorem
   In hymnis et canticis.
   Quantum potes, tantum aude,
   Quia major omni laude,
   Nec laudare sufficis.

2. Lobes vrsach geistlich schemer
   löbleich prot czärtleich durch seynet
   ist vns allen fürgeseczt.
   Das czum fronen abendessen
   christ sein iungern gab vermessen
   do er sich von hynne leczt.

2. *Laudis thema specialis,*
   Panis vivus et vitalis
   Hodie proponitur,
   Quem in sacrae mensa coenae
   Turbae fratrum duodenae
   Datum non ambigitur.

3. Lob sey völlig vnd erläuchtig
   wunnsam czierleich hochgedeuchtig
   sey deins herczen iubilus.
   Hoher tag stet für gewent
   do das frone sacrament
   hye sein erstes stiften tet.

3. *Sit laus plena, sit sonora,*
    Sit jucunda, sit decora
    Mentis jubilatio.
    Dies enim celebratur
    In qua sacrae memoratur
    Coenae institutio.

4. An dem tisch des newen wirtte
    newe ostern news gefirte
    allten ostern gibt ein end.
    Allte gewonhait dy newikait
    ware sunn den schatten veriait
    liecht aus new dy nacht behent.

4. *In hac mensa novi Regis*
    Novum Pascha novae legis
    Phase vetus terminat.
    Vetustatem novitas,
    Umbram fugat viritas,
    Noctem lux eliminat.

5. Was des nachtmals christus handelt
    das czu treiben er do wandelt
    in der gedächtnüss sein.
    Fleisch czu speise pluet czu trangke
    gancz beleibet sunder wangke
    christus vnder paider schein.

5. *Quod in coena Christus gessit,*
    Faciendum hoc expressit
    In sui memoriam.
    Docti sacris institutis,
    Panem, vinum in salutis
    Consecramus hostiam.

6. Von dem nemer vngetailet
    vnczerbrochen vnvermailet
    gancz er do genomen wirt.
    In nympt ainer in nemment tawset
    frey als vil der wicht lawset
    noch bestet er vnverczert.

6. *A sumente non concisus,*
    Non confractus, non divisus,
    Integer accipitur;
    Sumit unus, sumunt mille,
    Quantum isti, tantum ille,
    Nec sumtus consumitur,

7. In nemment guet in nemment dy pösen
    doch in vngeleichem lösen
    lebens vnd des todes czyl.
    Tot den pösen leben den frumen
    wie geleich wirt er genomen
    vngeleich sein ausgangk ist.

7. *Sumunt boni, sumunt mali,*
    Sorte tamen inaequali
    Vitae vel interitus;
    Mors est malis, vita bonis,
    Vide, parissumtionis
    Quam sit dispar exitus!

8. Wenn das sacrament vertrengke
    so nicht czweifel wer gedencke
    als vil sey ain prosem lengke
    das mit ganczem stet verdakt.
    Kain geben das guet verstellet
    sunder zaichen wirt zefellet
    laidigung masz nicht mer quellet
    das czaichen beleibt vnverczwakt.

8. *Fracto demum Sacramento*
    Ne vacilles, sed memento
    Tantum esse sub fragmento,
    Quantum toto tegitur.
    Nulla rei fit scissura,
    Signi tantum fit fractura,
    Qua nec status nec statura
    Signati minuitur.

9. Prüefet wie ist der engel prot
wegfertiger speis in not
wärleich prot der kind nicht drate
ist czu werffen für dy huntt.
In figuren das beczaichent
do ysaac das opher raichet
osterlamb das auch beswaichet
hymmelprot wart den vätern kunt.

9. *Ecce, Panis Angelorum,*
Factus cibus viatorum,
Vere panis filiorum
Non mittendus canibus.
In figuris praesignatur,
Cum Isaac immolatur,
Agnus Paschae deputatur,
Datur manna patribus.

10. O werdes prot vnd hüeter herre
du vns allen miserrere
du bescherm vns vnd auch nere
das wir dich an widerkere
nyessen in deins vater landt.
Chraft vnd witze hast du gare
hie todleicher menschen nare
o werder tisch gefert sunderbare
secz vns dort czu dem erbern kore
aller heyligen vnverwant.

10. *Bone Pastor, panis vere,*
Jesu, nostri miserere.
Tu nos pasce, nos tuere,
Tu nos bona fac videre
In terra viventium.
Tu, qui cuncta scis et vales,
Qui nos pascis hic mortales,
Tuos tibi commensales,
Cohaeredes et sodales
Fac tuorum civium.

XXI.

Von sand Johanns dem gotes tawffer Der ympnus Vt queant laxis münichz (LXXIV, S. 72).

1. Das hell auf klymmen
deiner dienner stymmen
czerklengken sunder
deine werch deine wunder
vermailet lebsen
salb aus genaden kebsen
heyliger Johannes.

2. Ain fron pot kam hoch
oben von ympno
mit spähen fünden
dein gepurd cze künden
nar nam ampt leben
er bedäwtet eben
deinem werden vater.

3. So hoher märe
ward er czweifelbäre
pald er darvmbe
wart der red ein stumme
doch dein gepurde
nu er her wider fuerte
orgel der stymme.

4. Do du der ammen
lägt noch in der wammen
verviengt den künig
in der maid gerüenig
dy müeter paide
taugen vnderschaide
das offenbarten.

5. In czarten iaren
hast du die wüest erfaren
fliehen dy gemaine
woldest sein allaine
dys deinem handel
icht leicht käm vnhandel
yndert vermailet.

6. Dein leib czart nackte
kämlein wat bedackte
ein pelczein snuere
dein keusch hüef vmbfuere
dein trangk was wasser
wildes hönig grasser
dein speis vnd ampher.

7. Ander propheten
nuer geweissagt heten
langher vnd verren
von dem grossen herren
zaigstw allaine
das lamb gotes raine
mit deinem vinger.

8. In aller werlde
nye wart als ich melde
heyliger mannes
denn der lieb Johannes
der den betawffet
der gancz auf sich hawffet
der werlde sunde.

9. O saldenreicher
nyemant dein geleicher
sünden vnwissen
schön schneweiss erglissen
mächtiger martrer
der wüest edler pawer
propheten maister.

10. Dreissigkfeltig krone
ist etleicher lone
czwir dreyssigkreicher
isst der lon etleicher
dreyfeltig hundert
vberkron besundert
dich czierleichen preysen.

11. Das vnser schepher
haylant vnd erlöser
lawter vernünste
schik ze seiner künste
weis guet geferte
lind vnd auch dy hertte
haim czu dem lannde.

12. Unser gedächtig
pis o fürste mächtig
waick stainein herczen
vertreib sünden smerczen
pan willde strassen
durchläucht vinstre gassen
slicht krumpe steige.

13. Lob got mit preysen
lob got den sun weisen
in paider gaiste
lobes gancz volleiste
beleib ainem stamen
ingedreytem namen
ewikleichen Amen.

XXII.

A solis ortus cardine des munichz (XXXVII, S. 34).

1. Uon anegeng der sunne klar
bis an ein ende der werllde gar
wir loben den süessen Jhesum Christ
der von der maid geporen ist.

2. Ain füerer aller werlde prait
   legt an sich des knechtes klait
   er nam an sich menschliche wat
   das icht verdurb sein hanntgetat.

3. Ain slos der kewsche herczen schrein
   dar cham des heiligen geistes schein
   das sy enphieng ein chindelein
   das trueg verholn dy maget rain.

4. Sein haws erschain ires leibes rein
   das solt ein tempel gots sein
   das nye vmbrürt chains mannes art
   von ainem wort sy swanger ward.

5. Darnach gepar sy in vil schir
   sand Gabriel das verchundet ir
   vnd Johannes das chindelein
   erchant in in der mueter sein.

6. (7.) Sich frewnt dy chor von hymelreich
   vnd singent dy engl all geleich
   den hiertten es gechundet wardt
   der hirtten schöpfer von hocher art.

7. (8.) Dem höchsten got sey lob gesait
   dem kind vnd auch der maid
   vnd des heyligen geistes nar
   von werlt czu welt in[1]) ende gar Amen.

XXIII.

Der ympnus Christe qui lux es des münichs (XI, S. 186[2]).

1. Christe du pist liecht vnd der tag
   du deckest ab dy vinstern nacht
   des liechtes liecht ye in dir lag
   der salden liecht hat aus dir bracht

---

[1]) Lies an (ohne).   [2]) S. 151 steht dieselbe Uebersetzung, aber ausführlicher und in der Schreibweise etwas abweichend.

2. Wir pitten dich heyliger herr
bewar vns heint in dyser nacht
gib rue in dir das vns icht ferr
ein ruesam nacht in vnnser acht.

3. Dy augen slaffens sein begreif
das hercz dir wach czu aller stund
dein zesen cze schermen ich entsleif
dye dich liebhaben in herczen grunt.

4. Uns won kain swäres slaffen czue
noch das der feint vns nicht betor
das fleisch im kain verhengen tue
davon wir dir sten schuldigk vor.

XXIV.

Des munich mlter [1]) don.

1. Magt hochgeporen
von dem geslächt yesse
aus aller welt erkoren
czu trost der newen ee
dye Eua uns verloren
hat do sy gotes zoren
traib aus dem paradeis.
In paider oren
fluecht in got ymmer mer
Adamen dy stel doren
vnd Euen kindes we
vmb ir decken roren
do sy gotes czoren
traib aus dem paradeis.

R.

Das we vnd waffen
het Ann vnd yoachim
got aberkauffen
do sy dich brachten im

---

[1]) **Milter?**

klain in dem tempel lauffen.
Maria vns vernym
das wir das geistlich tawffen
behalten rain an strauffen
als deynem kind geczym.

2. Zyer aller frawen
   got sandt dir Gabriel
   czu nazareth dich schawen
   das volkch von ysrahel
   was süntleich verhawen
   den nam des tiefels drawen
   dein Ave gratia.
   In grüener awen
   parg sich emanuel
   der heylig geist betawen
   began dein leib vnd sel
   mit den syben strawen
   dein sel rue seiner klawen
   was raine Maria.

R.

Lawf der naturen
hat gar dein kewsch entspent
als mit figuren
propheten habent benent
das du gepärd am trawren
Jhesum der vns zertrent
den tod mit peinen sawren
fraw aller creaturen
füeg vns sein sacramend.

3. Dich wolt got pringen
   in seines vater thron
   dy czwelff mit irem singen
   bestaten dich gar schon
   dich mocht laid nicht twingen
   wann du vor allen dingen
   hast fraw den pesten tail.

Dir mues erklingen
zu lob der engel don
sein träwtleich czu im dringen
pot dir got mit der kron
das wir darnach ringen
dar czu gib vns gelingen
du ymmer werendes hail.

R.

Dein kintleich sweben
bestat gar an missewent
du hast gar eben
den gewallt in deiner hendt
dir mag nichz widerstreben
darvmb solt du behend
vns armen sünder geben
fraw dort das ewig leben
vnd hye ein selig end.

XXV.
Des münichs kurcze don.

1. In gotes namen
wil ich hye vahen an
von Euen vnd Adamen
dy vns in gotes ban
brachten mit iren schamen
darvm dy allten kamen
in haysser helle gluet.
Got lies sich czamen
sein parmung von dem thron
vns armen sünder lamen
erwachen er began
als mit einem hamen
zoch vns sein kräwcz zusamen
mit rosenfarbem pluet
für das verdriessen
das wir gedächten sein
gab er vns ze nyessen
sich selb in prot vnd wein

das wir vns finden liessen
in kristenleichem schein
im süllen wir entslyessen
dy sünd vnd czäher giessen
so nyes wir in füer pein.

2. Hercz hand mund rainen
sol yegleich chisten schon
wer zu im wil verainen
got in dem höchsten thron
wann er schir chainen
vnbirdigen [1]) wil mainen
mit seinem sacrament
Judas beschainen
erbarb [2]) im ewig herten lon
grisgramen ewig wainen
also wil got der fron
dort zu samen lainen
die grossen vnd dy chlainen
dy manikleich vor hin send.
Darvmb lass varen
dein veintschafft in der zeit
pis willig den armen
durch den der freẅde geit
wirb zu der engl scharen
mit vleis an widerstreit
dein sell solt du bewaren
vnd dein rew nymmer sparen
pis der tod an leit.

3. Griff plikch vnd smekchen
versuechen in dem mund
wil got hie nicht endekchen
wann vns villeicht wurd chundt
in der fron erschrekchen
gehort allain sol klekchen
für allen czweifel gar
das got vol starkchen
will seine wardt alle stund

---

[1]) D. i. unwirdigen. [2]) D i. erwarb.

chain czweifel las erstekchen
den synn im herczen grunt
falsch las dich nicht hekchen
die worhait sol dich bekchen
nym der bezaichung bar [1])
Vier synn betörn
tet jacob ysaac czaxar
doch gab gehörn
den segen sunderbar
dar inn las dich nicht störn
verczbeifel [2]) noch geuär
so wil dich got enborn
in seiner engel chören
bey seiner gothait chlar.

4. Sein speiss chan lernen
das man got fürchten müss
vnd von den sünden chern
gehorsam sein tet pues
vnd von den sünden chern
all tugendt täglich mern
in götleicher beschaud [3]).
Damit bir [4]) ern
got das vns bird sein grues [5])
den tatten sunden seren
ward nie chain trost so sues
dy mues bey verberen
wann bir vmb hilf zu im rerenn [6])
vnd bringt in ewig freud.
Die berden [7]) pitten
got in der maiestat
das abgesniten
bern [8]) vnser missetat
das vns was sy litten
wann es an das sterben gat
dy speis hat solichen sitten
sy lonet allen tritten
wer niess in ern hat.

---

[1]) D. i. wahr.   [2]) D. i. verzweifel.   [3]) D. i. Beschauung.
[4]) D. i. wir.   [5]) D. i. wird.   [6]) D. i. jammernd rufen.
[7]) D. i. werden.   [8]) D. i. werden.

5. Der chunt besynnen
   der innern freuntschaft hört
   des vns got bringet innen
   täglich mit seinem bort[1])
   bann bir[2]) des beginnen
   das wir zu gast gebinnen[3])
   der got almächtig ist
   das götlich mynnen
   der sel all pein erstört
   das ir nicht mag entrynnen
   nach tod dein hymel port
   in der lieb sol brynnen
   wer sicher bell[4]) von hinnen
   chömen zu jhesu christ
   das müs beschehen
   v̆ns in der ewichait
   so birt[5]) dort sprechen
   was vns got hat berait
   da wir sein chlarhait sehenn
   die nye chain zung volsait
   in allen heiligen prehen
   dye brüeder zu v̆ns yehen
   got geb vns dar gelait.

---

[1]) D. i. **Wort**.   [2]) D. i. **wann wir**.   [3]) D. i. **gewinnen**.
[4]) D. i. **will**.   [5]) D. i. **wird**.

Fünfzehntes Jahrhundert.

XXVI.

1. Maria zů metten zeyt
Johannes procht laydige mere
wie ihs[1]) christus all ir freydt
von juden gefangen wåre
vnd fůr den annas wår gefurt
verspottet vnd verlogen
von gantzem hertzen sie erschrack
do er wart v̂mbzogen.

2. Maria zů preyme zeyt
so gare mit grossem klage
irm liebsten sone nacheylet
gefůret fůr pilato
vil falscher zewgen sie hŏret
mit spaygeln gar verseret
sie sach inn trawrichleichen an
geschlagen vil vnd sere.

3. Maria zů tertze zeyt
hort die juden schreyen
krewtzichen krev̂tzigen vnd sie sach
den mit půrpůr klaydet
kront mit ainer důrnen kchron
vnd zů dem todt gúrtaylet
ain schwåres krewtz auff im tragen
an schuldt vnd alles mayle.

---

¹) Jhesus, Jesus.

4. Maria zů der sexten stundt
   sach nageln aufs kchrewtz den herren
   vnd sach den zarten leichnam sein
   mit dem kchrewtz auff heben
   getrenckt mit einem pittern trankch
   essich mit gall gemenget
   mit seinez [1]) rosenvarben plůt
   ir gewant wǎr vbersprengt.

5. Maria zů none zeyt
   sach sterben am krewtz den hern
   owe owe meines einigen trost
   vnd meyner augen wayde
   saut Johannes nam die werde
   den geyst dem vatter verlichen [2])
   des hinnem gar scharpfes schwert
   ir hertz wǒl durch gyhe.

6. Maria zů vesper zeyt
   sach nemen abem [3]) krewtz den herren
   owe owe meynes ainigen trost
   owe des iamerss schmertzen
   er wart ir auf ir schoss gelayt
   sie schray owe meins layde
   owe owe meins anigen trost
   vnd meyner augen wayde.

7. Maria zů complet zeyt
   kam gangen zů dem grabe
   mit edler salben den wirdigen leyb
   zů der grebniss gab
   Jesus vngestalt vnd erplicht
   durch scharpfes todes pene
   der aller welt ain erlǒser ist
   vnd der ewig lone.

8. Maria dů muter gotz
   die tagtzeyt ich dir singe
   vnd auch erheb in allen lob
   mit meynes hertzen stymme

---

[1]) D. i. seinem.   [2]) Kann verlichen und verliehen in der Handschrift gelesen werden.   [3]) Ab (von) dem.

gleich als dů mit geliten hast
deim sune in todes streyte
darumb dů vns taylhaftig mag
der kchron der ewigen freyde. Amen.

XXVII.

1. Gotlich so wil ich singen
mit lust ain tagewayss
ich hoff mir sol gelingen
zw got sez ich gut fleyss
ain sunder wolt sich pekeren
marien dye rueft er an
daz sy yn wolt erhoren
vnd tat in tugent leren
freytlich so sach sy yn an.

2. Dy gnad waz ym beschlossen
dy weyl er yn sunden was
sein hertz was ym pegossen
mit leyd so merkt er das
der sunder hueb an zw berffen
woll in den hymel hin auff
o vnser fraw es leyt mir herte
solt ichs also verderben
maria dy lost ym auff.

3. Maria thet sich fuegen
wol zw dem herren dar
vnd wol sich gegen ym piegen
kind nymb des sunders war
hilff ym daz er werd ynnen
was gotlich willen sey
des pitt ich dich mit synnen
du welst im vergunnen
das er stee an [1]) sunden.

---

[1]) D. i. ohne.

4. Maria sprach gar schnelle
ich pitt dich sune mein
dn welst mir ergeben
den armen sunder mein
er hat sich mir ergeben
vnd stet in vester rew
zw puess wil er auch streben
dy weyl er hat sein leben
alz wol ich ym vertraw.

5. Jhesws sprach mit sitten
nit pitt mich also ser
o muetter ich thůw sein nit
der pett ich nit erhor
gerechtikait also veste
get vber disey *[1]
nit lad mir solich geste
sein rew dy ist nit veste
ich pin den sundern gram.

6. Seyt ichs hab vm dem dy red
ym nahent get
lass yn zw genaden kvmen
ee es ym werd zw spat
er hat sich mir ergeben
vnd stet in vester rew
zw puess wil er do streben
dy weyl er hat sein leben
alz wol ich ym vertraw.

7. O muetter dy sach ist grosse
dein pitten ist gar vmb sunst
dy sundt wirt er nit lassen
so hat er mein vngust[2]
sein hertz ist gar vnstate
vnd hat ain wanklen muett
vnd volgt des teufels rate
vnd wirt es zw spate
es pringt ym nymer guet.

---

[1] In der Handschrift unleserlich.   [2] Ungunst.

8. O kind lass ab dein zoren
du parmbst mir mein hertz
gedenk daz dich hat geporen
maria an allen schmertzen
lass mich der prust genyessen
dy du gesauget hast
lass yn sein sund hye puessen
o ihesus du vil suesser
nun gib mir deinen trost.

9. Ihs[1]) sprach vnverporgen
o muetter du bist gebert[2])
das er sey in sorgen
recht wie duss hast pegert
so sey er dir ergeben
hertz liebste muetter mein
vnd makch halt daz gar eben
dy weil er hat sein leben
ein stätter puesser sol er sein.

10. O sunder ich hab gelummen[3])
mein kind hat mich gebert
zw gnaden pistu kumen
recht wie duss hast pegert
dy sundt dy soltn fliechen
offt zw peychten gen
vnd sundt ouch nimmermere
von sunden thue dich keren
so pleybst du altzeyt mein.

11. Der sunder thet sich versuen
mit got dy semen[4]) tat
thet sich der sunder ab.
O unser fraw keusch vnd rayne
der veindt der send so vil
hye zw disen zeyten
sy ketten zw payden seytten.
setz mir ain klaine zeyt.

---

[1]) **Jhesns, Jesus.**   [2]) **Gewährt.**   [3]) **Gejammert.**
[4]) **Wol seinen?**

12. Maria was yn erhoren
    vnd thet ym hilflich schein
    vnd waz yn ain pot leren
    o· puesser du pist mein
    den sich hab ich gébunnen[1])
    mit lon in deinem streyt
    dar auss ist entsprungen
    parmhertzikait erprinnen
    der ewigsts leben.

13. Maria waz pehende
    mit ainer engel schar
    waz pey seinem ende
    vnd nam des sunders war
    vnd wil dich mit mir furen
    wol in daz paradyss
    da wirstu sehen schire
    wol alles gotes ziere
    da wird dy engels speyse.

XXVIII.

Dy siben wordt christi am krewtz.

1. Da iesus christ am krewtz stayndt
   vnd ·jm sein leichnam wart verwndt
   jm pitterlichen schmertzen
   siben wort die er da sprach
   die betracht in deinem hertzen.

2. Das erst wort sprach er sussicleich
   zw seinem vatter von himelreich
   von allen seinen krefften vnd sinnen
   vergyb jnn vatter sy wissen nit
   was sy an mir volpringen.

3. Zwm andern gedenk der parmhértzikayt
   die got ann schacher hat gelaydt

---

sprach er gnadiglichen
fůrwar dw solt hewt pey mir sein
in meines vatters reychen.

4. O mensch gedenck der grossen not
las dir das wort nit sein ein spot
weyl sich dein sun gar eben
Johannes nym dein můtter war
du solt ir trewlich pflegen.

5. Merck das virde wort was das
mich důrstet gar vast an vnderlasz
schray er mit lauter stymme
des menschen hayl ich vast begert
meyner gnadt sol er entpfinden.

6. O mensch gedenck der parmhertzikait
die got mit lauter stimme schray
mein got mein got wie hastw mich verlassen
das elendt das ich leyden můsz
pedenck ich auss der massz.

7. Das sechst wort was ain kreftigs wort
daz manicher sunder hat gehort
auss seinem götlichen munde
Es ist vol pracht mein schwåre pein
ja hewt zw diser stunde.

8. Ich bevilch dir herre in deine hendt
meinen heylgen geyst ich tzwe dir sendt
sprach er an seinen letzten zeyten
von meynen laÿdt er schayden thůt
vnd wil nit lenger peleyben.

9. Der gottes wort in eren hat
vnd oft bedenck die siben wort
des wil got ymer pflegen
hie auf erd vnd yn zeytlicher er
vnd dort jm ewigen leben.   Amen.

XXIX.
O patris sapientia jn vulgari.

1. Die weyshayt vnd gotlich warhayt
gotz vaters von himel reiche
christus mensch gefangen wardt
zw der metten zeyte
von seinen jungern vnbekandt
wart er gancz verlassen
von juden verkaufft verraten
ward gezogen vnd gestossen.

2. Zw preym zeyt er gefueret wart
Jesus fuer pilatum
mit falscher zewgnes vmbracht
vil vnd ser verklaget
se sluegen in auff seinen heyligen hals
als ein dieb gepunden
sy spuertzten jm vnder sein anplik
klar als vor war verkundet.

3. Kreyczig kreyczig schriren sy
zw der terczzeyte
in spotweysse sy jm anlegten
ein purpurklayde
sein heylig haub jm durich stochen wardt
mit einer dornkrane
das kreitz auf seinen schultern.
trueg wol auf der marter plane.

4. Jhesus zw der sechsen stundt
wardt genagelt ans kreycz
vor pitter marter durst in ser
mit gall vnd essig gespeysset
er hieng wol vnder schachern
da er wardt so ring geschatzet
der lenk schacher in veracht
mit schentlichem geschwetze.

5. Zw none zeyt der gúetig her
   seynen geyst aulf gabe
   heli heli schray er da
   die sel seinem vater enphalche
   ein ritter verrich sein seytten stach
   mit aynem scharpfen spere
   das erdrich als erpidmet
   da die sun yer scheyn verkeret.

6. Von dem kreicz er genamen wardt
   zw der vesper zeyte
   dy gotlich macht verporgen was
   gedenckt das leyden lewden[1])
   ein solchen schmachen tod er led[2])
   des lebens als ein herre
   o layder dy kron aller eren
   lag hie auf diser erde.

7. Zw complet zeyt er begraben ward
   das merkt al gar eben
   der edlist leÿchnamb christus zort
   ein hoffnung des ebigen lebens
   mit edler salben er gesalbet wardt
   allso ist die geschrifft erfullet
   gedenken wier zw aller frist
   solichs todes schmache.

8. Die tagzeyt her ich dier da sing
   aus andacht meinis gemúetes.
   christus dich da mit zw ding
   vnd bit dich durich dein guete
   als dw fuer vns erliten hast
   grasse pein vnd leyden
   dorvmb dw vns taylhefftig machst
   der kron der ewigen frewden.

---

1) **Leiden.**   2) **D. i. litt.**

XXX.
Von pater noster.

1　*Pater noster* scholde
Dich ymant recht bedencke
Fürwar ich sprechen wolde
Des geistes geist sich in dem must versencken
Wan du auss got gütlich bist geflossen
Der dich vnss selber leret
Mit dir hat er manig bett vns ordenlich beslossen.

2.　Herre got vater vnder
Du du vnss vetterleich
Durch deiner genaden bunder
Das du beschaffen hast vns dir geleich
Geleich macht hat sich vns dein treẅ
Das lass vnss herr genissen
Gib nach sunden schulden rew
Deinss tods lass vns genissen.

3.　Du pist in den himeln
Getreyet vnd vereynet
Ob vnser sunde schimeln
Mit peicht mit puss mit rew
Nicht sint wol beweinet
Lass herr dein gotlich kraft von vnss nicht scheiden
Vnd vnss der sunden tag in hertzen leyden.

4.　Geheiliget wer dein name
Ach herre du solt bedencken
Das dein gotlich same
Dich geistlich zu Maria begon sencken
Da bürd du crist genant vnd wir cristen
De namen herr an vnss ere
Lass herre dein gut vnss auf erden fristen.

5.　Zukum vns dein reich
So hab wir vberbunden
Dicz leben yemmerleich
Vnd haben dort gelückes funt erfunden
All do ein leben ist on alles verdriessen
Hilf vns herr durch all dein gut
Das wir dein clare gottheit mit dir niessen.

6. Dein wild der werd erfüllet
   Hie auf dyser erd
   Das vnsser mut nit wolt
   Herr denn das du loblich werd
   Recht als es in himeln ist ergangen
   Dar tu vns herre senden
   Lass vns mit ganczen willen dar belangen.

7. Unsser brot teglich
   Das gib vns herre hewt
   Die hochen speiss reich
   Unss selber dein fronleichnam pewt
   So sey wir leiplich vnd geistlich gepeist¹)
   Der leip hie auf erden
   Die sel dort in ewigkeit geweist.

8. Vergib vnss vnsser schuld
   Wo vnsser falsche sund
   Verburkt²) hab dein huld
   Lass vns des hohen geists fewr entzunden
   Das wir vergen den die vns beswern
   Lass herre dein ware mine
   Der sunden grunt vns auss den synnen lern.

9. Las vns verleit nit werden
   In vbel kor vnflusten
   Behut vns herr auf erden
   Du vater vor felschlicher sund gelusten
   Dein sterben was fur christlichen namen
   Dein tot vns herre bahẅtt
   Vor allem vbell.   AMEN.

XXXI.
Das Aue Maria.

1. Ave maria reine
   Das wort pey dir gedreyet
   Vnd ist doch göttlich eine
   Wie du magt werdt

---

¹) Gespeist.   ²) Verwirkt.

Weiplicher lust gefreyet
Er ist doch got wie du in mensch gepert
So ist er doch dein vater wie du sein
Muetter hie auf erden werd

2. Genaden vol mutter
Du las mich des genisen
Der hohen frewden gutter
Das du den werden soldest vmb slieschen [1])
Den himel vnd erden nie begreiffen kond
Gefrew mich durch die ere
Das er dir der for allen frawen gond.

3. Got ist mit dir du tempel
Du word gottes clause
Der gotheit ein exempel
Got hat beseczet in dir ze hawse
Er nam an sich menschlich dein clare natur
Verbum caro factum est
Ward do folbracht durch vns Er ward im gar sawr.

4. Dv bist gebenedeit
Gesenget [2]) ob allen frawen
For missetaht gefreit
Hilf vns las dein vermugen an vns schawen
Gesenget ist auch dein frucht deines leibes
Hie magt in himel ein fraw
Ein muter gotes vñ nam einsreinnes weibas [3])

5. Jesus christ marey
Mein sundiges anruffen
In ewer genad ich schrey
Gedenckt an das iemerliche waffen [4])
Hely das wort sey für alles mein leiden
Gefrew mich fraw dur das leit
Ein scharpfs swert dir durch
Dein hertz begon sneiden.

---

[1]) Umschliessen.
[2]) Gesegnet.
[3]) Weibes.   [4]) Ach, Wehe.

XXXII.

1. Ein plüendes reys   Der selde hort
   Getziret mit fleiss   Auf alle ort
   Dein lob ich preyss   Du süsses wort
      Maria kunigin
   Gar schon geschnaitt   Nach der genucht
   Loblich gecleit   Mit czarter frucht
   Mit wirdikeit   Mit rechter zucht
      Ein gottes gepererin.
      O maria ross on alle dorn
      Ob allen frawen hoch geporn
      Got selber hat dich auss erkorn
      Behut vns vor deines kindes czorn
      Das sein marter icht an vns wer verlorn.

2. O rossen rott   O lilgen weiss
   Wir leiden not   All vmb die speiss
   Die gat verpot   Im paradeiss
      Die das aue vberbant[1]).
   Maria magt   Du werder nam
   Der hat eriagt   Das czu dir kam
   Als man vns sagt   Das ware lam
      Das christus ist genant
      Maria ros on alle dorn etc.

3. Du edeles vass   Du schoner gart
   Got in dir sas   gar schon verspart
   Dein leip der was   gar wol bewart
      Mit zucht zu allen stunden
   Gabrihel der   was der bot
   On alle ser   einpfiengstu got
   Wo ich mich hin ker   behut mich vor spot
      Durch deines kindes bunden[2])
      Maria ross on alle dorn etc.

4. Die er anpfing   am krewtzes ast
   Da er an hing   dein werder gast
   Da durch ging   das swert vil ast
      Das hertz in deinem leib

---

[1]) Ueberwand.   [2]) Wunden.

Das her simeon weissagte dir
Der eren kron   biss genedig mir
Ich begerd czu lon mit ganczer gir
 In deinem hoff mich schreib
  Maria ross on alle dorn etc.

5. Maria biss mir gehewr
 Du lichter schein
 Tu mir dein stewr
 Die genade dein
 Mach mir nit tewr [1])
  Hilf mir aus sunden lesten.
 Du susser taw   Du clarer prun
 Des himels fraw Du brechende sunn
 Hilf dass ich schaw Dein werde bunn [2])
  Mit deinen werden gesten
   Maria ross on alle dorn etc.

6. Des bit ich dich   Maria zart
 Fraw tugentlich   in hoher art
 Vnd hilf das [3])   sey bewart
  An meinem letzten end
 Mit peicht vnd mit puss mit rechter rew
 Deines kindes gruss ger ich mit trew
 Sein leichnam suss   mich da erfrew
  Das mich der tewffel nicht schend
   Maria ross on alle dorn etc.

7. Du himel pfort   erfrewe mich
 Das ich dich dort sech ewiglich
 Du gottes hort   des bit ich dich
  Durch deinen werden namen
 Du zarte ross   on alles mayl
 Dein barmung gross fraw mit vns tayl
 In gottes sochs [4]) für vns mit hayl
  Das widerfar vns amen
   Maria Ros on alle dorn etc.

---

[1]) So stehen die Verse in der Handschrift; es fehlt zur Strophe ein Vers. [2]) W o n n e. [3]) Es fehlt i c h. [4]) S c h o s s.

Anhang.

Aeltere bereits gedruckte Uebersetzungen und Originallieder.

Sieben Hymnen

aus: „Hymnorum veteris ecclesiae XXVI. interpretatio theotisca nunc primum edita" a Jac. Grimm. Göttingae 1830. 4⁰.

(Von den oben mitgetheilten 113 Hymnen sind bei Grimm nur die hier folgenden sieben übersetzt.)

I.

(S. oben II. S. 4.)

1. euuigo rachono felahanto
   naht tak ioh ther rihtis
   inti ziteo kepanti ziti
   thaz erpurres urgauuida.

2. foraharo tages giu lutit
   thera naht tiufin thurahuuachar
   nahtlih lioht uuegontem
   fona nahti naht suntaronti.

3. themu eruuahter tagestern
   intpintat himil tunchli
   themo iokiuuelih irrituomo [1] samanunga
   uuec terrennes ferlazit.

4. themu ferro chrefti kelisit
   seuues ioh kistillent kiozun
   themu selbiu pietres samanunga [2]
   singantemo sunta uuaskit.

---

[1] Grimm hat *errorum*.   [2] Gr. *Petri ecclesia*.

14

5. arstantem auur snellicho
   hano lickante uuechit
   inti slaffiline refsit
   hano laugenente refsit.

6. henin singantemo uuan erkepan ist
   siuchem heili auur kicozi
   uuaffa thiupes intpuntan [1])
   pisliften kilauba uuiruit.

7. heilant furahtante [2]) kasih
   inti unsih kesehanto kirihti
   ibu unsih kisihis pislifte ni fallant [3])
   uuofte ioh sunta intpuntan uuirdit.

8. thu lioht arscin huctim
   thera naht [4]) ioh slaf arscuti
   thih unsariu stimma erist lutte
   inti munda keltem thir.

9. thir krisit lop thir krisit lopsanc
   thir tiurida cote fatere
   inti sune mit uuihemo atume
   in uueralti uuuralteo. uuar [5]).

II.

(S. oben XI. S. 11,)

1. christ du der leoht pist inti take [6])
   dera naht finstri intdechis
   leohtes ioh leoht kalaupit pist
   leoht saligem [7]) predigonti.

---

[1]) **Grimm** hat *latronis solvitur.*   [2]) **Gr.** *paventes.*
[3]) **Gr.** *si nos respicis lapsi non cadunt.*
[4]) **Gr.** *noctisque.*   [5]) **Gr.** :

> *Te decet laus, te decet hymnus*
> *tibi gloria Deo patri*
> *et filio cum sancto spiritu*
> *in secula seculorum. Amen.*

[6]) **Gr.** *die.*   [7]) **Gr.** *beatis.*

2. pittemes uuiho truhtin
   scirmi nahte ioh tage [1])
   si uns in dir rauua
   stilla naht gip.

3. ni suarrer slaf anapleste
   ni fiant unsih untarchriffe
   noh imu kalienne [2])
   unsih dir sculdi kasezze.

4. oucun slaf intfahen
   herza simbulum za dir [3]) uuachee
   zesuua diniu scirme
   scalcha dea dih minnont.

5. scirmanto unser sih
   lagonte kadhui
   stiuri dina scalcha
   dea pluate archauftos.

6. gihugi unser truhtin
   in suarremu desamo lichamin
   du der pist scirmo dera sela
   az uuis uns truhtin.

III.

(S. oben XIII. S. 13.)

1. Schimo faterlicher tiurida
   fona leohte leoht frampringanter
   leoht leohtes inti prunno leohtes
   tak tago leohtanter.

2. uuarhaft ioh sunna in slifanne
   scinanter scimin (clizze) emazzigemu
   ioh heitarnissa uuihes atumes
   ingiuz unserem inhuctim.

---

[1]) **Gr.** *nocte ac die.*   [2]) **Gr.** *nec illi consentiat.*   [3]) **Gr.** *semper ad te.*

14*

3. hantheizzom namoem inti fateran
faleran euuigera tiurida
fateran mahtigera hensti
sunta kapinte sleffura.

4. kascafoe katati kambaro
zan uuidarpliuue apanstigamu
falli kapruche sarfe
gebe tragannes anst.

5. muat stiurre inti rihte
kadiganemu triuastemu lichamin
kalauba hizzu strede
notinumfti heitar ni uuizzi.

6. christ ioh uns si muas
lid ioh unser si kalauba
froe trinchem urtruhlicho
trunchali atumes (keistes).

7. frauuer tak deser duruhfare
kadigani si eo so fruo in morgan
kalauba eo so mitti tak
dhemar muat ni uuizzi.

8. tagarod lauft framfuarit
tagarod alle scirme [1])
in fatere aller sun
inti aller in uuorte fater.

IV.

(S. oben LVI. S. 53.)

1. kotes kalaubu dera lebames
uuane simbligemu kalaupemes [2])
duruh dera minna anst
christes singem tiurida.

---

[1]) **Grimm** hat *protegat.*
[2]) **Gr.** *perenni credimus.*

2. der kaleitit stunta dritta
za dera druuunga zebare
chruzes dultenti ufhengida
scaf auurprahta farloranaz.

3. pittem auur deodrafte
urchauffe frige
daz arrette fona uueralti
dea arloste fona luzzilemu kasçribe.

4. tiurida dir driunissa
epanlichiu einu kotcundi
inti fora eochalichera uueralti
inti nu inti euuon.

V.

(S. oben LVIII. S. 59.)

1. za nahtmuase lambes kiuuare
kauuati in uuizzen [1]
after ubarferti meres rotes
christe singem furistin.

2. des uuih lichamilo [2]
in altare chruzes karostit
trore sinemu rosfaruuemu
choronto lepemes kote.

3. kascirmte hostrun aband [3]
fona uuastantemu engile
arratte fona starchistin
faraones kapote.

4. giu ostrun unsar christ ist
der kasclachtot lamp ist
dera lutri derpan
lichamo sin kaoffarot ist.

---

[1] Gr. *stolis in albis; candidi* ist nicht übersetzt.
[2] Gr. *cujus sacrum corpusculum.* [3] Gr. *pascha vesperum.*

5. uuola uuaro uuirdih zebar
    duruch dea arprochan sint paech
    archaufit liut kaelilentot
    argepan lipes lona.

6. denne arstot christ crape
    sigesnemo uuarf fona hellacruapo [1]
    des palouues uuarc kapintanti [2] pante
    inti intsperranti uuunnigartun.

7. pittemes ortfrumo allero
    in desamu hostarlicheru mendi
    fona allemu todes analaufta
    dinan kascirmi liut.

VI.

(S. oben LXV. S. 61.)

1. tagarod leohtes lohazit
    himil lopum donarot
    uueralt feginontiu uuatarat
    suftonti pech uuafit.

2. denne chuninc der starchisto
    todes kaprochanem chreftim
    fuazziu katretanti hellauuizzi
    intpant chetinnu [3] uuenege.

3. der der pilochaner steine
    kahaltan ist untar degane
    sigufaginonti keili adallicho
    sigouualto harstantit fona reuue.

4. arlostem giu uuaftim
    inti peches suerom
    danta arstuant truhtin
    scinanter haret [4] angil.

---

[1] **Gr.** *tartaro.*   [2] **Gr.** *tradens.*
[3] **Gr.** *catena.*   [4] **Gr.** *splendens clamat.*

5. cremizze uuarun potun
fona sclahtu iru truhtines
den uuizze todes crimmemu
sarfe uuizzinoton [1]) kanadilose.

6. uuorte slehtemu angil
forachuuidit chuuenom
in Galilea (in kauuimizze) truhtin
za kasehenne ist so horsco.

7. deo denne farant radalicho
poton das chuuedan
kasehante inan lepen
chussant fuazzu truhtines.

8. demu archantemu discon
in geuuimezze [2]) ilico
farant sehan antluzzi
kakerotaz truhtines.

9. heitaremu ostarlichero mendi
sunna reinemu scinit scimin
denne * * giu potun
kasiune kasehant lichamaftemu.

10. kaauctem im uunton
in christes fleisge perahtemu
arstantan truhtinan
stimmu sprichit [3]) lutmarreru.

11. chuninc christ kanadigosto
du herzun unsariu pisizzi
daz dir lop sculdigiu
keltem eochalichemu zite.

---

[1]) **G r.** *saevi damnarunt.*
[2]) **G r.** *Galilea.*
[3]) **G r.** *fatetur.*

12. kote fatere si tiurida
sine ioh einin suniu
mit atumu pirnantiu
inti nu inti in euuun[1]).

VII.

(S. oben CVII. S. 116.)

1. euuige christes lona
inti urchundono kauuirich
lop pringante sculdigiu
frouuem singem muatum.

2. chirichono furistun
inti[2]) uuiges siganumftiliche leitida
himèliskera chamara cnehta
inti uuariu uueralti leoht.

3. egisin kirichante uueralti
uuizzum ioh fermanetem lichamin
todes uuihes kafuarre
lip saligan pisizzant.

4. kiselit uuerdant fiure urchundun
inti tioro zenim
kiuuaffantiu sarfem chlauuon
uuizzinara unheilara henti.

5. kinachatotiu hangent innodi
pluat keheiligot kicozan ist
uzan thurahuuesant ungaruorige
libes euuiges ensti.

---

[1]) **Gr.**:

Deo patri sit gloria
ejusque soli filio
cum spiritu paracleto
et nunc et in perpetuum.

[2]) **Gr.** *et belli*

6. kideht uuihero kelauba
   unuparuuntan uuan keloubentero
   thurahnohtiu christes minna
   uueralti ubarsigirot furistun.

7. in deam faterlichiu tiurida
   in deam uuillo atumes
   feginot in deam sun
   himil erfullit mendi¹).

8. thih nu chaufo pittemes
   thaz urchundono²) kamachidu
   kemachoes pittante schalchilun
   in euuigo uueralti³).

VIII.
Lied vom heiligen Petrus.
(9. Jahrhundert.)

1. Unsar trohtin hât farsalt⁴)	Unser Herr hat übergeben
sancte Pêtre giuualt	Sanct Peter (die) Gewalt,
daz, er mac ginerjan⁵)	Daß er mag (kann) (von Verder=
	ben) retten
ze imo dingênten⁶) man.	(Den) zu ihm (auf ihn) hoffen=
	den Mann.
kyrie eleyson,	Herr erbarme dich,
christe eleyson!	Christe erbarme dich!
2. Er hapêt ouh mit unortun	Er hat (hält) auch mit Worten
himilrîches portûn.	(Des) Himmelreiches Pforten.
dar in mach er skerjan	Darin mag (kann) er scharen (auf=
	nehmen)
den er uuili nerjan.	Den er will erhalten (retten).
kyrie eleyson,	Herr erbarme dich,
christe eleyson!	Christe erbarme dich!

---

¹) Gr. *gaudio*.   ²) Gr. *ut martyrum*.
³) Die 2. 6. 7. 8. Strophe, die Gr. hier hat, sind die 2. 4. 5. 6. des
CIV. Hymnus S. 113. 114.   ⁴) farsellan von sale = rechtliche Uebergabe
eines Gutes.   ⁵) ginerjan b. i. genesen machen.
⁶) Von ahd. dingên, mhd. dingen = denken, hoffen.

3. Pittêmês den gotes trût

Bitten wir den 𝔊𝔬𝔱𝔱𝔢𝔰-𝔊𝔢𝔩𝔦𝔢𝔟𝔱𝔢𝔫
(𝔗𝔯𝔞𝔲𝔱𝔢𝔫)

allâ samant upar lût
daʒ er uns firtânên [1])
giuuerdo [2]) ginâdên.
kyrie eleyson,
christe eleyson!

𝔄𝔩𝔩𝔢 𝔷𝔲𝔰𝔞𝔪𝔪𝔢𝔫 ü𝔟𝔢𝔯𝔩𝔞𝔲𝔱,
𝔇𝔞ß 𝔢𝔯 𝔲𝔫𝔰 𝔐𝔦ß𝔯𝔞𝔱𝔥𝔢𝔫𝔢
𝔚ü𝔯𝔡𝔦𝔤𝔢 (𝔡𝔢𝔯) 𝔊𝔫𝔞𝔡𝔢.
𝔥𝔢𝔯𝔯 𝔢𝔯𝔟𝔞𝔯𝔪𝔢 𝔡𝔦𝔠𝔥,
ℭ𝔥𝔯𝔦𝔰𝔱𝔢 𝔢𝔯𝔟𝔞𝔯𝔪𝔢 𝔡𝔦𝔠𝔥!

IX.

G e b e t.

(9. Jahrhundert.)

Deus, cui proprium est
miseri semper et parcere,
suscipe deprecationem nostram,

ut quos catena
delictorum constringit
miseratio tuae
pietatis absolvat.

Got thir eigenhaft ist.
thaʒ io genathih bist.
Intfaa geba (gebet) unsar.
thes bethurfun uuir sar [3]).
thaʒ uns thio ketinun.
bindent thero sundun.
thinero mildo.
genad intbinde baldo.

X.

𝔚𝔢𝔦𝔥𝔫𝔞𝔠𝔥𝔱𝔰𝔩𝔦𝔢𝔡.

(𝔙𝔬𝔫 𝔖𝔭𝔢𝔯𝔳𝔬𝔤𝔢𝔩. 12. 𝔍𝔞𝔥𝔯𝔥𝔲𝔫𝔡𝔢𝔯𝔱.)

1. Er ist gewaltic vnde starc,
der ze winnaht geborn wart:
Daʒ ist der heilige Krist.
jâ lobt in alleʒ daʒ dir ist,

ℭ𝔯 𝔦𝔰𝔱 𝔤𝔢𝔴𝔞𝔩𝔱𝔦𝔤 𝔲𝔫𝔡 𝔰𝔱𝔞𝔯𝔨,
𝔇𝔢𝔯 𝔷𝔲 𝔚𝔢𝔦𝔥𝔫𝔞𝔠𝔥𝔱𝔢𝔫 𝔤𝔢𝔟𝔬𝔯𝔢𝔫 𝔴𝔞𝔯𝔡:
𝔇𝔞𝔰 𝔦𝔰𝔱 𝔡𝔢𝔯 𝔥𝔢𝔦𝔩𝔦𝔤𝔢 ℭ𝔥𝔯𝔦𝔰𝔱.
𝔍𝔞 (𝔢𝔰) 𝔩𝔬𝔟𝔱 𝔦𝔥𝔫 𝔞𝔩𝔩𝔢𝔰, 𝔡𝔞𝔰 𝔡𝔦𝔯 𝔦𝔰𝔱,

---

[1]) 𝔘𝔢𝔟𝔢𝔩 𝔲𝔫𝔡 𝔷𝔲𝔪 𝔙𝔢𝔯𝔡𝔢𝔯𝔟𝔢𝔫 𝔤𝔢𝔰𝔠𝔥𝔞𝔣𝔣𝔢𝔫, 𝔪𝔦ß𝔯𝔞𝔱𝔥𝔢𝔫, 𝔳𝔢𝔯𝔴ü𝔫𝔰𝔠𝔥𝔱, 𝔳𝔬𝔫 𝔣𝔦𝔯-
𝔱𝔲𝔞𝔫, 𝔪𝔥𝔡. vertuon = 𝔳𝔢𝔯𝔱𝔥𝔲𝔫.
[2]) ℭ𝔬𝔫𝔧. ℘𝔯ä𝔰. 𝔳. gewërdôn, wërdon.
[3]) 𝔅𝔞𝔩𝔡, 𝔢𝔦𝔩𝔦𝔤𝔰𝔱.

Niewan der tievel eine:
dur sinen grôzen übermuot
sô wart ime diu helle ze teile.

Ausgenommen der Teufel allein:
Durch seinen großen Uebermuth
So ward ihm die Hölle zu Theile.

2. In der helle ist michel unrât:
swer dâ heimuote hât,
Diu sunne schînet nie sô lieht,
der mâne hilfet in niet,
Noh der liehte sterne:
jâ müet in allez daz er siht;

jâ waer er dâ ze himel alsô
gerne.

In der Hölle ist große Rathlosigkeit:
Wer immer da Heimat hat,
Die Sonne scheinet nie so licht,
Der Mond hilft ihm nicht,
Noch der lichte Stern:
Ja, es mühet (quälet) ihn alles,
das er sieht;
Ja, wär er da zum Himmel also
gerne.

3. In himelrîch ein hûs stât:
ein guldîn wec dar în gât;
Die siule die sint mermelîn:
die zieret unser trehtîn
Mit edelen gesteine:
dâ enkumt nieman în,
er ensî von allen sünden alsô
reine.

Im Himmelreich ein Haus steht:
Ein goldner Weg darein geht;
Die Säulen die sind marmorn:
Die zieret unser Herr
Mit edelem Gesteine:
Darein kommt niemand,
Er sei denn von aller Sünde
ganz reine.

4. Swer gerne zuo der kilchen
gât,
und âne nît dâ stât,
Der mac wol vrôlîchen leben:
dem wirt ze jungest gegeben
Der engel gemeine.
wol im daz er ie wart:
ze himel ist daz leben alsô
reine.

Wer immer gerne zu der Kirche
geht,
Und ohne Neid (gern) dasteht,
Der mag wohl fröhlich leben:
Dem wird zujüngst gegeben
Der Engel Gemeinschaft.
Wohl ihm, daß er je ward,
Im Himmel ist das Leben so reine.

5. Ich hân gadienet lange
leider einem manne,
Der in der helle umbe gât:
der brüevet mîne missetât;
Sîn lôn der ist boese.
hilf mir, heiliger geist,
daz ich mich von sîner vanc-
nisse loese.

Ich habe gedienet lange
Leider einem Manne,
Der in der Hölle umgeht:
Der prüfet meine Missethat;
Sein Lohn der ist böse.
Hilf mir, heiliger Geist,
Daß ich mich von seiner Gefangen-
schaft erlöse.

XI.

Ofterlied.
(Von Spervogel.)

1. Krist sich ze marterenne gap;
    er lie sich legen in ein grap:
    Daz tet er dur die goteheit;
    dâ mit lôst er die kristenheit
    von der heizen heizen helle.
    er getuot es niemer mêr:
    dar an gedenke swer sô der
          welle.

    Chriſt ſich zu martern gab;
    Er ließ ſich legen in ein Grab:
    Das that er durch die Gottheit;
    Damit (er=)löſte er die Chriſtenheit
    Von der heißen, heißen Hölle.
    Er thut es nimmer mehr:
    Daran gedenke, wer da wolle.

2. An dem ôsterlîchem tage
    dô stuont sich Krist ûz dem
          grabe,
    Künic aller keiser,
    vater aller weisen;
    sîne hantgetât[1]) er lôste.
    in die helle schein ein lieht:
    dô kom er sînen kinden ze
          trôsten.

    An dem öſterlichen Tage
    Da erſtand Chriſtus aus dem
          Grabe,
    König aller Kaiſer,
    Vater aller Waiſen;
    Sein Geſchöpf er (er=)löſte.
    In die Hölle ſchien ein Licht:
    Da kam er ſeinen Kindern zum
          Troſte.

XII.

Osterlied[2]).
(12. Jahrh.)

Christus ist ûferstanden
von des todes banden;
des sollen wir alle frô sein,
got wil unser trost sein.
    Kyrieleison.

---

[1]) Schöpfung der Hand.
[2]) Die Lieder **XII—XIV** ſtammen aus dem 12. Jahrhundert; ihre jetzige
Faſſung iſt aber etwas jünger.

XIII.

Pfingstlied.

(12. Jahrh.)

Nû biten wir den heiligen geist
umbe den rechten glouben allermeist,
dáȥ er uns behüete an unserm ende,
sô wir heim suln varn ûȥ disem ellende.
Kyrieleison.

XIV.

Weihnachtslied.

(12. Jahrh.)

Ein kindelein so loebelich
ist uns geboren heute
von einer jungfrau seuberlich
zu trost uns armen leuten.
wer uns das kindlein nicht geborn,
so weren wir allzumal verlorn,
das heyl ist unser aller.
Ey du süzer Jesu Christ,
daz du mensch geboren bist,
behüt uns vor der hellen.

XV.

Lied an die Jungfrau Maria.

(12. Jahrhundert.)

1. Inin erde leite
Aaron eine gerte:
Diu gebar mandalon,
nuȥȥe alsô edile:
Die suezȥe hâst dû fure brâht,
muoter âne mannes rât,
sancta Maria.

In die Erde legte
Aaron eine Gerte:
Die gebar Mandeln,
Nüſſe alſo edele:
Die Süße haſt du hervorgebracht,
Mutter ohne Mannes Zuthun,
Heilige Maria.

2. Inin deme gespreidach
Moyses ein fiur gesach,
Daz daz holz niene bran:
den louch sah er obenân;
Der was lanc unde breit:
daz bezeichint dîne magetheit,

    sancta Maria.

In dem Gesträuch)
Moyses ein Feuer sah,
Daß das Holz nicht brannte;
Die Lohe (Flamme) sah er obenan;
Die war lang und breit:
Das bezeichnet deine Jungfrau=
       schaft,
    Heilige Maria.

3. Gedeon dux Israhel,
nider spreit er ein lamphel;
Daz himeltou die wolle
betouwete almitalle:
Alsô chom dir diu magenchraft,
daz dû wurde berehaft,
    sancta Maria.

Gedeon, Fürst von Israel,
Nieder spreitete er ein Lammfell;
Der Himmelthau die Wolle
Bethauete all und ganz:
Also kam Dir die große Kraft,
Daß du wurdest gesegnet,
    Heilige Maria.

4. Mersterne, morgenrôt,
anger ungebrâchôt:
Dar ane stât ein bluome,
diu liuhtet alsô scône:
si ist under den andern
sô lilium vndern dornen.
    sancta Maria.

Meeresstern, Morgenroth,
Anger ungebrachet,
Daran (darauf) steht eine Blume,
Die leuchtet also schöne:
Sie ist unter den andern
Wie die Lilie unter den Dornen.
    Heilige Maria.

5. Ein angelsnuor geflohtin ist,
dannen dû geborn bist:
Daz was diu dîn chunnescaft;
der angel was diu gotes chraft,
Da der tôt wart ane irworgen,
der von dir wart verborgen,
    sancta Maria.

Eine Angelschnur geflochten ist,
Dannen du geboren bist:
Das war deine Verwandtschaft;
Der Angel war die Gotteskraft;
Daran der Tod war erwürget,
Der vor dir ward verborgen,
    Heilige Maria.

5. Isaias der wissage
der habet dîn gewagen,
(Der quot) wie vone Jesses
    stamme
wuehse ein gerten gimme;
Dâ vone scol ein bluome varen;
diu bezeichint dich und dîn
    barn,
    sancta Maria.

Jesaias der Weissager
Der hat deiner erwähnet,
Der sagt, wie von Jesses Stamme

Wüchse eine herrliche Gerte;
Davon soll eine Blume fahren;
Die bezeichnet dich und deinen
       Sohn,
    Heilige Maria.

7. Do gebît ime sô werde
der himel zuo der erde,
Dâ der esil und daz rint
wole irchanten daz frône chint·
Dô was diu dîn wambe
ein chrippe deme lambe,
sancta Maria.

Da vermählet sich so werthe
Der Himmel mit der Erde,
Da der Esel und das Rind
Wohl erkannten das heilige Kind:
Da war dein Leib
Eine Krippe dem Lamme,
Heilige Maria.

8. Do gebaere dù daz gotes chint,
der unsih alle irlôste sint
Mit sîm heiligen bluote
von der êwigen noete:
Des scol er iemmer globet sîn

vile wole gniezze wir dîn,
sancta Maria.

Da gebarst du das Gottes=Kind,
Der uns alle erlöste später
Mit seinem heiligen Blute
Von der ewigen Noth:
Deß (darum) soll er immer gelo=
bet sein,
Viel wohl genießen wir dein,
Heilige Maria.

9. Beslozeniu borte,
entân deme gotes worte;

Dù waba triefendiu,
pigmenten sô volliu;
Dù bist âne gallûn
glîch der turtiltûbûn,
sancta Maria.

Beschloffene Pforte,
Entthan (geöffnet) dem Gottes=
Worte;
Du (Honig=) Wabe triefende,
Gefäß so volles;
Du bist ohne Galle
Gleich der Turtultaube,
Heilige Maria.

10. Brunne besigelter,
garte beslozzener,
Dar inne fliuzzet balsamum,
der waezzit sô cinnamomum;
Dù bist der cêderboum,
den dâ fliuhet der wurm,
sancta Maria. .

Brunnen bestegelter,
Garten beschloffener,
Darin fließet Balsam,
Der duftet so wie Cinnamomum;
Du bist ein Cedernbaum,
Den da fliehet der Wurm,
Heilige Maria.

11. Cedrus in Libano,
rosa in Jericho;
Dù irwelte mirre,
du der waezzest alsô verre;
Dù bist hêr uber engil al.
du besuontest den Êven val,
sancta Maria.

Ceder auf Libanon,
Rose in Jericho,
Du erwählte Myrrhe,
Du duftest also fern;
Du bist hehr über die Engel all.
Du versöhntest den Evas=Fall,
Heilige Maria.

12. Eva bráht uns zwisken tôt:
der eine ienoch rîchsenôt.
Dù bist daʒ ander wîb,
diu uns bráhte den lîb.
Der tiufel geriet daʒ mort:
Gabrihêl chunte dir daʒ go-
tes wort,
sancta Maria.

Eva brachte uns zwiefachen Tod:
Der eine immer noch herrschet.
Du bist das andere Weib,
Die uns brachte das Leben.
Der Teufel rieth den Mord:
Gabriel kündete dir das Gottes=
Wort,
Heilige Maria.

13. Chint gebær dù magedîn,
aller werlte edilîn.
Dù bist glîch ddme sunnen
von Nazareth irrunnen.
Hierusalem *gloria*,
Israhel *laetitia*,
sancta Maria.

Kind gebarst du Jungfrau,
Aller Welt Edele.
Du bist gleich der Sonne
Von Nazareth aufgegangen.
Jerusalem Ehre,
Israel Freude,
Heilige Maria.

14. Chuningîn des himeles,
porte des paradyses;
Dù irwelteʒ gotes hûs,
sacrarium sancti spiritus:
sacrarium sancti spiritus:
ze jungiste an dem ente,
sancta Maria.

Königin des Himmels,
Pforte des Paradieses;
Du erwähltes Gottes=Haus,
Heiligthum des heiligen Geistes,
Du sei uns allen helfend
Zujüngst an dem Ende,
Heilige Maria.

XVI.
Sequentia de s. Maria.
(12. Jahrh.)

Avê vil liehtir meris sterne,
ein lieht der christenheit, Mariâ,
alri magide ein lucerne.

Ave, viel lichter Meeresstern,
Ein Licht der Christenheit, Maria,
aller Jungfrauen eine
Leuchte.

Frowe dich, gotes celle,
bisloʒinu capelle.
dô du den gibâre,
der dich und al die welt giscuof,
nu sich wie reine ein vaʒ, du
magit dô wâre.

Freue dich, Gottes Zelle,
Zugeschlossene Kapelle.
Da du den gebarest,
Der dich und all die Welt erschuf,
Nun sieh, wie ein reines Gefäß
du Jungfrau da warest.

sende in mine sinne,	Sende in meine Sinne,
des himilis chuniginne,	Des Himmels Königin,
wâre rede suoze,	Wahre, süße Rede,
daʒ ich den vatir und den sun	Daß ich den Vater und den Sohn
und den vil hêrin geist gilo-	Und den viel hehren Geist lo-
bin muoʒe.	ben müsse.
Iemir magit ân ende,	Immer Jungfrau ohne Ende,
muotir âne, missewende,	Mutter ohne Mißwende (Fehler),
frouwe, du hâst virsuonit daʒ	Frau, du hast versöhnet, das Eva
Ève zirstôrte,	zerstörte,
diu got ubirhôrte.	Die Gott überhörte (nicht hörte).
Hilf mir, frouwe hêre;	Hilf mir, Frau hehre;
trôst uns armin dur die êie	Tröste uns Armen durch die Ehre,
daʒ dîn got vor allên wîbin zi	Daß deiner Gott vor allen Wei-
muotir gidâhte,	bern zur Mutter gedachte,
als dir Gabrièl brâhte.	Als dir Gabriel (den Gruß) brachte.
Dô du in virnâme,	Da du ihn vernahmest,
wie du von êrs irchâme!	Wie du zuerst (anfangs) erschrackest!
dîn vil reinu scam	Deine viel reine Scham
irscrach von deme mâre,	Erschrack von der Kunde,
wie magit âne man	Wie eine Jungfrau ohne Mann
iemir chint gibâre.	Immer ein Kind gebären sollte.
Frouwe, an dir ist wndir,	Frau, an dir ist Wunder,
muotir und magit dar undir:	Mutter und Jungfrau zugleich:
der die helle brach,	Der die Hölle brach,
der lac in dîme lîbe,	Der lag in deinem Leibe,
unde wrde ie doch	Und wurdest jedoch
dar undir niet zi wîbe.	Darunter nicht zum Weibe.
Du bist allein der sâlde ein porte.	Du bist allein der Seligkeit eine Pforte.
jâ wrde du swangir von worte:	Ja, du wurdest schwanger von dem Worte:
dir cham ein chint,	Dir kam ein Kind,
frowe, dur dîn ôre.	Frau, durch dein Ohr.
des christin judin und die hei-	Dessen Heiden, Juden und die
din sint,	Christen sind,

unde des ginâde
   ie was endelôs,
allir magide ein gimme,
   daz chint dich ime zi muotir
      chôs.

Dîn wirdecheit diu nist niet
   cleine:
jâ truoge du magit vil reine

daz lebindic brôt;
daz was got selbe
der sînin munt zuo dînên brustin
   bôt
unde dîne bruste
   in sîne hende vie.
owê kuniginne,
   waz gnâdin got an dir bigie!

Lâ mich giniezin, swenne ich dich
   nenne,
daz ich, Marîâ frowe, daz giloube
   und daz an dir irchenne,
daz nieman guotir
mach des virlougin, dune sîest
   der irbarmde muotir.
Lâ mich giniezin des du ie bi-
   gienge
in dirre welt mit dîme sunne *
   sô dun mit handin zuo
   ·dir vienge.
sô wol dich des kindis!
hilf mir umb in: ich weiz wol,
   frouwe, daz dun senftin
   vindis.

Dînir bete mach dich dîn liebir
   sun niemêr virzîhin:
Bite in des, daz er mir wâre riuwe
   muoze virlîhin,

Und deſſen Gnade
   Stäts war endlos,
Allen Jungfrauen ein Edelſtein,
   Das Kind dich ihm zur Mut=
      ter kor.

Deine Würdigkeit die iſt nicht
   klein:
Ja, du trugeſt, Jungfrau, viel
   rein,
Das lebendige Brot;
Das war Gott ſelber,
Der ſeinen Mund zu deinen Brü=
   ſten bot
Und deine Brüſte
   In ſeine Hand fieng.
O Königin,
   Was Gnade Gott an dir be=
      gieng!

Laß mich genießen, wenn immer
   ich dich nenne,
Daß ich, Maria, Frau, das glaube
   und das an dir erkenne,
Daß kein Guter
Mag das verläugnen, du ſeieſt
   der Erbarmung Mutter.
Laß mich genießen, was du je
   begiengeſt
In dieſer Welt mit deinem Sohne
   * ſo du ihn mit Händen
   zu dir fiengeſt.
So wohl dich des Kindes!
Hilf mir um ihn: ich weiß wohl,
   Frau, daß du ihn ſanft fin=
   deſt.

Deine Bitte mag dir dein lieber
   Sohn nimmer verſagen.
Bitte ihn darum, daß er mir wahre
   Reue müſſe verleihen,

Unde daz er dur den grimmin tôt
den er leit dur die menischeit

 sehe an meniscliche nôt,
Unde daz er dur die namin drî
sînir cristenlichir hantgitât
 gnâdich in den sundin sî.
Hilf mir, frouwe, sô diu sêle von
 mir scheide;
sô cum ir zi trôste:
 wan ich giloube daz du bist
 muotir unde magit beide.

Und daß er durch den grimmen Tod,
Den er litt durch (für) die Mensch-
 heit,
 Ansehe menschliche Noth,
Und daß er durch die drei Namen
Seinem christlichen Geschöpf
 Gnädig in den Sünden sei.
Hilf mir, Frau, wenn die Seele
 von mir scheidet,
So komm ihr zum Troste:
 Denn ich glaube, daß du bist
 Mutter und Jungfrau
 zugleich.

XVII.

Weihnachtslied.

(15. Jahrh.)

1. *In dulci jubilo*
nu singet und seit fro!
aller unser wonne
leit *in praesepio;*
sie leuchtet vor die sonne
matris in gremio;
qui est a et o[1]),
qui est a et o.

2. *O Jesu parvule,*
nach dir ist mir so we.
troeste mein gemuete,
o puer optime.
durch aller jungfrauen guete,
o princeps glorie.
trahe me post te!
trahe me post te!

1. In süßem Jubel
Nun singet und seid froh!
Alle unsre Wonne
Liegt in der Krippe;
Sie leuchtet vor die Sonne
In der Mutter Schoß;
Der ist das A und O,
Der ist das A und O.

2. O Jesu klein,
Nach dir ist mir so weh.
Tröste mein Gemüthe
O bestes Kind.
Durch aller Jungfrauen Güte,
O Fürst der Herrlichkeit,
Ziehe mich nach dir!
Ziehe mich nach dir!

---

[1]) D. i. Anfang und Ende.

3. *Mater et filia,*
   o jungfrau Maria,
   hettest du uns nicht erworben
   coelorum gaudia,
   so wær wir all vertorben
   per nostra crimina.
   quanta gratia!
   quanta gratia!

3. Mutter und Tochter,
   Jungfrau Maria,
   Hätteſt du uns nicht erworben
   Der Himmel Freuden,
   So wären wir all verdorben
   Durch unſre Sünden.
   Welch große Gnade!
   Welch große Gnade!

4. *Ubi sunt gaudia?*
   nirun wen alda,
   da die engel singen
   nova cantica
   mit iren sueßen stimmen
   in regis curia.
   eia wær wir da!
   eia wær wir da!

4. Wo ſind die Freuden?
   Nirgends als allda,
   Da (wo) die Engel ſingen
   Neue Geſänge
   Mit ihren ſüßen Stimmen
   In des Königs Hof.
   Eia wären wir da!
   Eia wären wir da!

XVIII.
Weihnachtslied.
(15. Jahrh.)

1. Ein kindlein ist geboren
   Von einer reinen mait:
   Got hat ims auserkoren
   In hoher wirdigkeit.
   Ein sun wart uns gegeben
   Zu trost ân alles mail[1])
   Daz sult ir merken eben;
   [2]) bracht uns alles heil.

1. Ein Kindlein iſt geboren
   Von einer reinen Maid:
   Gott hat ſichs auserkoren
   In hoher Würdigkeit.
   Ein Sohn ward uns gegeben
   Zu Troſt ohn alles Mail:
   Das ſollt ihr merken eben
   (Er) bracht uns alles Heil.

2. Ave du Gotes minne!
   Wie wol ir mit im was!
   Heil werde trosterinne!
   Vnd do sie sein genas,

2. Gegrüßt du, Gottes Minne!
   Wie wohl ihr mit ihm war!
   Heil, werthe Tröſterin!
   Und da ſie ſein genas,

---

[1]) Befleckung.
[2]) Es iſt wohl **er** zu ergänzen.

Gros freud wart uns gekun- det Von einem Engel klar; Wirt nimmer mer durchgrun- det [1]) Sagt uns die schrift fürwar.	Groß Freud ward uns ver= fündet Von einem Engel flar; Wird nimmermehr durchgrün= det, Sagt uns die Schrift fürwahr.

3.
Freut euch der selden mere:
Messias der ist kumen;
Er hat ân alls gefere [2])
Die menschait an sich gnu-
 men.
Für uns mit ganzen treuen
Volbracht er alle dink.
Der greis wolt sich verneuen:
Er ward ein jungelink.

3.
Freut euch der frohen Mähre:
Messias der ist kommen;
Er hat ohn alle Gefähre
Die Menschheit an sich genom=
 men.
Für uns mit ganzen Treuen
Vollbracht er alle Ding.
Der Greis wollt sich erneuen:
Er ward ein Jüngeling.

4.
Got vater in dem trone
Was mit der zarten weis.
Die tochter von Syone
Hat wol den hochsten preis.
Drei edel kunig milde
Die brachten reichen solt;
* [3]) zugen uber gefilde
Nicht anders als Got wolt.

4.
Gott Vater auf dem Throne
War mit der zarten weis.
Die Tochter von Syone
Hat wol den höchsten Preis.
Drei edele Könige, milde,
Die brachten reichen Sold;
(Sie) zogen über Gefilde
Nicht anders, als Gott wollt.

5.
Elend ward in bekande;
Di seld must fere bas [4]),
Ferr in Egypten lande:
Herodes trug in has.
Er zog in nach mit listen:
Manch kint vergos sein blut.
Got wolt sich lenger fristen:
Das was vns allen gut.

5.
Elend ward ihnen bekannt;
Das Heil mußt ferne baß,
Fern in Aegyptenland:
Herodes trug ihnen Haß.
Er zog ihnen nach mit Listen:
Manch Kind vergoß sein Blut.
Gott wollt sich länger fristen:
Das war uns allen gut.

---

[1]) D. i. vollständig ergründet.
[2]) Ohne allen Betrug, in voller Wahrheit.
[3]) Zu ergänzen si.
[4]) Weit in die Ferne.

6. Wol dreisig iar vnd mere
    Trug er fur vns die not;
    Wol umb sein rechte lere
    Leid er fur vns den tod:
    Dank wir im zu den stunden.

    Hilf, edler kunig rein!
    Sein heiliglich fünf wunden
    Solnt vns genedig sein.

7. *Altissimus* wart cosen[1])
    Mit menschlicher natur:
    Wie wol tet das der rosen[2])!
    Sie sach in der figur
    Die Gotheit vnverborgen.
    Joseph ir schone pflag.
    An einem weihnacht morgen
    Christ bei der keuschen lag.

6. Wol dreißig Jahr und mehr
    Trug er für uns die Noth;
    Wol um seine rechte Lehre
    Litt er für uns den Tod:
    Danken wir ihm zu allen
        Stunden.
    Hilf, edler König rein!
    Seine heiligen fünf Wunden
    Sollen uns gnädig sein.

7. Der Allerhöchste redete
    Mit menschlicher Natur:
    Wie wohl thät das der Rose!
    Sie sah in der Figur
    Die Gottheit unverborgen.
    Joseph ihrer schön pflag.
    An einem Weihnachtsmorgen
    Christ bei der keuschen lag.

---

[1]) Reden, lat. causari.
[2]) D. i. Maria.

Wörterbuch.

(Abkürzungen: stm., stf., stn.; swm., swf., swn. = masc., fem., neutr. der starken und schwachen Declination; stv., swv. = Verbum der starken und schwachen Conjugation. — Die Anführungen beziehen sich auf Gedicht und Strophe der ersten Abtheilungen. Ist die Anführung mit römischer Zahl bezeichnet, so bezieht sie sich auf Gedicht, Strophe und Vers der zweiten Abtheilung. — Die Handschrift hat nur z; im Wörterbuch steht dafür, nach der Scheidung von Grimm u. A. z u. ʒ. — Die Ableitungen auf -ic, Gen. -iges haben in der Handschrift meist auslautend -ic; so sind sie im Wörterbuch angeführt, auch jene, deren Nom. in den Hymnen nicht vorkommt; die in der Handschrift -ig haben, sind auch im Wörterbuch so angeführt. — Ferner sind im Wörterbuch die Accente angegeben, die in der Handschrift fehlen.)

A.

a *fur* o *oft in* XII.

abdwahen 102, 4. 106, 6. abtwahen 43, 3. abetwahen 35, 7. *stv.* abwaschen.

àbent G. àbendes *stm. Abend* 8, 2. 9, 2. 22, 4 *u. o.*

abenēmen *stv.* abnehmen 58, 3.

abslahen *stv.* abschlagen 12, 4. 93, 3.

abtwahen *s.* abdwahen.

abwaschen *stv.* abwaschen 2, 4. 21, 2.

abwischen *swv.* abwischen 20, 4. 24, 3. 44, 5. 62, 4.

àchust *stf. Sündenschmutz* (sordes, vitia) 1, 3. 113, 4.

àchustic *Adj. listig, lügenhaft* (subdolus) 22. 2.

ae *steht oft für* a, ê, ë. *Vgl.* gaerlich, saerigen, laerer, waenic,

geslaehte, gaernde, aerchalten, haellen, saegenen.

aehtaer *stm. Verfolger* 38, 7. 41, 1.

aei *steht oft für* ei. *Vgl.* blaeiche, haeiʒen, maeiste, taeilen, saeit, verwaeisen, naeigen, zaeigen, christenhaeit.

aeiter *stn. Eiter* 85, 3. atter *(verschrieben)* 13, 5.

aerchalten *für* erchalten *swv. kalt werden* 57, 3.

aer *u.* aere *(eine Ableitungsform starker masc., worüber Grimm* II, 125 *f. zu vgl.) steht in den Hymnen meist, seltener ist das jüngere* er. *Vgl.* aehtaer, bescirmaer, bihtaer, chundaer, dienaer, erchunnaer, gebaer, heiligaer, himelbûwaer, hûtaer, laeraer, listwurchaer, lûhtaer, marteraer, rihtaer, scachaer, scepfaer, scer-

maer, sigenuņftaer, sluzzelaer,
toufaer, troestaer, umbestictaer,
urgihtaer, urlosaer, vlegelichaer,
wisaer, wizenaer, wizigaer, wiz-
zigaer — antlâzer, bíhtiger, ma-
her, warter.

ahten *swv. achten, wofür halten*
(deputare) 73, 3. 109, 2.

ai *steht zuweilen für* ei. *Vgl.* ain-
lich, ainvaltic, altersaine, aríbait,
bezaichenlich, ëbentailich, hailic,
hailen, maid, mail, gotehait, *und*
icheit, *und in* II. prait, ver-
jait *etc.* in III. verainet *etc.*

ainlich *s.* einlich.

ainvaltic 19, 3. *s.* einvaltic.

al *Adj.* (*flect.* aller, alliu *u.* elliu, al-
lez) *all, ganz* 1, 1. 2. 9. 14, 4.
u. o. al *verstärkt zuweilen das*
angesetzte Wort, vgl. algâhes.

algâhes *Adv. ganz gähe, ganz eilig*
93, 3.

alleclĭchen *Adv. allenthalben* (us-
quequaque) 101, 9.

allegenuhtlĭchen *Adv. allgenüglich*
(affatim) 27, 3.

allenthalben *Adv. allenthalben* 39,
1. 69, 1. 81, 8. 86, 5.

aller *steht oft vor Superlativen zur*
Verstärkung, worüber Grimm II,
676 *f. zu vgl. Siehe:* allerbest
1, 9. 62, 6. 109, 4. allerboesest
62, 3. allerdiemûtist 35, 7.
allererbaerst 31, 3. allererst
53, 2. allerheiligist 1, 4. aller-
meist 21, 4. 76, 5. allerwir-
sest 27, 2.

alle zìt *s.* alzît.

almaehtic 4, 1. 10, 3 *u. o.* al-
mahtic 81, 7 *Adj. allmächtig.*

als *Conj. als, wie* 13, 7. 18, 3.

31, 3. 41, 1. 46, 1. 47, 4. 49, 6.
51, 2. 89, 3.

alsbalde *Adv. alsbald* 62, 6.

alsô *Abv. also, ganz so, ebenso,*
wie (sicut) 1, 2. 14, 4. 15, 3.
22, 3 *u. o. Conj. dass* (ut, cum)
5, 4.

alt *Adj. alt* 14, 3. 16, 4 *u. o.*

alter *stn. Alter* 51, 2. 102, 12.
110, 4.

alter *stm. Altar* 63, 2. 102, 11.

altersaine *Adv. ganz allein* XIII,
9, 7.

altvater *anom. Altvater* (vates)
42, 4.

alzan (*aus* alzane, allezane) *Adv.*
schon (jam, jam nunc) 1, 5.
2, 21 *u. o.*

alzev *Adv. allenthalben* (usquequa-
que) 39, 3.

alzît 11, 4. 81, 5. 86, 5. 87, 5
u. o. alle zìt 3, 1. *subst. Adv.*
allzeit.

amme *swf. Amme* 41, 4.

ân, âne *Praep. ohne* 89, 5. 103,
5 *u. o.*

an *Praep. an* 1, 1 *u. o., oft für*
unser in, z. B. 8, 1. 11, 2.
12, 2. 24, 3. 62, 6. 63, 7.
67, 2. *Vgl. noch:* anbringen,
andruchen, angiezen, anslîfen.

anbëten 30, 4. 44, 3 *u. o.* an-
bëtten 40, 7. 81, 1. 83, 1.
84, 3. 88, 2. *stv.* anbeten.

anbringen *anom. V. einbringen* 12,
3. 94, 4.

anchloppen *swv. anklopfen* 9, 4.
82, 1.

andâht *stf. Andacht* 58, 2.

andâhtlĭch *Adj. andächtig* 16, 3.

andenchen *anom. V. (ungetrennt)*

denken an etwas (attendere, in-
tendere) 24, 1. 36, 2.
ander *Pron. ander*: (alter) 53, 7.
76, 2. 77, 5. (alius) 67, 3.
74, 10. (secundus) 25, 5. 38, 7.
(caeteri) 38, 2. 50, 4. 74, 7.
10. zem ander male = secundo
33, 4.
anderstund *subst. Adv. von neuem*
(denuo) 67, 4. (demum) 64, 3.
andruchen *swv. eindrücken* 23, 2.
anegenge 36, 1. 37, 1. 42, 1 *u. o.*
angenge 9, 1. 12, 2. 20, 3 *u. o.*
stf. Angang, Anfang.
aneligen *stv. anliegen, drängen*
(urgere) 72, 2.
angeleit = angeleget.
angenge *s.* anegenge.
angengelîch *Adj. anfänglich* (ori-
ginalis) 88, 3.
angiezen *stv. eingiessen* (infundere)
13, 2. 14, 3.
anlegen *swv. anlegen* 35, 5. 37, 2.
62, 3. 89, 2.
anleite = anlegete; anleitest =
anlegetest.
anlouf *stm. Anlauf* 63, 7.
anscowe *stf. Anschauen* (conspe-
ctus) 92, 1.
ansëhen *stv. ansehen* 2, 7. 38, 7.
anslaht *stf. Anschlagen, Schlag*
61, 2. 106, 3.
ansliffen *stv. einschliefen, ein-
schlüpfen* (illabi) 9, 2. *schlüpfe-
rig sein* 13, 3.
anstân, anstên *stv. anstehen* (in-
stare) 8, 2. 24, 4.
antheiz *stm. Zusage, Gelübde* 13, 3.
30, 3 *u. o. mit* antheizze 81, 8.
antlâz *stm. Sündenerlass* 33, 3.
47, 5. 49, 2. 53, 6. 55, 2 *u. o.*

antlâzer *stm. Erlasser* (remissor)
53, 6.
antlutze 19, 2. 4. 40, 7. antluzze
65, 8. 72, 6. 73, 5 *u. o. stn.*
Antlitz, Oberfläche der Erde.
antreit *stf. Ordnung, Reihenfolge*
(ordo) 26, 2.
antreiten *swv. ordnen* 26, 1. 100,
3. 101, 4.
anvallen *swv. anfallen* (irruere)
11, 3.
arbeit *stf. arbeit* (labor) 30, 2.
aribait II. 4, 6. VII. 4, 4.
arche *swf. Arche* (arca) 83, 4.
aribait *s.* arbeit.
arm *stm. Arm.* 45, 3. 60, 5. 86, 3.
90, 3.
arm *Adj. arm* (miser) 65, 2. 81, 4.
97, 1. arem V. 5, 3. *vgl.* ba-
remherczig.
arnen *swv. ernten, verdienen* 38, 4.
45, 2. 47, 2. 58, 2. 74, 8.
89, 3. 106, 5. 110, 1.
artikel *stm.* VI. 5, 11.
arzât *stm. Arzt* 91, 4.
atter 13, 5. *s.* aeiter.
au *für früheres* ou *s.* taugenleich I.
13, 2. *für* û *s.* schaur, crea-
taur IV. 6, 4. 12.
auch *s.* ouch.
averen *swv. wiederholen* 86, 1.
aw *für früheres* ou, û *s.* I. 5, 6.
brawt, vraw, getrawen, ge-
bawen, beschawen.

B.

b *statt* w. *s.* X. 5, 4. 6', 3. 4.
XI. 1, 4. 7. 4, 6. 8, 6. 9, 5.
XII. 1, 12. 16. 2, 17. 18. 21.
3, 2. 20. 4, 39. 48.

bacheli, bachelin *stn. Bächlein* 14, 2.

bant, *G.* bandes *stn. Band* 20, 4.
35, 6. 52, 3. 97, 3. 109, 1.

baremherczig *Adj. barmherzig* V.
5, 12. *Vgl.* arem.

barmung *stf. Erbarmung* V. 5, 19.
VIII. 1, 20.

bat, *G.* bades *stn. Bad* 43, 3.

bĕchvar *Adj.* pechfarben (piceus)
102, 8.

bedâhticlîche *Adv. bedächtig, vor-
sichtig* (provide) 83, 6.

bedechen *swv. bedecken* 11, 4.

bediuten *swv. bedeuten* 72, 2.

bedruchen 14, 4. *Part.* bedruht
23, 3. *swv.* bedrücken.

begân, begèn *stv. begehen* 18, 3. 4.
44, 1. 59, 3. 67, 2. 77, 7.
87, 3. 103, 5. 110, 1.

begegnen *swv. begegnen, mit ha-
ben* I. 11, 4.

begieʒen *stv. begiessen* 76, 1.

behabde *stf. Erhaltung* (obtentus)
95, 3.

behaben *anom. V.* behalten (ob-,
retinere) 31, 5. 45, 4. 75, 6.
85, 4. 86, 6. 102, 6. 106, 2.

behaglich *Adj. behaglich, glück-
lich* (prosper) 91, 2.

behalten *stv. erhalten, bewahren*
(servare, salvare) 5, 1. 31, 5. 6.
53, 1. 59, 2. 60, 7. 67, 2.
95, 7. 96, 1. 3. 100, 4. 106, 4.

behaltlich *Adj. behaltenswerth* (ob-
servabilis) 49, 1.

behauern *swv. verletzen* VII. 5, 12.

behüten *swv. behüten* (defendere,
gubernare, custodire) 11, 2. 5.
65, 3.

beiag *stm. Bemühung, Erwerb, Ge-
winn* XVII. 1, 7.

beide *Zahlwort beide* 67, 6. 74,
13. 80, 6. 86, 7.

beiëhen *stv. bekennen* (fateri, con-
fiteri) 18, 2. 21, 1. 43, 2.
65, 10. 108, 1.

beiht *s.* bîhte.

beiten *swv. warten* 28, 3.

beliben *stv. bleiben* 8, 1. 34, 3
u. o.

beloufen *stv. laufen* (currere) 95, 9.

benĕmen *stv. benehmen, wegneh-
men* 7, 2 *u. o.*

benendelîchen *Adv. namentlich,
persönlich* (personaliter) 27, 1.

berâten *stv. berathen, beherrschen*
(gubernare) 102, 9.

bereiten 9, 1. 52, 6. 75, 5. 101,
2. 106, 5. bereitten 9, 1. *swv.
bereiten.* -

bĕrhaft *Adj. fruchtbar* 17, 2. 35,
4. 42, 2. 61, 1. 75, 2. 83, 5.

bĕrhtel *stf. Glanz, Klarheit* 1, 5.
8, 2. 45, 4 *u. o.*

bĕrhtel *Adj. glänzend, hell* 33, 1.
45, 4. 54, 1. 64, 5. 65, 9.
66, 5 *u. o.*

berihten *swv. als Herr einrichten
und leiten* (gubernare) 110, 5.

bĕrn *stv. gebären* 44, 2. 74, 3.

beschafen *stv. schaffen, aufrich-
ten* (erigere) 23, 2.

beschĕrmen 62, 6. bescirmen 86,
5. 95, 8. *swv. beschirmen.*

beschowede *stf. das Beschauen* (spe-
ctaculum, visio) 41, 6. 101, 1.

beschowen *swv. beschauen, berück-
sichtigen* (con-, pro-, respicere)
22, 4. 40, 5. 51, 4. 68, 4.
99, 1. beschawen I. 6, 4. *er-
schauen.*

bescirmaer *stm. Beschirmer* 11, 6.

bescirmen *s.* beschërmen.

besitzen *swv. besitzen* 65, 10. 67, 2 *u. o.*

beslifen *stv.* 88, 3. 94, 7. be-slifen, besliſſen, beslipfen *swv.* 2, 6. 7. *ausgleiten, fallen* (labi).

besoufen *swv. besäufen, versenken* (mergere) 18, 1.

besperren *swv., Part* bespart, *versperren, verschliessen* 46, 1. 83, 4.

besperrunge *stf. Versperrung, Einschliessung* (clausula) 31, 3.

best, *superlat. von* baʒ, *best* 9, 1 *u. o.*

bestrîchen *stv. bestreichen* 19, 4.

besvaeren, beswaeren *swv. Part.* besvaret, beswaret, *beschweren, bedrücken* 9, 3. 90, 4. 110, 3.

bëte *stf. Bitte* 44, 7. 85, 6. 95, 9. 101, 7. 103, 3. 109, 4.

bethwingen 21, 3. betwingen 32, 4. *stv. bezwingen.*

bethwungenlîcher *compar. Adv. erzwungen* (arctius) 53, 3.

betiutesal *stn. Geheimniss* (mysterium) 60, 1.

bette *stn. Bett* 16, 2. 24, 2. 101, 2.

bevâhen *stn. befangen, umfassen* (continere) 83, 4.

bewaeren *swv. bewähren, erproben* (probare) 38, 3. 99, 3. (protegere) 44, 7. 48, 1.

bewaren *swv. bewahren* 33, 4. 44, 7. 63, 3. 7. 68, 4. 72, 8. 94, 4.

bewarunge *stf. Bewahrung* (munimen) 62, 6.

bewëllen *stv. beflecken* (polluere) 10, 2.

bewinden *stv. umwinden* 44, 3.

bezaichenlîch 34, 2. 53, 1. bezeichenlîch 44, 3. 72, 2. *Adj.* bezeichenlîchen 73, 4. *Adv. symbolisch, bedeutsam* (mysticus).

bezûnen *swv. umzäunen, einschliessen* 112, 2.

bî *Praep.* bei 89, 4.

bibenen *swv. beben* 86, 3.

bieten *stv. bieten* (rependere) 25, 2.

bîhtaer, bîhtaere *stm. Beichtiger, Bekenner* 95, 6. 96, 4. 108, 3.

bîhte (confessio) 49, 2. 58, 1. beiht 6, 2. beicht VI. 3, 21. (poenitentia) 78, 1. *stf. Beicht.*

bîhtiger *stm. Beichtiger* 50, 4. 98, 1. 110, 1.

bilde *stn. Bild* 36, 3. 50, 2. 54, 4. 73, 2. 78, 2. 80, 3. 94, 4. 95, 4.

bildeli, bildelîn *stn. Bildlein* 62, 3.

bilden *swv. bilden* 13, 4.

billîch *Adj. billig* (bas) 64, 2.

binden *stv. binden* 9, 3. 13, 3. 62, 4. 99, 4.

bir = biren, birn *wir sind* 87, 4.

biscof 10, 1. 81, 2. bischof 77, 2. 100, 1. *stm. Bischof, Aufseher* (praesul, pontifex).

bî sîn, *anom. V. dabei sein* (adesse) 24, 4. 44, 6. 49, 1. 98, 4. 111, 3.

bîstân, bîstên *stv. dabei stehen* (adstare) 100, 4.

bitten 1, 5. 7. 8 *u. o.* biten 52, 3. 53, 7. 8. *stv. bitten.*

blaeiche *stf. Bleiche* (pallor) 31, 5.

bleichen *swv. erbleichen* 22, 1.

blind *Adj. blind* 38, 8. 52, 3. 89, 6.

blŷde *s.* blût.

blüen, blůn *swv. blühen* 34, 2.
35, 4. 41, 1. 89, 1.
blůme 17, 2. 41, 1. blume 106, 2.
swf. Blume.
blůt 11, 5 u. o. blut 78, 1. 102, 3.
stn. Blut.
blůt *G.* blůdes *stn.* 51, 2. 86, 4.
blůde (florida) 51, 2. *Acc.* blude
(florem) 87, 2. *stf. Blüte.*
blůtic *Adj. blutig* 98, 3. 113, 2.
boese *Adj. boes, unwerth* 17, 3.
62, 3. 77, 3.
borte 52, 1. 86, 4. port 83, 8.
porte 102, 7. *swf. Pforte* (porta).
bôsheit *stf. Bosheit* 21, 2.
bote *swm. Bote, Apostel, Evangelist* 16, 1. 38, 3. 40, 1.
41, 3. 65, 5. 7. 77, 1 *u. o.*
boum *stm. Baum* 60, 4.
brâten *stv. braten* (coquere) 81, 6.
brëchen *stv. brechen* 15, 1. 16, 4.
18, 2. 27, 3.
bredigen *sw. predigen, verkünden*
(praedicare) 11, 1.
brënnen, brinnen *stv. brennen*
1, 6. 6, 2. 25, 2. 32, 2. 81, 4.
89, 1. 94, 2.
brennen *swv.* (act.) *brennen* 27, 3.
32, 2. 81, 6.
brievunge *stf. Schreibung* (scriptio)
95, 7.
brinchen 7, 2. 16, 4 *u. o.* bringen 1, 7. 22, 2. 44, 3 *u. o.*
Imperat. brinc 52, 3. *anom.*
V. bringen.
bringer *stm. Bringer* (lator) 54, 2.
(minister) 61, 3.
brinnen *s.* brënnen.
briut *s.* brůt.
briutegon, briutegŏn *s.* brůtegoum.

briuten *swv. verloben, Hochzeit*
haben 101, 1.
broede 113, 2. brôde 88, 3. *Adj.*
gebrechlich, schwach.
brôt *stn. Brot* 63, 4. 64, 4.
brouchen *swv. biegen* 84, 3.
brůchen *swv. brauchen* 79, 4.
brůder *stm. Bruder* 69, 2. 79, 1.
Gen. brůder 85, 1.
brüeten *swv. brüten, wärmen* (fovere) 5, 2.
brunne *swm. Brunnen, Quelle* 13, 1.
74, 6. 102, 4.
brust 6, 1. 32, 2. 3. 37, 4. 40, 3.
71, 1. 72, 4 *u. o.* prust 25, 4.
Pl. bruste 86, 3. *stf. Brust.*
brůt 86, 5. briut 112, 2. *stf.*
Braut. — brawt 1. 5, 2.
brůtbette *stn. Brautbett* 31, 3.
34, 4. 74, 4.
brůtegŏm 112, 2. brůtegon 54, 3.
briutegon 46, 2. briutegon 31,
3. *stm. Bräutigam.*
brůtgesanc *stn. Brautgesang* 44, 1.
brůtlich *Adj. bräutlich* 101, 2.
bûch *stm. Bauch* 34, 2. 35, 3.
37, 3. 74, 4. 83, 4.
buhstab *stm. Buchstab* 75, 4.
burch *stf. Burg, Stadt* (urbs)
100, 1.
burde *stf. Bürde* (pondus) 100, 3.
burgar *stm. Bürger* 88, 5.

C.

cch *steht zuweilen inlautend; vgl.*
darüber Grimm I, 119 *f. u.*
fotgende Wörter: decche, drucch,
iocche, screcchen, wecchere.
ch *steht oft an. u. inlautend, wo*

andere Denkmäler c *oder* k *haben; vgl.* Grimm I, 183 *f. u. folgende Wörter:* danches, denchen, druchen, senchen, hovschreche, vleischhacher, starchen, trachheit, trinchen, tunchel, charchaer, anchloppen, erchůlen, erchuschen, *u. die nachfolgenden, mit* ch *anlautenden Wörter.*

ch *steht oft auslautend, wo mhd.* c *steht, das inlautend* g *wird, doch nicht überall. Vgl. folgende Wörter:* burch, chelech, dinch, durnaehtich, genaedich, gevellichlich, gewaltich, helich, lunch, sihtech, schaemich, sigenunftich, slewich, suhtich, unsinnich, unwiʒʒich, zornich, ëbenhëllich, ëbenmahtich, ëbentailich, êwirdich, umberinch, *und :* durwachig, nahtig, chreftig, heilig, gloubig; ungeloubic, heilic, gewaltic *u. a.* — *Aus dem inlautenden* g *kann man darnach nicht immer den Auslaut* (g, c, ch) *bestimmen.*

chamer *swf. Kammer* 74, 4.

charchaer *stm. Kerker* 99, 3.

charc *Gen.* charges, *Adj. schlau, listig* 53, 4. 98, 3. charch I. 13, 4.

chelech *stm. Kelch* 80, 4.

chëlgir *stf. Kehlgier* (castrimargia) 59, 2.

chelte *stf. Kälte* 57, 4.

chêren *swv. kehren, wenden* (vertere) 40, 7.

chete *stf. Kette* 49, 4.

chiesen *stv. kiesen, wählen* V. 2, 22.

chîme *swm. Keim* 17, 2.

chint *Gen.* chindes, *stn. Kind* 25, 1. 37, 5. 41, 4. 44, 3 *u. o.*

chintbaer *Adj. kindtragend* (puerpera) 86, 4.

chintgeberaerinne *stf. Kindgebärerin* (puerpera) 42, 2.

chinttragerinne *stf. Kindträgerin* (puerpera) 37, 5. 75, 3.

chk == cch *s.* rechken, dichk. *s. auch* chranchk, tranchk XII. 4, 32. 35.

chlâ (*aus* chlâwe) 106, 3. chlô 107, 3. *stf. Klaue.*

chlaegelich *Adj. kläglich* (flebilis) 103, 5.

chlage *stf. Klage* 30, 2. 106, 4.

chlagen *swv. klagen* 65, 1. 83, 7.

chlein *Adj. klein* 41, 6.

chleit == chlaget.

chlô *s.* chlâ.

chloesterlich *Adj. klösterlich* 48, 2.

chnëht *stm. Knecht* (famulus, vernula) 49, 3. 100, 5.

chnëhteli, chnëhtelin *stn. Knechtlein* (servulus) 105, 6.

ehnie *stn. Knie* 31, 4. 84, 3.

choere *stn. Rede* 65, 6. 71, 3. 74, 5. 109, 2.

chomen *s.* chumen.

chonne *swf. Ehegattin* 85, 1.

chôr *stm. Chor* 2, 3. 37, 7. 42, 5. 45, 1. 66, 1 *u. o. Pl.* chore 95, 5. choere 112, 2.

chorder *stn. Herde* 41, 2.

choren *swv. kosten versuchen* (gustare) 63, 2. 80, 4.

choufen *swv. kaufen* 11, 5.

chraft *Gen.* chraft *u.* chrefte 3, 1. 6, 2. 8, 1 *u. o.* craft 2, 4.

stf. Kraft (vigor, virtus, vires; solum 14, 2).

chranz *stm. Kranz* 74, 10.

chreftig *Adj. kräftig* 80, 6.

chresem *stm. Chrysam* 102, 4.

chriechen *stv. kriechen* 26, 1.

chrippe *stf. Krippe* 34, 7. 35, 5. 37, 6.

christ *swm. Christ* 101, 4.

christenheit 2, 4. 46, 2. 48, 2. 59, 3. 86, 1. 98, 2. 111, 1. christenhaeit 105, 2. II. 2, 3. *stf. Christenheit, übersetzt das lat.* ecclesia.

christenman *stm. Christusverehrer* (christicola) 111, 1.

chroenen 74, 10. 76, 2. chronen 77. 2. 81, 7. *swv. krönen.*

chrône 41, 2. 8. 77, 1. 90, 2. 112, 1. chrôn 108, 1. 109, 1. *stf. Krone.*

chrûce *s. chrûzę.*

chrûg *stm. Krug* 43, 4.

chrump *Adj. krumm* 74, 11.

chrumpen *swv. krümmen* 31, 4.

chrûze 56, 2. 57, 1. 58, 3. 60, 1 *u. o.* chrûz 60, 6 *u. o,* chrûz 62, 5. 63, 2. 99, 4. chrûce 81, 2. 88, 2. crûce 87, 3. 4. 5. kreûcz IV. 4, 11. *stn. Kreuz.*

chûme *Adv kaum* 41, 6.

chumen 19, 1. 34, 1 *u. o.* chomen 35, 8. 43, 1. 101, 2. 8 *u. o. stv. kommen.* ze hilfe chumen 48, 2.

chund *Adj. kund* 53, 1.

chundaer *stm. Künder* (index) 94, 3.

chunden *swv. künden* 16, 1. 25, 3. 35, 2.

chuneclich 34, 4. 85, 1. chunic-

lich 84, 1. 86, 4. *Adj. königlich.*

chuneginne *stf. Königin* 87, 1.

chunftic 31, 6. 42, 1. 51, 3. 67, 4 *u. o.* chumftic 93, 5. *Adj. künftig.*

chunic 3, 2. 44, 2. 46, 1. 53, 2 *u. o.* chunec 82, 8. *stm. König.*

chunne *stn. Geschlecht* 41, 4. *stf. Gattin* (uxor) 85, 1.

churz *Adj. kurz* 105, 3. 107, 2.

chûsc 84, 2. 85, 2. chûsk 13, 5. 6. chûsch 16, 2. 3. 30, 4. 6. 42, 5. 52, 6. 66, 1. 110, 2. chûsch 25, 1. keûsch IV. 5, 15. *Adj. keusch.*

chûsche *stf. Keuschheit* 97, 4.

chussecheit *stf. Mässigkeit* (parcitas) 5, 3.

chussen *swv. küssen* 65, 7. 79, 3.

craft *s.* chraft.

crûce *s.* chrûze.

czu *Praep. zu* I. 12, 3 *u. o.*

D.

dâ *Adv. da, wo* (quo) 41, 6. 67, 5. 69, 2.

dag *s. tac.*

dâhe *swm. Ziegel* (testa) 81, 6.

dâmit *Adv. Relativconj. damit* (per hoc) 54, 3. (qua) 89, 2. *zugleich* (simul) 3, 2 *u. o.* (pariter) 3, 3. 91, 4. 94, 7.

dan *s.* danne.

danch *stm. Dank* 33, 3.

dan, danne, *nach Comp. denn, als* 85, 1. 3.

danne (inde) 59, 2. 84, 2. dannen (inde) 67, 4. (unde) 72, 1.

(quo) 87, 3. (tunc) 89, 7. *Adv.*
dannen, von dannen.
dan sîn *von dannen, weg sein*
(abesse) 1, 5.
dàr *Adv. dahin* (illuc) 101, 3.
(quo) 77, 5. 89, 3.
darben *swv. darben* (carere) 44, 4.
dârinne *Adv. darin* 36, 5.
dârnach *Adv. darnach* (postmodum)
53, 2. *daher* (hinc) 91, 5. (de-
hinc) 99, 4.
dâruber *Adv. darüber* (insuper)
60, 2.
dârûf *Adv. darauf* (desuper) 22, 4.
dârumb, dârumbe *Adv. darum* (ob
hoc) 1, 7. 24, 5. (ergo) 44, 6.
56, 3. 102, 9. (hinc) 40, 2.
(idcirco) 69, 2. (quapropter)
89, 7.
dâvon *Adv. davon, von diesem* (hoc)
2, 3 *u. o.* (ergo) 41, 5. 72, 4.
(hinc) 54, 3. 74, 4. 77, 6.
85, 2. (sic) 72, 9. (unde) 113,
3. darvon (inde) 47, 4.
daʒ *Conj. dass* (ut) 1, 3. 4. 7
u. o. (quo) 59, 2 *u. o.* daʒ
nicht (ne) 22, 3. 24, 3. 30, 7
u. o.
decche 62, 3. deche 74, 6. *stn.*
Decke.
dechen 21, 1. dekchen 5, 2. *swv.*
decken.
dëgen *stm. Mann* (mas) 41, 4.
dehein *adj. Fürwort kein* 14, 4.
17, 4. 83, 4.
dein *s.* dîn.
dekchen *s.* dechen.
denchen *anom. V. denken.* 3, 1
u. o.
denne *Adv. dann* (tunc) 33, 4.
dër, diu (die), daʒ *Artikel, sehr*

oft; *Pron. dem.* (hic) 35, 7.
36, 5. 38, 4. 63, 7. 85, 3.
95, 3. 4. (ille) 28, 3. 35, 7.
38, 5. 65, 2. 3. 7. 74, 3.
89, 7. 93, 2. *Pron. rel.* (qui)
1, 1. 6. 36, 5. 37, 2. 4 *u. o.*
dër da (qui) 76, 1. — *Re-*
lativpron. mit der 2. *Pers.*
des Verbums ohne du, ir *ver-*
bunden 23, 1. 26, 1. 2. 31, 2.
32, 1. 44, 7. 45, 4. 67, 1.
71, 2. 98, 3. 104, 3. 108, 1.
— *Relativpron. mit der 1. Pers.*
pl. wir die sìn 36, 6.
dër sëlbe (ipse) 42, 1. 70, 4.
(idem) 80, 4.
dew *s.* -ev.
di = die 95, 5. 8. I. 8, 2.
dichk *Adv. oft* I. 5, 2.
diemûti, *Superl.* diemûtist 35, 7.
diemut 110, 2. *Adj. demüthig*
(humilis).
dienaer *stm. Diener* 67, 1.
dieneñ *swv. dienen* 20, 2. 26, 2
u. o.
dienest, dienst *stm. Dienst* 48, 1.
100, 6. 111, 3.
dienesthaft *Adj. diensthaft* 79, 1.
dienstman 64, 3. dienestman 84,
2. 95, 9. *stm. Dienstmann* (mi-
nister).
dierne, diern *swf. Dirne, Jung-*
frau (puella) 35, 3. 37, 3.
diernli, diernlîn *stn. Dirnlein,*
Mädchen (puellula) 42, 5.
diet *stf. Volk* 34, 1. 35, 8. 44, 1.
60, 3. 72, 6 *u. o.*
dige *stf. Bitte* 1, 3. 39, 2. 52, 4.
55, 1. 111, 3.
dîhen *stv. gedeihen* 95, 1.

dîn *Pron. poss. dein* 49, 5. 52, 4.
59, 4 *u. o.* dein I. *öfters.*
dinc 2, 1 *u. o.* dinch 83, 2. 91,
2. *stn. Ding.* gemein dinc (66,
4.) *Staat* (respublica).
dirre disiu, diz ditz *Pron. demonst.*
dieser. dirr 36, 4. 38, 2. 3.
dirre 64, 2. 75, 4. 100, 3.
102, 11. 109, 2. 111, 11.
disiu 5 1, 4. 64, 1. 5 *u. o.* diz
98, 4. 102, 3. 103, 1. ditz
22, 2. 103, 5. 110, 4, diser
3, 7. 101, 7.
diser *s.* dirre.
diu *Instrum. von* daz, (*s.* dër), von
diu (unde) 110, 4.
dô *Adv. damals* (tunc) 48, 3.
72, 7. 89, 1. 4. *Conj. da* (dum)
72, 3. 110, 2. (cum) 42, 2.
65, 2. 9. 68, 1 *u. o.* 73, 1.
(postquam) 81, 6. (quando) '89,
1. (quo) 67, 3.
doch *Conj. doch* (autem) 53, 4.
dol *stf. Traurigkeit* I. 3, 4.
dorneich *stn. Dornicht* (spinetum)
XIV. 2, 3. 4. 6.
drache *swm. Drache* 66, 2.
dragen *s.* tragen.
drâte *Adv. schnell* 1, 2.
drî *Zahlwort drei* 58, 1. 77, 7.
drilich *Adj. dreifach* (trinus) 83, 1.
92, 4.
drînisse 79, 5. 85, 4. 87, 5.
drinusse 90, 5. 93, 5. 95, 10.
trinisse 80, 8. *stf. Dreifaltig-*
keit (trinitas).
drîstunt *Adv. dreimal* 44, 4. 58,
1. 74, 10.
dritte *Zahlw. dritte* 56, 2. 72, 3.
74, 10.
drivalticheit 24, 1. 58, 1. 75, 5.

76, 6. trivalticheit 29, 1. 30,
8 *u. o.* driualdikait VII, 1, 1.
drivaltikhait VIII. 1, 4.
drôlîch *Adj. drohend* (minax) 81,5.
drucch *stm. Druck* (pressura)
101, 4.
drucken 14, 4. (bedruchen), druk-
ken 14, 3. drukchen 10, 2.
11, 5. XII. 4, 4. *swv. drücken.*
du steht *oft in Relativsätzen für*
das lat. tu qui *mit der* 2. *Per-*
son Sg. des Verbums: 2, 1.
7, 1. 9, 2. 14, 1. 17, 1. 20, 1.
32, 1. 35, 9. 62, 3. 78, 1. 3.
86, 7. 94, 3. 95, 1. — du
der *steht* 24, 1. — du sëlbe
satzest (ipse ponebas) 49, 5.
dunnen *swv. dünn machen* 4, 1.
durch, durh *Praep. durch* (per)
1, 6. 24, 5. 29, 2. 37, 6 *u. o.*
(ob) 59, 1. (pro) 99, 3. —
Conj. (ut) 94, 4. — durh daz,
(ergo) 53, 3.
durchstëchen *stv. durchstechen*
41, 5.
durhvaren *stv. durchfahren* (trans-
ire) 46, 1. (penetrare) 70, 3.
102, 8.
durhwëge *Adj. mit einem Durch-*
weg versehen (pervius) 46, 1.
durnaeht 105, 4. durnaehtich 76,
4. *Adj. vollkommen.*
durri *Adj. dürr* 106, 2.
durst *stm. Durst* 57, 1.
dursten *swv. dürsten* 57, 1.
durwachic *Adj. durchwachend* (per-
vigil) 2, 2.
dwahen *stv. waschen* 74, 8. twa-
hen XII. 4, 17.

dwerch, *Gen.* dwerhes *Adj. zwerch,
vom Weg abführend* (devius)
22, 1.

dwingen 26, 4. twingen 70, 4.
72, 2. 100, 4. VII. 1. 17. *stv.
zwingen.*

E.

ê (*gekürzt aus* èr) 40, 3. ee,
94, 4. *Conj. ehe.*

ê (*aus* êwa) *stf. Gesetz* 35, 6.
53, 2. 54, 2. 73, 4. ee V.
2, 21. VI. 3, 3.

ëbenalt *Adj. von gleichem Alter*
(coaevus) 41, 7.

ëbendoln *swv. gleichdulden, mit-
dulden* (condolere) 31, 2.

ëbenen *swv. ebenen* 75, 5.

ëbenerbe *swm. Miterbe* (cohaeres)
49, 3.

ëbenhël, *Gen.* ëbenhëlles *Adj. ein-
hellig* (concors) 42, 5.

ëbenhëllich *Adj. einstimmig* (con-
sors) 15, 1.

ëbenlîch *Adj. ganz gleich* (com-
par, coaequalis) 1, 9. 88, 5.
94, 8.

ëbenmahtich *Adj. gleichmächtig*
(compos) 32, 4.

ëbentailich *Adj. gleich theilhaftig*
(consors) 96, 5.

edel *Adj. edel* (nobilis) 47, 2.
65, 3. 70, 3. 77, 1. 87, 2.
(inclytus) 51, 1. 61, 1. 68, 2.
4. 99, 1. 101, 8. 106, 1.
(egregius) 47, 1. (opimus)
74, 11.

ee *s.* ê.

ee *für* ê *s.* sèle, lêr, ê, sèr.

egelich *Adj. schrecklich anzusehen*
(horrens) 102, 8.

eigen *Adj. eigen* (proprius) 45, 3.
86, 3. 93, 3. — din eigen
(proprius) 84, 4.

ein *Zahlw. ein* (unus) 6, 1. 23, 2.
27, 1. 30, 8. 32, 5. 45, 5.
50, 1. 52, 7. 54, 5. 56, 4.
59, 6. 86, 7. 89, 3. 92, 4.
99, 7. 100, 7. 103, 6. 106,
6. 110, 5. 113, 5. (unicus)
1, 9. 36, 1. 76, 5. (solus)
2, 9. 19, 3. 26, 1. 36, 4.
41, 7. 50, 3. 55, 3. 92, 3.
112, 1. (singularis) 52, 5.
(alter-alter) einer der ander
76, 2.

einander, *Pron. einander,* an ein-
ander 101, 5. mit einander
98, 6. nach einander (ordine)
74, 2.

einborn *Part. eingeboren* (unicus)
25, 1. 36, 1. (unigenitus)
96, 7.

einic 60, 6. 61, 1. 76, 5. 86, 7.
einig 99, 1. *Adj. einzig* (uni-
cus).

einlîch 98, 2. ainlich 85, 4. *Adj.
einfach* (unicus).

einunge *stf. Einheit* (unitas) 53,
9. 98, 2.

einusse *stf. Einheit* (unitas) 87,
5. 93, 5.

einvaltic *Adj., einfältig, einfach*
(simplex) 19, 3. 42, 5. 53, 9.
(unicus) 101, 6.

einvalticheit *stf. Einfältigkeit, Ein-
fachheit* (unitas) 24, 1. 29, 1.
47, 5. 48, 3. 76, 6.

einwëder — oder *Conj. entweder
— oder* 26, 3.

eise (*aus* egise) *stf. Schrecken*
(horror) 5, 2. 33, 4. 58, 3.
(terror) 105, 3. 107, 2.

eislich *Adj. schrecklich* (horridus)
28, 2.

-eit = aget, eget, *s.* vereit 35, 8.
angeleit 37, 2. treit 37, 3.
vorseit 65, 6. vorgeseit 37, 5.
chleit 65, 1.

eiter *stn. Eiter* 13, 5 (*wo* atter
steht). aeiter 84, 3.

ellend *stn. Elend, Verbannung*
(exsilium) 49, 3.

ellend *Adj. in einem fremden
Lande lebend* (exul) 1, 8 *u. o.*
VII. 2, 3.

elliu *s.* al.

empfangen *stv. empfangen* III. 3, 7.

emʒeclîchen *s.* emʒiclîche.

emʒelîch *Adj. emsig* (sedulus) 44, 8.

emʒic *Adj. emsig* (assiduus) 40, 6.

emʒiclîche *Adv. emsiglich* (affatim)
1, 5. (crebro) 91, 2. emʒic-
lihen (sedulo) 103, 2. emʒec-
lichen (jugiter) 101, 7. (fre-
quenter) 110, 3. emʒlichen (ju-
giter) 67, 6.

enbinden *stv. entbinden* 72, 9.
97, 3. 109, 1.

ende *stn. Ende* 10, 1. 20, 3.
25, 4. 31, 2. 37, 2 *u. o.* tages
ende *Abenddämmerung* (crepus-
culum) 13, 7.

engel *stm. Engel* 37, 5. 52, 2
u. o. engil 35, 2. *Gen. sg.*
engeles 52. 2. *Dat. sg.* engele
63, 3. *Gen. pl.* engele 67, 1.
103, 2. *Dat. pl.* engelen 75, 5.
engeln 101, 1.

engelisch 68, 2. 97, 2. engelis-
kem 93, 3. *Adj. engelisch.*

engen *swv. hindern, abhalten* (ar-
cere) 100, 4.

engil *s.* engel.

enhein 24, 5. 42, 3. 53, 4.
102, 10. enhain 102, 10. *adj.
Fürwort kein.*

ênic *für* einic (unicus) 1, 9.

ennenhër *Adv. bisher* 59, 4.

enphâhen 35, 3. 37, 4. 45, 2.
52, 2. 4. 64, 4. 67, 3. 76, 3.
99, 5. 101, 5. 7. 102, 3. 7.
103, 1. 112, 1. 113, 1. entphâ-
hen 9, 4. 81, 6. 83, 3. 95,
1. 6. *stv. empfangen.*

enpleken *swv. ans Licht bringen*
V. 2, 8.

enprësten *stv. entgehen, fehlen,
gebrechen* V. 5, 6.

ensament *Adv. zusammen* 31, 7.
48, 2. 49, 6. 52, 6. 67, 1.
68, 2 *u. o.*

entekchen *swv. ent-, aufdecken* (de-
tegere) 11, 1.

enten *swv. enden* 8, 1.

enthaben *anom. V. enthalten* (ab-
stinere) 54, 1. (continere) 103, 4.

enthabnusse *stf. Enthaltung* (ab-
stinentia) 5, 4. 59, 1. (par-
simonia) 54, 4.

entlîben *stv. schonen* (parcere)
70, 4. 108, 3. 113, 4.

entphâhen *s.* enphâhen.

entslieʒen *stv. entschliessen, öffnen*
63, 6.

entwîchen *stv. entweichen* 5, 3. 4.
12, 3. 28, 1. 106, 3.

enwicht *ein nichts* VI. 4, 24.

enwizʒvnd *Part. nicht wissend* 74, 9.

enziehen *stv. entziehen* 106, 6.

enzunten *swv. entzünden* 6, 2.

ër *Pron. pers. er* (is) 22, 2.

65, 7. 89, 2. (sibi in) 65, 10.
(ipse) 5, 4. 66, 5. 69, 2.
100, 2. (ille) 66, 4. *Relativpr.*
(qui) 65, 3.

erarnen *swv. gewinnen, erloesen*
VII, 5. 7,

êrbaer *Adj. ehrbar* 31, 3. 100, 3.

erbarmen *swv. erbarmen* 4, 2.
88, 3. 95, 4.

erbe *swm. Erbe* (haeres) 100, 5.

erbelgen *swv. beleidigen* (offen-
dere) 53, 6.

erbieten *stv. erbieten, darreichen*
(solvere preces) 30, 3. (fun-
dere preces) 55, 1. (exhibere)
55, 2. (reddere) 65, 10. (prae-
bere) 38, 2.

erbiten *stv. erbitten, durch Bitten
erlangen* (exorare, impetrare)
39, 1. 76, 5.

erchennen *swv. erkennen* 16, 3.
19, 3. 30, 6 *u. o.* erchunne
(sentiat) 102,10. erkchant VII.
2, 21.

erchuchen *swv. erwecken* 66, 2.
75, 3.

erchûlen *swv. erkühlen* (refrige-
rare) 30, 6.

erchunnaer *stm. Erkenner, Durch-
forscher* (scrutator) 55, 2.

ërdbaerig *Adj. erdgeboren* (terri-
gena) 87, 4.

ërd, ërde *stf.* 14, 2. 17, 1. 19,
2. 21, 1. 26, 1. 36, 5. 37, 1
u. o. swf. 45, 2. 100, 5. *Erde.*

êre, êr *stf.* 1, 8 *u. o. swf.* 79,
3. 90, 3. 95, 1. *Ehre.*

erhaellen *s.* erhëllen.

erhâhen *Part.* erhangen *stv. er-
hängen* 60, 1. 77, 4.

erhangenusse *stf. Erhängung* (sus-
pendium) 56, 2.

erheben 23, 4. 67, 4. erheven
23, 1. 4. 67, 5. urhebcn 38, 5.
stv. erheben.

erhëllen 72, 3. erhaëllen 72, 5.
stv. erschallen.

erhellen *swv. hell machen* (re-
texere) 106, 5.

erheven *s.* erheben.

erhôren *swv. erhören* 31, 1.

erlëdigen *swv. erledigen* 36, 6.

erlëdigunge *stf. Erledigung* 35, 1.

erleschen *swv. erlöschen* (extin-
guere) 7, 2.

erlîden *stv. erleiden* 61, 2.

erliuhten 25, 3. 99, 5. erlûhten
20, 4. 32, 2. 86, 2. *swv. er-
leuchten.*

erliutern *swv. erläutern, verklären,
aussöhnen* (expiare) 59, 5.

erloesaer 99, 3. erloeser 42, 2.
44, 1. 46, 2. 61, 1. 62, 1.
5. 96, 1. 105, 6. erlosaer
36, 1. 74, 12. urlosaer 31, 1.
vrlosaere 1, 7. urloser 21, 3.
24, 5. 34, 1. *stm. Erlöser.*

erloesunge *stf. Erlösung* 56, 3.
70, 1.

erloesen 97, 1. erlôsen 63, 5.
83, 8. 88, 2. *swv. erlösen.*

erlûhten *s.* erliuhten.

ërnsthaft *Adj. ernsthaft* 13, 4.

ërnstlîche *Adj. ernstlich* 2, 5.

êroriu *Compar. von* êr = *eher*
93, 5.

erretten *swv. erretten* 56, 3. 63, 3.

êrsam *Adj. ehrsam* 83, 6.

erscëllen 91, 6. erschëllen 3, 3.
stv. erschallen.

erschînen 25, 3. 33, 2. 35, 1.

16*

44, 1. 51, 3. 4. 54, 3 u. o.
erscînen 87, 3. stv. erscheinen.
erschricken, Praet. erschrihte swv.
erschrecken 37, 6.
erschûhen swv. scheuen 106, 2.
erschuten swv. erschüttern 62, 5.
erslahen stv. erschlagen 38, 6.
63, 2. 89, 4.
erslaher stm. Erschlager (interem-
tor) 41, 6.
erspringen stv. entspringen 23, 1.
êrst Superl. von êr = eher 1, 1
u. o.
erstân, erstên stv. erstehen 33, 2.
64, 2. 65, 4. 10. 67, 3. 5.
ersûchen swv. ersuchen, durch-
suchen (scrutari) 41, 4.
erswarzen swv. schwarz werden
62, 5.
erteilen swv. urtheilen (censere,
judicare) 18, 3. 47, 3. 67, 4.
ertoeten swv. ertödten 102, 4.
ervlêgen swv. erflehen 79, 4.
ervollen 46, 1. 105, 5. ervullen
24, 5. 35, 2. 45, 1 u. o. swv.
erfüllen (com-, im-, replere).
ervurhten swv. Furcht empfinden
(tremiscere) 44, 5. (pavere)
73, 3. 102, 6.
erwaejen swv. anwehen 72, 5.
erwahsen stv. erwachsen, aufgehen
(von dem Tageslicht) 5, 1.
erwechen swv. erwecken 2, 3.
30, 7.
erwelen swv. erwählen 60, 4.
77, 8. 89, 1.
erwelunge stf. Erwählung 77, 3.
erwenden swv. ab-, zurückwenden
V. 2, 13. III. 5, 8.
erwërben stv. erwerben 55, 3.

erwîsen swv. besuchen (visitare)
50, 1. 71, 1. 72, 9.
erzenîe stf. Arznei 24, 2. 31, 2.
55, 3. 102, 5. 103, 4.
erzunden swv. entzünden 71, 4.
-es Verbalendung der 2. Person
Sg., worüber zu vgl. Grimm I,
856 f. 868 f. 932. Vgl. 1, 7.
2, 1. 20, 1. 79, 4. 8. 81, 2.
86, 5. 102, 9. Meist steht -est,
zuweilen fehlt alle Flexion, z. B.
gaeb du 17, 1. du gab 94, 3.
eü s. scheücz, kreücz, keüsch,
freüdenreich, feücht, erleücht,
iunkfreülich IV.
-ev (eu) Flexionsendung für iu in
chuschev 30, 4. dinev 49, 5.
disev 54, 4. gewunnev 101, 8.
vollev 46, 1. 101, 6. und wol
auch alʒev 39, 3. dew (die)
I. 8, 3. XIII. 3, 4. vollew I,
12, 2. Vgl. Grimm 3. A. 1, 108.
êwart stm. Gesetzbewahrer, Prie-
ster (sacerdos) 95, 7. 97, 4.
êwen, von ewen ze ewen, dat.
Adv. von Ewigkeit 41, 8.
êwec 35, 9. ewic 1, 7. 45, 5.
50, 1 u. o. Adj. ewig.
êweclîche 80, 7. êweclîchen 27,
2. 32, 5. 42, 6. 53, 8 u. o.
êwiclîch 8, 2. 9, 3 u. o. êwic-
lîche 12, 4. 89, 7. 90, 5.
êwichlichen 79, 5. Adj. u. Adv.
ewiglich.
êwichait XI. 2, 1. êwikhait II.
2, 6. stf. Ewigkeit.
êwirden (für êwirden) swv. ehr-
würdigen (venerari) 84, 3.
êwirdic 45, 1. ewirdich 94, 5.
(für êrwirdic) Adj. ehrwürdig.
êwirdigen (für êrwirdigen) swv.

ehrwürdigen (venerari) 81, 1.
92, 2.
êʒʒen *stv* essen 5, 3. 13, 6.
53, 3. 54, 1.

F.

faige *s.* vaige.
falsc *s.* valsch.
festen *s.* vestenen.
ff, pf, ph *wechseln besonders in*
dem Worte schepfaer.
fiver, fiwer *s.* viur.
flêgic *s.* vlêgic.
flëhten *stv. flechten* 89, 2.
fleisc, fleisk *s.* vleisc.
F l e x i o n, s t a r k e, *des Adj. nach*
dem Artikel 31, 1. 41, 2. 51,
1. 65, 2. 68, 5. 100, 2. 101,
9. *nach* diser 76,1. s c h w a c h e
bei einem Adj. ohne Artikel
40, 3. 41, 2. 43, 3. 46, 2.
98, 1. 102, 3. 105, 4. —
Starke Flexion fehlt 68, 5. 6.
all dy lieb III. 1, 11.
fliegen *stv. fliegen* 91, 3.
fliehen *s.* vliehen.
flieʒen *s.* vlieʒen.
fliʒ *Fleiss* (nisus) 4, 1.
fluʒ *s.* vluʒ.
frais *s.* vreise.
frî *s.* vrî.
fride *s.* vride.
friden *s.* vriden.
frô *s.* vrô.
frôn *Adj. frohn, heilig, hehr* IV.
4, 5. 11 *u. o.*
froven *s.* vroven.
früchtig *Adj. fruchtbar, schwan-*
ger VI. 5, 1.

frum *Adj. förderlich, nützlich* 15,
3. *s.* vromen.
frumicheit *stf. Frömmigkeit* (pro-
bitas) 94, 1.
fûge *s.* vûge.
fûgen *s.* vûgen.

G.

gâbe *stf. Gabe* 1, 4 *u. o.*
gâben *swv. begaben* (munerare)
1, 4.
gagenwurtic *s.* gegenwertic.
gâhens 72, 3. gâhes 37, 4. 65, 8.
Adv. eiligst, plötzlich.
galge *swm. Galgen* 60, 1.
gân, gên *stv. gehen* 43, 2. 77, 5.
101, 5.
gantreitet = geantreitet *s.* an-
treiten.
ganz *Adj. ganz, unversehrt* 41, 7.
75, 2. 87, 5.
gar *Adj. ganz* (totus) 13, 8.
gaerliche 106, 2. gaerlichen 55,
4. *Adv. ganz u. gar.*
gaernde 47, 3. 74, 4. 9. 11.
97, 2. 103, 4. 106, 1. 110, 4.
111, 3. garnde 82, 2. 94, 5.
95, 2. garnende 101, 3. *stf.*
Verdienst, s. arnen.
garnen 3, 2. 47, 1. 69, 2. 94, 5.
95, 8. 103, 4. 113, 3. gear-
nen 58, 2. 69, 2. 74, 8. 101,
8. *swv. verdienen, s.* arnen.
gazʒe *swf. Gasse* 101, 2.
ge- *fehlt vor dem Part. praet. zu-*
weilen, so bei chomen 35, 1.
36, 4. 40, 1. 41, 3 *u. o.*
chundet 35, 2. gruʒet 79, 5.

geben 89, 1. 98, 5. 107, 3.
braht 102, 5. glovbet 11, 1.
gearnen *s.* garnen.
gĕbaer *stm. Geber* (largitor) 94, 1.
gĕbaerinne *stf. Geberin* (datrix)
44, 6.
gebawen *swv. bauen* I. 5, 3.
gĕbe *stf. Gabe* 44, 6. 85, 3.
gĕben *stv. geben* 2, 1 *u. o.* du
gab (dedisti) 94, 3. gaeb du
17, 1.
gebende *stn. Fessel* 16, 4. 26, 4.
61, 2. 62, 2. 63, 6. 68, 3.
71, 5.
gebëren *stv. gebären* 32, 1. 35, 8.
9. 36, 1. 37, 1 *u. o.*
gebĕt *stn. Gebet* 9, 2. 30, 3 *u. o.*
gebĕtten (precibus) 96, 4.
gebiuten, gebieten 9, 2. 26, 1.
2. 43, 4. 44, 7. gebûten 18, 3.
stv. gebieten.
gebot *stn. Gebot* 17, 4. 35, 6.
63, 3. 104, 3.
gebrĕsten *stv. gebrechen, fehlen*
(deesse) 50, 2.
geburt *stf. Geburt* 34, 1. 35, 4.
36, 6 *u o.*
gebûwen *stv. leben* I. 6, 3.
gedagen *swv. schweigen* 42, 3.
gedinge *stn. Hoffnung* 25, 1. 36,
2 *u. o.*
gedingen *swv. hoffen* 25, 5. 56, 1.
gedulte *stf. Geduld* 106, 4.
gedenchen *anom. V. gedenken* 9, 3.
22, 2.
gegenwertic *Adj. gegenwärtig* (ob-
vius) 90, 3. gegenwurtic (prae-
sens) 93, 5. gegenwurtig 94, 8.
gagenwurtic 96, 2. gagenwrt
110, 2.
gehaeiʒen *s.* geheiʒen.

gehaiʒen *s.* geheiʒen.
gehalten *stv. erhalten, bewahren*
25, 4.
geheiligaer *stm. Heiliger* (dica-
tor) 59, 1.
geheiligen *swv. heiligen* (sacrare)
53, 2.
geheiʒ *stn. Verheissung* 74, 3.
geheiʒen, geheiʒʒen 9, 2. *Part.*
gehaeiʒen 42, 4. gehaiʒen 71,
3. 72, 1. *stv. geheissen, ver-
sprechen.*
gehengen *swv. geschehen las-
sen, übereinstimmen* (consentire)
11, 3.
gehôrsamen *swv. gehorsam sein*
17, 4.
gehuge *Adj. eingedenk,* wis ge-
huge (sis memor) 90, 4. *Vgl.*
ungehuge.
gehugen *swv. gedenken* 11, 6.
36, 3. 47, 3. 49, 5. 53, 7.
99, 6.
gehuldigen *swv. huldigen* (flectere)
53, 5.
geisel *stf. Geisel* (scorpio) 99, 4.
geist *stm. Geist* 1, 9 *u. o. Pl.*
geiste 96, 2.
geistlĭch *Adj. geistlich* (spiritualis)
54, 4. 71, 2. 89, 4.
gelaben *swv. laben, erquicken* (re-
creare) 72, 9.
geleit = geleget 74, 4.
gelîch *Adj. gleich* 32, 5. 47, 5.
50, 1. 56, 4. 77, 2. 78, 3.
86, 7. 113, 5. ir gelîche (con-
sortes) 89, 2.
gelîchen *swv. gleich machen* (adae-
quare) 77, 3.
geligere *stn. Lager* 12, 1.
geloube 2, 6. 25, 5 *u. o.* gelöbe

13, 5. 30, 6. 50, 2. 56′, 1.
58, 1. 99, 3. 100, 3. 105, 4.
glôbe 89, 1. 2. 90, 2. 94, 7.
glovb 13, 7. *swm. Glaube.*
gelouben 35, 8. 83, 3. gelôben
38, 1. 46, 3. 56, 1. 62, 1.
71, 6. 101, 5. 104, 4. glou-
ben 11, 1. *swv. glauben.*
geloubic 30, 5. 31, 1. 44, 1.
gelôbic 35, 3. 60, 3. 72, 4
u. o. gloubig 15, 3. *Adj. gläu-*
big
geloblîch *Adj. glaublich* (fidelis)
42, 4.
gëlten *stv. bezahlen* 40, 2. 96, 6.
VI. 2, 21.
gelubde *stf. Gelübde* 26, 4. 40, 4.
71, 5.
gelust *stf. Gelust, Wohlgefallen*
(luxus) 85, 2.
gemach *stn. Gemächlichkeit, Vor-*
theil (commodum) 98, 5.
gemahsam *Adj. passend, angemes-*
sen (aptus) 17, 2.
gemaine *s. gemeine.*
gemait *Adj. angenehm, froh* VII.
4, 6.
gemeilen *swv. bemakeln, beflecken*
(polluere) 35, 7.
gemeilic *Adj. bemakelt, befleckt*
74, 1.
gemeiligen *swv. bemakeln, be-*
flecken 74, 5.
gemein *Adj. gemein,* gemein dinc
Staat (respublica) 66, 4.
gemeine *Adv. zugleich* (pariter)
3, 2. 95, 8. gemaine 95, 3.
gemêren *swv. vermehren* 50, 2.
60, 6. 62, 4. 112, 4.
gemme *swf. Edelstein* (gemma)
78, 2.

gemûsten *s.* mûʒen.
gemûte 18, 3. 19, 3. gemût 79, 3.
stn. Gemüth.
gen, *Praep. mit dem Dativ, gegen*
IV. 2, 9.
genâde 25, 2. 30, 1. 3 *u. o.*
gnâde 10, 1. 13, 3 *u. o. Gen.*
pl. genaden 71, 5. *stf. Gnade.*
genaedic 47, 1. 50, 2. 4. 65, 11,
101, 7. 103, 1. 112, 1. ge-
naedich 76, 3. gnâdig 94, 8.
gnadich 78, 3. 80, 5. 89, 7.
93, 4. *Adj. gnädig.*
genaedicheit *stf. Gnädigkeit, Gnade*
53, 6. 70, 2.
genaediclîch 1, 7. gnâdiclîche 91,
1. *Adv. gnädiglich.*
genende *stf. Person* 50, 5.
genêsen *stv. genesen, gebären*
37, 5.
genibele, *stn. Genebel, Gewölk*
19, 1.
genist, genyst *stf. Genesung* IV.
8, 22. V. 5, 1. VIII. 2, 7.
genôte *Adj. gezwungen* (coactus)
85, 1.
genôʒschaft *stf. Genossenschaft*
105, 6.
genügen *swv. genügen* (affluere)
98, 2. (redundare) 98, 5.
genuht *stf. Genüge, Fülle* I. 12, 2.
genuhtic *Adj. genügend* (abundans,
profluus) 64, 3. 73, 2.
genuhtlîchen *Adv. genüglich* (af-
fatim) 27, 3.
gerâten *stv. gerathen,* (suggerere)
26, 3.
gereden *swv. reden* 22, 2.
gerêht *Adv. also* (ergo) 2, 5.
gerechtikait *stf. Gerechtigkeit* VI.
2, 18.

gereit 74, 3. 98, 4. 100, 6. ge-
reitter 6, 1. greit 80, 2. *Adj.*
bereit.
gëren, gërn *stv. begehren* 12, 2.
21, 3. 44, 4. 77, 5. 81, 3.
83, 5. 94, 2. 5. 113, 2. an
einen gërn I. 1, 8.
gërne *Adv. gerne* (libenter) 110,
4. gëren I. 4, 2.
gerte *stf. Gerte* (virga) 35, 4.
86, 4.
gerûchen *swv. geruhen, für gut
finden* 6, 1. 35, 6. 50, 4.
62, 3. 74, 12, 82, 4. 89, 7.
*Gerundium, das lat., wird durch
eine Art flectierten Infinitivs
übersetzt, aber ohne Praepos.
Vgl.* Grimm IV, 105. ab-
twahunde (abluendo) 43, 3. an-
sehend (videndo) 2, 7. antrei-
tunde (dispensando) 100, 3.
bittende (precando) 81, 7. bit-
tunde (orando) 100, 6. brin-
gende (ferendo) 44, 3. brütend
(fovendo) 5, 2. chorunde (gu-
stando) 63, 2. entlibunde (par-
cendo) 70, 4. êwirdigend (ve-
nerando) 81, 1. gëbende (do-
nando) 108, 3. geruchende
(dignando) 35, 6. gesellende
(sociando) 95, 2. lidende (pa-
tiendo) 81, 2. schëllende (con-
crepando) 92, 1. schërmende
(defendendo) 48, 1. singend
(canendo) 90, 3. singende
27 3. singunde 15, 1. 19, 3.
66, 5. spottende (jocando)
81, 6. tiligende (delendo) 90, 4.
weinund (flendo) 19, 3. wër-
dende (nascendo) 36, 3. zan-
kende (laniendo) 81, 6. —

scadens (nocendi) 3, 2. ver-
tragenes (gerendi) 13, 4.
gerûric *Adj. rührig;* gerûric ma-
chen (vegetare) 110, 2.
gerûwen *swv. ruhen* 73, 6. 110, 2.
gerûwic *Ad. geruhig* 24, 2.
gesanc *stn. Gesang* 24, 1. 28, 3.
29, 2. 36, 5. 38, 1 *u. o.*
gesalten *swv. sättigen* 70, 4.
gesaeᴈe *stn. Sitz* 68, 1.
gescâfen 83, 6. geschâfen 35, 5.
37, 2. *stv. erschaffen.*
gescaft 79, 2. gescafte 83, 1.
stf. Geschöpf.
geschâfen *s.* gescâfen.
geschëhen *stv. geschehen* 45, 1.
73, 4.
geschepfe 53, 7. geschepfede
27, 1. 50, 5. 110, 5. *stf.
Geschöpf.*
gescihte *stf. Geschichte, Ereig-
niss* 13, 4.
gescoᴈ *stn. Geschoss* 28, 1. 31, 6.
gesëhen *stv. sehen* 80, 3.
geseit = gesagët 37, 5 *u. o.*
geselle *swm. Geselle* (socius) 93,
4. 106, 1.
gesellen *swv. gesellen* 74, 6. 80,
1. 5. 93, 2. 95, 2. 8. 106, 1.
geselleschaft *stf. Gesellschaft*
39, 2.
gesidele *stn. Gesiedel, Sitz, Woh-
nung* 1, 3. 93, 2.
gesigen *swv. siegen* 65, 3. 66, 4.
76, 2. 105, 4. 106, 1. 108, 3.
gesiger *stm. Sieger* 62, 6. 65, 3.
67, 3. 70, 3.
gesihene *stn. Gesicht, Aussehen*
89, 6.
gesiune 69, 9. gesûne 5, 3. *stn.
Gesicht* (visus).

geslaehte 23, 1. 43, 4. 44, 1.
46, 2 *u. o.* geslahte 26, 1.
84, 1. 91, 1. geslehte 23, 2.
gslaehte 83, 7. geschlecht I.
2, 4. *stn. Geschlecht.*

gesperren *swv. sperren* (claudere)
30, 5.

gespreng *stn. Gespreng, Besprengen*
I. 1, 21.

gestân, gestên *stv. stehen, bestehen*
(extare) 1, 1. 92, 4.

gestirne *stn. Gestirn* 31, 5. 47, 4.
67, 3. 69, 1.

gestümen *swv. stumm, emfindungs-
los werden, sein* VI. 4, 26.

gesûne *s.* gesiune.

gesund *Adj. gesund:* wis gesund
(salve) 90, 5.

gesunt *stm. Gesundheit* 110, 3.

getan *Part. v.* tuon: so getan *so
beschaffen, solch* (talis) 40, 4.

getrawen *swv. getrauen* I. 6, 2.

getriwe *Adj. getreu* 13, 5. 80, 8.
100, 5.

getriwelîch *Adj. getreulich* 98, 4.

getroc *stn. Trug, Trugbild* (mon-
strum) 102, 6.

gevag *Adj. theilhaftig* (compos)
104, 5.

gevâhen 11, 4. gevangen 38, 6.
stv. ergreifen.

gevar *Adj. Farbe habend* IV. 5, 15.
8, 4.

gevallen *stv. niederfallen* 24, 5.
gevallen (placere) 48, 1. 53, 8.

gevangen *s.* gevâhen.

gevellichlîch *Adj. passend* (con-
gruus) 27, 2.

gevolgen *swv. folgen* 54, 4.

gevreven *swv. erfreuen* 21, 4. 45, 3.

gevůcliche *Adv. gefüglich, passend*
(apte) 81, 9.

gevulche *stn. Gewölk* 68, 5.

gevûr *stn. Vortheil* (commodum)
1, 7.

gewalt *stm. Gewalt* 23, 1. 24, 3.
31, 4. 43, 4. 48, 3. 64, 1.
76, 3. 85, 4. I. 10, 1.

gewaltic 30, 8. 51, 3. 62, 5.
74, 9. 11. gewaltich 7, 1.
geweltic 13, 3. 94, 5. *Adj.
gewaltig.*

gewaltichlîchen 24, 1. gewaltic-
lîchen 27, 1, 44, 7. *Adv. ge-
waltiglich.*

gewand *stn. Gewand* 63, 1.

gewaschen *stv. abwaschen* (abluere)
97, 4.

geweltic *s.* gewaltic.

gewëren, gewërn *swv. gewähren*
45, 4. 102, 9.

gewinnen *stv. gewinnen* 40, 1.
45, 4. 101, 8.

gewis, gewisse *Adj. gewiss* 20, 3.
31, 5. 45, 1. 47, 4.

gewisse *Adv. gewiss* (nempe) 102,
7. 109, 2. (quidem) 55, 3.
74, 7.

gewizze *stf. Bewusstsein* (conscien-
tia) 106, 4.

gewon (gewont) *Adj. gewohnt* 10, 1.

gezebraht *d. i.* zubraht *zugebracht*
63, 4.

gezelt *stn. zelt* (castra) 100, 4.

gezemelich *Adj. geziemend* (ap-
tus) 95, 6.

gezëmen *stv. geziemen* 34, 1.

gezierde 47, 5. 49, 3. 52, 7.
54, 1. 76, 1. 110, 5. *stf.
Zierde.*

gezimber *stn. Gebäude* 101, 4.

gezuht *s.* züken.

gibe *für* gib 53, 7. 54, 4.

gie *d. i.* gienc *(gieng)* 77, 5.

giezen 18, 4. 19, 1. 43, 4 *u. o.*
giezzen 80, 4. *stv. giessen.*

gilben *swv. gelb werden, gelb sein*
IV. 4, 3.

gimme (*lat.* gemma) *stf. Edelstein*
101, 3.

girde *stf. Begierde* 57, 2. 70, 1.

gist = gibest 62, 5.

git = gibet 38, 7. 44, 8. 43, 1.
76, 1.

gk *im Auslaut* XXI. 6, 5.

glid *stn. Glied* 60, 4. 74, 6 *u. o.*
Dat. pl. gliden 44, 6. 74, 6.

gloube, glouben *s.* geloube, ge-
louben.

gloubig *s.* geloubic.

gmûte *s.* gemûte.

gnâde *s.* genâde.

gnâdich *s.* genaedic.

gnâdicliche *s.* genaediclîch.

gnaeme *Adj. genehm, angenehm*
17, 2.

gnâhen *swv. nahen* 17, 4.

gold *stn. Gold* 101, 2.

got *stm. Gott* 2, 9 *u. o.*

gotheit 50, 5. 106, 6. gotehait
32, 5. gotheit 3, 3. 56, 4.
90, 5. 94, 6. *stf. Gottheit.*

gotlich *Adj. göttlich* (deificus) 87, 1.

grab *stn. Grab* 63, 6. 93, 3.
110, 3.

grâve *swm. Graf* 101, 1.

greit *s.* gereit.

grieche *stm. Grieche* 72, 6.

grim, *Gen.* grimmes *Adj. grimmig*
46, 3. 49, 4. 64, 2. 102, 6.
113, 3.

griulich 44, 6. 70, 2. griulîch

65, 5. grůlich 1, 6. 68, 5.
106, 3. *Adj. grauenerregend.*

grogieren *swv. schreien, wieder-*
hallen XVII. 2, 4.

grôz, *Adj. gross* 40, 2. 41, 7.
so grôz (tantus) 77, 6. 7 *u. o.*

grôzen *swv. grösser werden* (tu-
mescere) 34, 3.

grůlich *s.* griulich.

grumad *stn. Grummet* IV. 7, 11

grüne *stf. Grüne* 17, 3.

gruntfesten *swv. auf den Grund*
befestigen 77, 6.

gruntveste *stf. Grundfeste* (fun-
damentum) 101, 5.

grůz, *stm. Gruss* 52, 2. wis grůz
= *sei gegrüsst* (salve) 88, 1.

grůzen *swv. grüssen* 44, 1.

gslaehte *s.* geslaehte.

guldin *Adj. golden* 22, 1. 76, 1.
84, 3.

gurtel *stf. Gürtel* 74, 6.

gurten *swv. gürten* 34, 6. 44, 5.
77, 5.

gût 1, 2 *u. o.* gut 95, 10. 99, 6.
Adj. gut.

gûtât *stf. Gutthat* 32, 3.

gûte *stf. Güte* 4, 2. 27, 1. 70,
4. 94, 3. 95, 1. 101, 7.

gütikhait *stf. Gütigkeit* VI. 1, 9.
VII. 4, 24.

gûtlich *Adj.* 62, 1. 102, 1. 103,
3. 108, 2. *Adv.* 55, 1. gût-
lichen *Adv,* 44, 8. *gütlich.*

H.

haben *anom. V. haben* 18, 4.
85, 1, 86, 2. 95, 7.

hach *s.* hôch.

haele *Adj. schlüpferig, vergäng-*

lich (lubricus) 22, 3. 28, 1.
42, 3.

haellen s. hëllen.

hailen s. heilen.

hailig s. heilig.

hailikhait stf. Heiligkeit VI. 3, 16.

hain acc. Adv. heim, nach Hause
V. 4, 16. VIII. 4, 2.

hals stm. Hals (collum) 89, 4.

halsåder swf. Halsader, Hals (ju-
gulum) 89, 4.

halspërch stm. Panzerhemd (lo-
rica) 89, 2.

halsslac stm. Halsschlag, Ohrfeige
(colaphus) 61, 2.

halten stv. halten, weiden (pas-
cere) 112, 2.

hralz Adj. lahm 81, 4.

han, hane swm. Hahn 2, 5. 6
u. o.

hand, hant Gen. hand u. hende
stf. Hand 18, 3. 22, 3. 38, 6
83, 4. 101, 4. 107, 3.

hangen stv. hangen 60, 5. 99, 4.
107, 4.

hantgetåt stf. Schöpfung der Hand
V. 2, 3. VIII. 1, 11.

hantvest stf. Bekräftigung durch
Handschrift (chirographum)
56, 3.

hart s. hert.

hazzen swv. hassen 85, 3.

heben stv. heben, unhôhe heben
(flocci pendere) 50, 3.

heiden stm. Heide (barbarus)
72, 6.

heil stn. Heil 2, 6 u. o.

heil Adj. heil, heil wëren (avere)
60, 6.

heilant stm. Heiland 97, 1.

heilen 88, 4. 91, 4. 100, 6. 104,
4. hailen 31, 2. swv. heilen.

heilhaft Adj. heilhaft, heilsam (sa-
lutaris) 78, 1.

heilic 1, 4. 3, 2. 3. 64, 5. 72,
4 u. o. heilich 11, 2. 31, 6.
heilig 18, 2. 79, 3. 86, 1.
88, 1. hailic 84, 2. Adj. heilig.

heiligen swv. heiligen 54, 1 u. o.

heint Adv. heute Nacht IX. 2, 2.

heiter Adj. heiter 22, 2. 102, 9.

heiz Adj. heiss 57, 3. 73, 2.

heizen, heizzen stv. heissen (vo-
cari) 9, 2. 95, 4. Part. ge-
haizen (promissum) 71, 3.
72, 1.

heken swv. stechen, beissen V.
2, 10.

hël, Gen. hëlles, Adj. hell (ca-
norus) 30, 4.

hëlfe 38, 1. 44, 8. hilfe 48, 2.
78, 3. 81, 4. 85, 1. 86, 6.
97, 1. stf. Hilfe.

hëlfen stv. helfen 32, 1. 41, 2.
48, 1. 2. 80, 6. 110, 4.

helle stv. Hölle 1, 6. 34, 5 u. o.
IV, 4. 14.

hëllen 28, 3. 33, 1. 65, 1 u. o.
haellen 112, 3. stv. hallen,
erschallen.

hengen swv. beistimmen (annuere)
97, 5.

hër Adv. her 16, 4. 18, 1. 87, 1.
89, 1. 93, 1.

hër Adj. hehr, erhaben 81, 9.
83, 6. 7. 8. 84, 1. 95, 3.

hërbrinchen herbringen (ingerere)
16, 4 s. brinchen.

hërlich Adj. herrlich (herilis)
75, 1. (clarus) 95, 6. (vene-
rabilis) 82, 2. (gloriosus) 108, 1.

(magnificus) 86, 2. (inclytus)
87, 1. (almus) 89, 1. 95, 3.
(sollemnis) 95, 2.

hërnâch *Adv. hernach* (post) 32, 3.

hërnider *Adv. hernieder,* hërnider
chomen (illabi) 73, 5.

hêrre *swm. Herr* 3, 1 *u. o.*

hër scouwen *herschauen* (adspi-
cere) 11, 5. 18, 1. *s.* scouwen.

herschaft 76, 2. hêrscaft 85, 4.
93, 5. *stf. Herrschaft.*

hert (*in der Flexion, sonst* hart)
63, 3. 75, 4. 11. 85, 1.

hèrwe *Adj. herbe* 13, 4.

hërze *swn. Herz* 5, 3 *u. o. Dat.*
mit hërze 94, 2. 95, 2. *stn.*
67, 5. 75, 5.

herzoge *swm. Herzog, Heerfüh-
rer* 105, 2.

hërzubel *stf. Verstandeslosigkeit*
(vecordia) 5, 3.

hew *stn. Heu* 37, 6.

hie *Adv. hier* 49, 2. 53, 8. 101, 3,
8. 102, 4. 5. 6.

hilfe *s.* hëlfe.

himel *stm. Himmel* 1, 3 *u. o.*
Gen. sg. himel 3, 2. 45, 2.
83, 7. himeles 83, 2. 100, 1.
himels 83, 5. *Dat. sg.* himel
101, 2. himele 81, 7. 91, 3.
4. *Acc. pl.* himele 68, 3. *Gen.*
pl. himele 89, 2. 90, 1. *Dat.*
pl. himeln 101, 1. himelen
82, 3.

himelbaeric *Adj. himmelgeboren*
(coeligena) 87, 4.

himelbiwaer 32, 4. 103, 1. 111,
2. himelbûwaer 1, 8. 40, 2.
himelbûwar 93, 2. *stm. Him-
melsbewohner.*

himelisc- 79, 4. 80, 1. 7. 84, 1.

90, 3. himelisch- 37, 7. 43,
1. 3. 44, 6. 49, 4. 50, 3.
54, 1. 91, 2. 100, 5. hime-
liskiu 31, 4. 37, 3. himlisc-
14, 2. *Adj. himmlisch.*

himeliscen 89, 3. himelische 91,
2. himelischen 24, 3. 54, 1.
73, 5. *Adv. vom Himmel* (coe-
litus).

hinevaren 19, 1. hinvaren 13, 7. *stv.*
hinfahren (transire, discedere).

hinkêren *swv. hinkehren* (aver-
tere) 88, 4.

hinnëmen *stv. hinnehmen* 33, 2.
64, 3.

hinruchen *swv. hinrücken* (remo-
vere) 27, 2. 102, 6.

hintûn *V. anom. hinthun* (tollere)
21, 3. 96, 6.

hinvallen *stv. hinfallen* (decidere)
28, 2.

hinvaren *s.* hinevaren.

hinze = hin ze *Praep. hin zu*
(in) 93, 3.

hirte *swm. Hirte* 37, 7. 49, 5.
76, 3.

hitze *stf. Hitze* 6, 2 *u. o.*

hiute *Adv. heute* 80, 7. 93, 1.
98, 7. 100, 7. 110, 1.

hiutic *Adj. heutig* (hodiernus)
100, 1.

hôch, hôh *Adj. hoch* 25, 1. 30,
7. 35, 7 *u. o. Gen.* hoeher
(supernae) 100, 4. *Superl.* hoe-
hest 39, 3. 71, 2. 101, 9.
hach XI. 8, 8.

hôchtragend *Part. hochtragend,*
stolz (tumens) 35, 7.

hochzît 50, 2. 64, 5. hôhzît
80, 7. 82, 2. 86, 1. 87, 3.

95, 4. 6. 8 *u. o. Hochzeit,*
Hochfest.
hoehe 42, 3. 45, 5. 51, 5. 62, 6.
67, 4 *u. o.* hôhe 78, 2. *stf.*
Höhe.
hoeren 41, 3. 47, 1. 55, 1. hô-
ren 1, 3 *u. o. swv. hören.*
hôh *s.* hôch.
hôhunge *stf. Erhöhung* 88, 5.
hôhzît *s.* hôchzît.
hôhzîtlîch *Adj. hochzeitlich, hoch-*
festtäglich 89, 6.
hol *stn. Höhle* 74, 5.
hold *stm. Diener, Anhänger* 41, 3.
holz *stn. Holz* 60, 3. 81, 2.
88, 1. 2.
hônchust *stf. Arglist* 30, 7. 98, 3.
hônchustic *Adj. arglistig* (subdo-
lus) 61, 3.
honic *stn. Honig* 74, 6.
hôren *s.* hoeren.
houbet *stn. Haupt* 77, 8. 93, 3.
houschrëch *stm.? stf.? Heuschrecke*
74, 6.
hov *stm. Hof* (curia) 78, 2. 111, 4.
hûfen *swv. häufen* 74, 10.
hulde *stn. Huld* 58, 2.
huldigen *swv. huldigen, besänf-*
tigen 39, 2. 49, 2. 62, 1.
67, 2. 96, 1.
hunger *stm. Hunger* 57, 2.
hungern *swv.* (impers.) *hungern*
37, 6.
hûrlich *Adj. huhrerisch* (adultera)
85, 1.
hûrlust *stm. Huhrlust* (libido) 1, 5.
hûs *stn. Haus* 37, 4. 45, 3. 102,
3. 103, 1.
hûsgenôʒ, hûsgenôʒʒe *swm.* 39,
2. 74, 5. *stm.* 97, 5. *Haus-*
genoss.

hûtaere *stm. Hûter* (custos) 92, 3.
hûte *stf. Hut, Schutz* 10, 1. 53,
3. 59, 4 *u. o.*
hûten *swv. hüten* 31, 5.

I.

i *in der Flexion des Nomens für*
e: *s.* stetin 101, 4. mv̊tin
112, 4.
-icheit, *darauf ausgehende Subst.*
chussecheit, drivalticheit, ein-
valticheit, êwichait, frumicheit,
genaedicheit, gerechtikait, gü-
tikhait, hailikhait, mähtikhait,
pittrichait, plodikhait, selikhait,
slèwecheit, süʒʒikhait, unreinec-
hait, upicheit, verwerticheit,
wirdikhait.
iedoch *Adv. jedoch, wenigstens*
(saltem) 74, 5.
iegelich, ieglich *Pronominaladj.*
jeglich 1, 4. 33, 1. 53, 5.
95, 6. 7.
iemen *Pronominalsubst. jemand*
74, 8.
iemer *Adv. immer* 42, 1. 49, 6.
50, 2. 6. 52, 1. 69, 3. 96, 1.
100, 6. 103, 2. 6. 113, 5.
iemmer 85, 4.
iender *Adv. irgendwo* 42, 3.
ienoch *Adv. immer noch* (adhuc)
80, 2.
ietwëder 94, 8. 101, 5. iewëder
71, 6. 74, 4. 113, 5. *jeder*
von beiden (uterque).
îlen *swv. eilen* 59, 5. 89, 3.
90, 3.
Imperativ sg. starker Verben auf
-e *findet sich öfters, vgl.* behalte

67, 2. besitze 65, 11. bite
97, 1. chume 71, 1. chum
97, 1. 101, 7. dwinge 26, 4.
enphahe 76, 3. 101, 7. 112,
1. erbiute 55, 2. gibe 53, 7.
54, 4. 5. 107, 2. gib 8, 2.
53, 6. 55, 4. 59, 4 *u. o.*
vergibe 38, 8. 108, 2. hilfe
48, 1. 2. uberwinde 108, 3.
verlihe 10, 3. 53, 9. verlih
1, 9. verlaʒe 59, 4. vertrîbe
26, 3. 74, 11. vertrîb 15, 2.
widerscîne 2, 8.

inbringen *v. anom. einbringen* (in-
gerere) 6, 2. (inferre) 81, 7.

ineist = inne ist (adest) 81, 2.

ingân, ingên *stv. eingehen* 3, 2.
37, 3. 83, 7.

ingieʒen *stv. eingiessen* 6, 1.
71, 4.

innaeder *stf. swf. Eingeweide* 35,
3. 37, 3. 72, 5, 107, 4.

inneclîch *Adj. inniglich* (intimus)
54, 3.

inner *Adj. inner* 9, 4. 75, 2.
79, 3. 98, 6. 106, 3.

innercheit *stf. Innerlichkeit* (in-
tima) 5, 3.

innerhalbe *Adv. innerhalb* 21, 4.

innerist *Superl. v.* inner 82, 1.
86. 1.

insenchen *swv. einsenken* 23, 2.

invaren *stv. einfahren, eintreten*
19, 1. 82, 2.

invûren *swv. einführen* 101, 3.

invlieʒen *stv. einfliessen* 57, 3.

ir *Pron. poss. ihr, undecliniert*
65, 5. 78, 3. 105, 6.

irdisc- 90, 2. irdiskiv 31, 4. ir-
disch- 108, 1. *Adj. irdisch.*

irretûm 22, 1. irretûm 80, 6.

irrtùm 2, 3. irtûm 14, 3. *stm.*
Irrthum, Verführnng.

-is *Genitivendung, s.* stritis 5, 2.

îsen *stn. Eisen* 41, 3.

itewîʒ *stm. Strafe, Schmach* (pro-
brum) 1, 7. 62, 4.

J.

iaeric *Adj. jährig, jährlich* (an-
nuus) 102, 2.

iâr *stn. Jahr* 36, 4. 44, 4 *u. o.*

iâriclîch 59, 5. iareglîch 51, 1.
iaerlîch 81, 1. iârlîch 87, 3.
Adj. jährlich (annuus).

ie *für* î *s* vierlîch.

iëhen *stv. bekennen, sagen* 44, 3.
V. 3, 11.

iocch 49, 4. ioch 35, 1. *stn. Joch.*

iudeschaft *stf. Judenschaft* 72, 7.

iugent *stf. Jugend* 42, 5.

iung, *Superl.* iungest 28, 3. 47, 5.
Adj. jung. zeiungest (tandem)
32, 2.

iunger *stm. Jünger* 50, 2. 65, 8.
72, 7. 73, 1.

K.

kch *s.* dekchen 5, 2. drukchen
10, 2. 11, 5. wekchen 2, 5.
entekchen 11, 1. kchos V. 2,
22. erkchennen VII. 2, 21.
pakchen XI. 5, 1. dankchen
XI. 9, 1. schenkchen XIX. 1, 6.
viele Wörter in XXII, 3. kch
im Auslaut. s. X. 1, 8.

kchifen (kieven) *swv. nagen* VI.
3, 5.

kk *s.* likken 2, 5. drukken 14, 4.
krey *stn. Geschrei* V. 1, 17, VIII.
2, 26.

L.

laden *swv. einladen* 13. 3. 16, 1.
80, 2. 89, 3.
laeraer, laerer *s.* leraer.
lâgen *swv. lauernd liegen, nach-
stellen* 11, 5.
laichen *swv. hintergehen* VI. 1, 10.
lamb 63, 1. 4. lamp 33, 3. 43,
3. 63, 1. 90, 4. *Pl.* lember
100, 3. *stn. Lamm.*
land, lant *stn. Land, Vaterland*
27, 3. 65, 6. 8. 66, 4. 102, 7.
lang *Adj.* 102, 11. lange *Adv.*
21, 1. *lang.*
laster *stn. Laster* 21, 2. 23, 3 *u. o.*
latinisch *Adj. lateinisch* 72, 6.
lâwen *swv. lau werden* (tepescere)
24, 4.
lâʒen *stv. lassen* 62, 5. 80, 2.
85, 1.
lëbelich 9, 4. 26, 2. 61, 4. 88, 2.
lëblich 88, 1. *Adj. zum Leben
gehörend* (vitalis).
lëben *swv.* (*oft substantivisch*)
leben 1, 7 *u. o.* dës lëbenes
81, 5. dëm lëbene 61, 3. 64, 2.
lëbend *Part. Adj. lebend* (vivus)
79, 5. 90, 5.
lëbendîc *Adj. lebendig* 66, 2. 71,
2. 101, 1.
lëber *swf. Leber* 27, 2.
lëblich *s.* lëbelich.
lëfs *stm. Lefze* 74, 1.
legen *swv. legen* 35, 5.
leib *s.* lîb.

leid, leit *stn. Leid, Bedrängniss*
17, 1. 18, 4. 52, 3. 102, 10.
leiten 44, 2. 56, 2. 90, 3. 93, 3.
leitten 3, 2. 95, 5. *swv. leiten,
führen.*
leiter *stm. Leiter, Führer* (dux)
49, 5.
leraer 95, 7. laeraer 76, 2.
laerer 76, 4. *stm. Lehrer.*
lêre *stf. Lehre* (exemplum) 50, 2.
leer IV. 5, 13. VI. 3, 4.
lêren *swv. lehren* 48, 2. 53, 1.
72, 8. 76, 4. 94, 3. 4. 99, 4.
lest *Sub. v.* laʒ *letzt* 40, 3. 53, 8.
lewe 54, 3. lev 66, 2. I. 13, 3.
swm. Löwe.
lîb *stm. Leib* 1, 6 *u. o.* (caro)
40, 5. 60, 1, 65, 10. 98, 1.
lieb 67, 3. leib I. 12, 1. 13, 1.
liblich *Adj. leiblich* 62, 3. 65, 9.
100, 3.
lîbnar *stf. Leibesnahrung* 81, 4.
lîchname *swm.* 22, 3. 34, 6.
36, 3. 37, 2. 44, 4. 55, 4 *u. o.*
lîchnam *stm.* 24, 4. 26, 2. 41,
5. IV. 5, 18. *Leichnam, Leib.*
lid *stn. Glied* 12, 1. 98, 1. 2.
lîden *stv. leiden* 62, 3. 70, 2.
81, 2.
lieb *s.* lîb.
lieb *Adj. lieb* 47, 1. 54, 2. 89,
1. 101, 6.
licht *stn. Lieht* 2, 2 *u. o. stm.*
19, 1.
lieht *Adj. licht, leuchtend* 20, 1.
51, 5. 79, 1. 95, 5. 96, 4.
liehten *swv. Licht, Tagwerden*
(albescere) 19, 1.
liehtvaʒ *stn. Lichtfass* (lucerna)
51, 5.
lieplîche *Adv. lieblich* (pie) 81, 7.

ligen 37, 6. ‚likken 2, 5. *stv.*
liegen.
lihtem iedoch *Adv. wenigstens*
doch (saltem) 74, 5.
likken *s.* ligen.
lilie *swf. Lilie* 112, 2.
lind, lint *Adj. gelind, schmeichel-*
haft 65, 6. 109, 2.
listwurchaer *stm.* 83, 4. list-
wurche *swm.* 101, 4. *List-*
wirker (artifex).
liten *s.* liden.
liut *stn. Volk* 39, 2. 48, 1. 2.
63, 5. 7. 68, 2. 77, 8. 99,
4. 102, 2.
liuter 22, 2. 43, 3. 49, 1. 50,
2. lûter 19, 3. 74, 12. lûter
101, 2. 113, 4. lutter 5, 3.
22, 2. *Adj. lauter.*
lob, lop *stn. Lob, Lobgesang* 3,
1. 24, 1. 25, 2. 31, 7. 32,
2. 36, 6. 47, 6. 50, 5. 93, 1.
109, 1.
lobelich *Adj. löblich* (probabilis)
98, 3.
loben *swv. loben* 12, 2. 4. 29,
2. 36, 5 *u. o.*
loch, *stm. Locke* 79, 3.
loesen 40, 6. 53, 8. 74, 1. 80,
6. lôsen 1, 1. 2, 3. 16, 4.
18, 4. 56, 3. 62, 4. 65, 2.
81. 7. 90, 4 *swv. lösen* (libe-
rare, solvere).
lôn *stn. Lohn* 8, 2. 9, 4. 26, 4.
35, 1. 40, 6. 47, 4 *u. o.*
lop *s.* lob.
lôrboum *stm. Lorbeerbaum* 106, 5.
losaer *stm. Erloeser* 94, 6.
lôsen *s.* loesen.
louc *stm. Loh, Feuer* 7, 2. 81, 5.
louf *stm. Lauf* 13, 8. 32, 1.

loufen *stv. laufen* 34, 4. 36, 4.
77, 7. 112, 3. *Praet.* liuf
109, 3.
lougnen *swv. läugnen* 2, 5.
loz *stm. Loos (Loss)* 5, 4. 109,
1. 113, 2.
luft *stm. Luft* 23, 1. 33, 1. 44,
2. 54, 2. 68, 2. 83, 1. 84,
1. 99, 5. CIV. 7, 8.
lugelich *Adj. lügenhaft* 22, 3.
lûhtaere *stm. Leuchter* 13, 1.
lûhten 19, 4. 44, 2. lûhten 31,
5. 34, 7. *swv. leuchten.*
lunche *stf. Lunge* 27, 2. *wo die*
Handschrift irrthümlich lanchen
hat.
lûten 2, 2. 74, 1. lutten 2, 8.
lûten 106, 4. *swv. lauten.*
lûter *s.* liuter.
lûterheit *stf. Lauterkeit* 63, 4.
lutter *s.* liuter.

M.

macher *stm. Macher* (factor) 27, 1.
machen *swv. machen* 1, 8. 37, 2.
40, 3 *u. o.*
maechtic *Adj. mächtig* 98, 1.
100, 6.
maeiste *s.* meiste.
magd 83, 2. 85, 2. 95, 6. maget
83, 3. 84, 4. 86, 2. 6. 87, 1.
maged 83, 8. maid, mait 31, 3.
34, 1. 3. 35, 9. meid, meit,
25, 1. 35, 2. 3. 4. 8. 36, 3.
40, 1 *u. o. Pl.* magde 95, 6.
meget III. 5, 3. *stf. Maid, Jung-*
frau (virgo).
maged *s.* magd.
magedelich 84, 2. meidelich 97, 4.

meitlich 75, 2. *Adj. jungfräu-
lich.*

magdelîn *stn. Jungfräulein* (virgun-
cula) 87, 2.

maget *s.* magd.

mähtikhait *stf. Mächtigkeit* IV.
6, 20.

maid *s.* magd.

mail *s.* meil.

maister *stm. Meister* (magister)
77, 8.

mait *s.* magd.

mâl *stn. Zeitpunct, Mal* 33, 4 (zem
ander mâle == secundo).

man *Gen.* mannes, mans *stm.Mann*
35, 7. 37, 4. 89, 3.

manchvalt *Adj. manigfaltig* 86, 4.

mâne, mân *swm. Mond* 20, 2. 31,
5. 47, 4. 83, 2.

manen *swv. mahnen* (monere)
81, 2.

manic *pron. Adj. manig, manch*
19, 4. 62, 4. 67, 3. 90, 1.
94, 5.

manlich *Adj.* 34, 2. 41, 4. man-
lichen *Adv.* 109, 3. *männlich.*

mânôd *stm. Monat* 20, 3. mon
IV. 4, 1.

manung *stf. Mahnung* 94, 3.

mar, marw *Adj. zart* 41, 2. 74, 5.

marh *stf. Marke, Gränze* 14, 1.

marter *stf. Marter* 56, 2. 76, 1.
77, 1. *Gen.* martere 60, 6.

marteraer 38, 1. 39, 1. 41, 1.
47, 1. 2. 74, 9 *u. o.* marte-
raere 47, 8. 77, 7 *u. o.* mar-
traer 93, 4. martaeraere 108,
3. *stm. Martyrer.*

marteren *swv. martern* 40, 3.

mâʒe *stf. Mass* (tenor) 94, 7.

mâʒen *swv. mässigen* 30, 6.

mâʒlich *Adj. mässig* 16, 2. 53, 3.

megen. *s.* mugen.

mehelen *swv. vermählen, verloben*
101, 2.

meid *s.* magd.

meidelîch *s.* magedelich.

meil 44, 4. 55, 4. 74, 9. mail
88, 3. *stn. Makel, Fehler.*

mein *stn.* (scelus, nefas) 74, 7.
92, 3. *stf.* 59, 2. *Falschheit,
Laster.*

meist *Sup. v.* mêr *meist, grösst*
21, 4. 40, 1. 74, 9. maeiste
92, 2.

meit *s.* magd.

meitlich *s.* magedelich.

menden *swv. sich freuen* 104, 1.

menige *stf. Menge* 40, 2. 42, 5.
64, 1. 66, 3. 73, 3. 74, 5.
77, 7 *u. o.*

menklich *Adv. männiglich, jeder-
mann* V. 2, 9.

mennescheit *stf. Menschheit* 88, 3.

mennisclich *Adj. menschlich* 91,1.

mennisch 26, 2. 49, 4. 68, 3.
70, 1. 106, 5. mennisk 25, 1.
26, 1. 35, 6. 49, 2. 67, 4.
mensk 88, 1. mensch 20, 4.
swm. Mensch.

mer *stn. Meer* 2, 4. 36, 5 *u. o.*

mêr *adj. defect. Comp. mehr,
grösser* 25, 5. 38, 6. 85, 3.

mêren *swv. mehren* 20, 1. 53, 8.
54, 4. 74, 10. 75, 4.

mêrer 25, 5. mêrôr 75, 5. *Comp.
v.* mêr (major).

mêrôd, mêrôt *stm.? Abendmahl*
40, 3. 63, 1.

mêrung *stf. Mehrung* 74, 10.

mezzen *stv. messen* 84, 4.

michel *Adj. gross* 14, 1. 17, 1.

23, 1. 26, 2. 37, 8. 46, 3.
51, 1 u. o.

mîden *stv. meiden* 9, 4.

milch *stf. Milch* 37, 6.

mild, milt *Adj. mild, freigebig* 75,
2. 101, 7.

minne, *stf. Minne, Liebe* 6, 2.
25, 5. 30, 4 u. o.

minnen *swv. minnen, lieben* 11,
4. 30, 4. 50, 3. 89, 7.

minner *adj. Comp. zu* min *(klein)*
minder 75, 5.

miscen *swv. mischen* 14, 1.

mislich *Adj. verschiedenartig* 23,
2. 72, 5.

missetât *stf. Missethat* (reatus)
28, 2. 59, 3.

missetûn *V. anom. missthun, feh-*
len 24, 3. 108, 2.

mit *Praep. mit* 1, 4 u. o.

mithëllen 30, 4. mitthaellen 42,
3. *stv. mithallen, mitschallen*
(concrepare, consonare).

mitsîn *V. anom. mitsein* (inesse)
94, 7. (adesse) 59, 3. (inter-
esse) 80, 7.

mitsingen *stv. mitsingen* (conci-
nere) 36, 6. 68, 2.

mittel *stf. Mitte* (centrum) 20, 1.

mitter-tach *stm. Mittag* 7, 1. 13, 7.

mitvreven *swv. mitfreuen* (con-
gaudere) 25, 5.

miure *stf. Mauer* 101, 2.

mon *s.* mânôd.

morgen *stm. Morgen* 7, 1. 9, 2.
13, 7. *Adv. morgens* (mane)
28, 3. 64, 4.

morgenrôt *stm. Morgenröthe* (au-
rora) 4, 1. 13, 8. 28, 1.
65, 1. morgenröt XII. 1, 13.

morgenstërn *swm. Morgenstern*
25, 3.

môst *stm. Most* 72, 6. 73, 3.

mûd, mûde *Adj. müde* 22, 1, 30,
2. 102, 5.

mûden *swv. ermüden* 22, 1, 98, 1.

mugen *V. anom. mögen* 44, 5.
53, 8. 55, 3. 74, 1. 5. 106, 5.
megen 94, 2. du macht I. 1, 7.

mund, munt *stm. Mund* 2, 8.
6, 2. 12, 4. 42, 2 u. o. *Pl.*
münd VI. 2, 11.

mund *stf. Schutz, Gelübde* 2, 8.

munech 96, 5. 97, 5. munich
95, 6. *stm. Mönch.*

murmel *stn. Murren* 106, 4.

mût, mut *Pl.* mûte *stm. Muth*
(mens) 2, 8. 9, 3. 12, 2. 17,
3. 23, 4. 50, 1. 3. 53, 4 u. o.

mûter 31, 3. 35, 4. 42, 5 u. o.
muter 35, 5. 75, 1. 83, 4.
stf. Mutter.

mûzen *swv. Musse haben* (reficere)
12, 1.

mûzlich *Adj. frei* (licitum) 103, 5.

N.

n *dieser Flexionconsonant der*
1. Pers. Pl. der Verben fehlt
oft, wenn wir nachfolgt, so
1, 2. 5. 8. 2, 5. 3, 1. 4, 1.
5, 1. 4. 9, 4. 10, 1. 12, 1.
13, 3. 6. 15, 1. 16, 3. 18,
2. 3. 4. 19, 3. 29, 2. 30, 8.
51, 1. 78, 4. 79, 8. 81, 1. 8.
9. 86, 5. 87, 2. 89, 7. 91, 2.
92, 1. 4. 94, 1. 6. 95, 3. 6.
8. 9. — *ohne nachfolgendes*
wir 102, 12. *Vgl. noch* bir

86, 4 *u.* si 88, 2. flich VIII.
3, 8. sull XI. 9, 1. mug XIII.
5, 7. S. Grimm I, 931.
nach *Praep. nach* 15, 1 *u. o.*
nachet *Adj. nackt* 81, 4. 107, 4.
nâchvolgaer *stm. Nachfolger* 111, 1.
nâchvolgen *swv. nachfolgen* 12, 2.
38, 2. 43, 1. 66, 3. 77, 2.
80, 2. 81, 2. 98, 6. 112, 3.
naeigen *s.* neigen.
nagelen, nageln *swv. nageln* 62,
5. 81, 2.
nâh, nâhe *Adj. nahe* 16, 1. 2.
40, 5.
nâhchomel *stm. Erfolg* (successus)
8, 1. *Vgl.* vorgengel.
nâheu *Adv. nahe* 59, 3.
nâhst *Superl. v.* nâh *nächst* 6, 2.
naht *stf. Nacht* 2, 1 *u. o.* nahtes
(noctis, noctibus) 18, 2. 3.
Pl. naht (noctes) 102, 10.
nahtes *Adv. nachts* 1, 2. 51, 4.
100, 6.
nahtig *Adj. nächtig* 2, 2.
name *swm. Name* 40, 4. 52, 2.
53, 7 *u. o.*
natûr *stf. Natur* 43, 4.
nazzen *swv. nass sein* 73, 3.
nehein 34, 7. 41, 4. nehain 102,
8. *adj. Fürwort kein.*
neigen 86, 3. naeigen 31, 3.
swv. neigen.
nēmen *stv. nehmen* 16, 2. 36, 3.
60, 5. 70, 2.
nennen *swv. nennen* 42, 1. 71, 2.
101, 1. 102, 7.
netzen *swv. netzen* 74, 8.
newēder - newēder *Conj. weder-*
noch 22, 3. 24, 4. 113, 3.
niht - newēder 23, 3.

newizzen *V. anom. nicht wissen*
30, 5. 37, 4.
nider *Adj. nieder:* von den nidern
(ab inferis) 64, 5.
nidergân *stv. niedergehen* 41, 6.
niderlâzen *stv. niederlassen* (sub-
mittere) 89, 4.
nidersîgen *stv. niedersinken* 23, 4.
niderslîfen *stv. niedersinken* 13, 2.
niderval *stm. Niederfall* (occasus)
31, 5.
niderwērfen *stv. niederwerfen* 35, 7.
nîdic *Adj. neidig* 13, 4. 30, 7.
nieman *subst. Zahlfürw. niemand*
23, 4.
niender *Adv. nirgendwo* 8, 2.
nieth *nicht* 68, 5.
niezen *stv. geniessen* 51, 1. 53,
3. 111, 2.
niht *Conj. nicht, dass nicht* (ne)
1, 6. 30, 6. 80, 6. *Subst.*
(nihil) 9, 3. 22, 2.
niht - newēder 23, 3.
nine *soviel als* nihten: nine wolde
(nollet) 77, 5.
-nisse, -nusse, *Bildungen daraus:*
drinisse, drinusse, enthabnusse,
erhangenusse, trugenusse, vanch-
nusse.
nît *stm. Neid* 68, 4.
niulichen *Adv. neulich* 41, 5.
niwe, niuwe *Adj. neu* 9, 1. 14, 3.
16, 4. 33, 2. 35, 7. 36, 6 *u. o.*
noch *noch* (nec) 37, 6. 77, 3.
85, 1. 106, 3.
noeten *swv. nöthigen* 68, 1.
nôt *stf. Noth,* zeiner nôt (tantum)
74, 7.
nù *Zeitadv. nun* 1, 9. 25, 3.
32, 2 *u. o.* (modo) 68, 3.
(jam) 76, 3.

nůhter *Adj. nüchtern* 25, 2. 30,
4. 49, 1. 55, 4. 110, 2.
nutze 102, 11. nuz *Gen.* nuzzes
30, 2. *stm. Nutzen.*

O.

ō *für* ae *s.* saelic.
ob *Conj. ob, wenn* 2, 7. 49, 3.
85, 3.
oben *Adv. oben, von* obene 33, 3.
53, 6.
obenende *stn.* Gipfel (vertex) 77, 6.
ober *Adj. ober* 46, 2. 74, 1.
oberest 27, 1. 32, 1. 43, 5. 50, 1.
52, 7. 60, 7. 64, 2. 66, 6.
74, 3. 75, 2. 101, 7. 102, 9.
106, 6. 111, 4. oberist 86, 2.
94, 5. oberost 32, 1. 37, 8.
45, 5. 50, 1. 100, 5. 102,
12. oberst 83, 4. 88, 5. 94,
3. 95, 7. obrist 86, 7. 88, 5.
Superl. oberst.
oder 1, 1. 6. 20, 3 *u. o.* ode
95, 1 *Conj. oder.*
offen *Adj. offen* 37, 7. 41, 6.
58, 1.. 65, 10. 94, 2. 101, 3.
offenen 74, 4. 81, 3. offen 18, 4.
68, 5. *swv. öffnen.*
offenliche *Adv. öffentlich* (patenter)
94, 5.
ofte *Adv. oft* 91, 3.
olbent *stm. Kameel* 74, 6.
olboum *stm.* Oelbaum 76, 5.
opfer *stn. Opfer* 41, 2. 56, 2.
59, 5. 61, 4. 63, 5. 80, 4.
103, 1.
opferen, opfern *swv. opfern* 36,
2. 39, 2. 41, 2. 63, 4. 103, 1.
ōr *swn. Ohr* 83, 3. 108, 2.

orden *stm.* Orden (ordo) 48, 2.
ordenen *swv. ordnen* 66, 5.
ordenung, ordenunge *stf. Ord-*
nung 20, 2. 74, 2.
orgel *swf.* Orgel 79, 4.
orthabe, orthab *swm. Urheber* 35,
5. 36, 3. 5. 37, 2. 54, 1.
61, 1. 63, 7. 64, 1. 69, 1.
78, 1. 91, 1.
osten *Adv. von Osten* 19, 4.
oster, *Pl.* ostern *swf.* 63, 4. 67,
2. 3. 73, 4. *Ostern.*
osterlich *Adj. österlich* 59, 5. 63,
7. 65, 9. 66, 1.
ot = et *s.* nageln (genagelot), ver-
damnen (verdamnoten).
ouch *Conj. auch* (et, quoque) 36,
6. 81, 9. 95, 5. 96, 1. (ergo)
83, 3. auch I. 10, 1.
ouge *swn. Auge* 11, 4. 22, 3.
38, 5 *u. o.*

P.

palaze *s.* palnze.
palm *stf. Palme* 41, 2.
palnze 84, 2. 91, 2. phalze 3, 2.
phallenz 34, 4. 46, 2. 66, 5.
75, 2. 102, 2. 7. 105, 2.
palaze 79, 4. *stf. Pfalz, Palast.*
paradis *stn.* 92, 3. 101, 8. pa-
radyz 59, 2. paradys *stm.* 63,
6. parideis XII. 4, 12. *Para-*
dies.
Partic. praes. auf vnd, vnde *fin-*
det sich oft bei starken und
schwachen Verben, jedoch nicht
durchgehends, s. 2, 5. 6. 11,
5. 12, 1. 2. 13, 3. 15, 1. 3.
16, 2. 18, 4. 19, 3. 20, 2.

30, 1. 8. 38, 1. 45, 4. 50, 5.
51, 1. 52, 2. 53, 4. 62, 1.
3. 4. 6. 63, 2. 3. 65, 2. 4.
10. 67, 4. 5. 68, 2. 3. 5. 6.
69, 1. 70, 2. 3. 71, 4, 72,
3. 74, 3. 4. 5. 8. 9. 11. 75,
6. 76, 1. 2. 3. 77, 1. 2. 80,
5. 6. 92, 1. 95, 3. 8. 99, 6.
100, 2. 3. 6. 102, 8. 105, 6.
106, 5. 110, 5. — unt 2, 4.
— *Partic. praes. auf* -ent *s.*
1, 1. 9. 2, 2. 8, 1. 13, 1. 2.
14, 1. 72, 6. 80, 2. 3. 4.
83, 3. 4. 7. 86, 3. 92, 2.
95, 4. — *Part. praes. auf*
-end, ende *sehr oft, s.* 1, 5.
6. 8. 2, 2. 5. 7. 3, 1. 4, 1.
2. 5, 2. 8, 1. 9, 1. 11, 3.
13, 3. 14, 2. 15, 3. 16, 3.
17, 1. 2. 19, 2. 20, 2 *u. o.*
patriarche *swm. Patriarch* 97, 2.
phafheit *stf. Geistlichkeit* (clerus)
48, 2.
phalenz, phalze *s.* palnze.
phelle *stm. Seidenstoff, Baum-
wollenzeug* (purpura) 60, 4.
phenning *stm. Pfennig* (nummus)
81, 4.
phund *stn. Pfund* (talentum) 81, 3.
pis = wis *sei* IV. 1, 1 *u. o.*
pittrichait *stf. Bitterkeit* XI. 2, 3.
pizen *stv. beissen* 21, 3.
plodikhait *stf. Blödigkeit, Schwach-
heit* V. 5, 15.
port *s.* borte.
pp *s.* anchloppen.
prachmay *swm. Brachmai, Juni*
IV. 5, 1.
predigen *swv. predigen* 68, 2.
83, 1. 101, 6.
Pron. pers. fehlt oft beim Verbum,

selten er 80, 3. *besonders häufig*
du 12, 4. 20, 3. 30, 6. 62,
3. 4. 5. 67, 5. 68, 5. 70, 2.
4. 74, 3, 5. 76, 3. 78, 2. 3
u. o. wir 22, 2. 24, 1. 3. 5.
27, 3. 49, 3. 53, 5. 8. 55,
3. 64, 3.
prust *s.* brust.
pyvilt *stf. Empfehlung* VI. 2, 19.

R.

rachlich *Adj. rächend* 53, 5.
raeze *Adj. scharf, verzehrend* (edax)
68, 4.
raitung *stf. Rechnung* VI. 2, 21.
rat *stn. Rad* 20, 2.
rechken *für* recchen *swv. recken,
darreichen* (porrigere) 1, 3.
rede, red *stf. Rede* (loquela) 95, 5.
reden *swv. reden* 72, 6. 73, 3.
Praet. rette 75, 3.
refsen *swv. tadeln, schelten* 2, 5.
33, 1.
rëht *Adj. recht* 16, 2. 21, 1. 32,
3. 45, 3.
rëht *stn. Recht* 48, 2. 57, 1.
60, 6. 75, 5. 85, 1.
rëhtaere *s.* richtaere.
reine, rein *Adj. rein* 16, 3. 17,
3. 25, 4. 52, 6. 92, 3.
rainen *swv. reinen, reinigen* 1, 3.
9, 4 *u. o.*
reizen *swv. reizen* (incitare) 89, 2.
rëo *Gen.* rêwes *stn. Leiche* (funus)
85, 2.
rêth 68, 5 *für* rëht.
rette *Praet. v.* reden.
rich, riche *stn. Reich, Gebot* 4,
2. 32, 3. 42, 6. 43, 1. 45, 4.
47, 6. 48, 3. 63, 3 *u. o.*

rìch *Adj. reich* 57, 1.
rìchen *swv. reich machen* 27, 3.
50, 3. 74, 3. 89, 5. 106, 5.
rìchesen 67, 6. 68, 6. rìchsenen
95, 10. 99, 7. rìchsen 1, 9.
10, 3. 44, 8. 79, 5. 89, 7.
90, 5. rìchsnen 78, 3. rìcsen
60, 3. *swv. ein Reich haben,*
herrschen.
rihtaer 7, 1. 18, 1. 47, 4. 49, 2
u. o. rihtaere 76, 2. 80, 5.
rihtar 84, 6. rihter 30, 1. 31,
6. 32, 3. 96, 3. rëhtaere 21, 1.
stm. Richter.
rihten *swv. richten, bessern* 2, 1.
7. 13, 5. 24, 1. 30, 8. 50,
5. 60, 7. 68, 5 *u. o.*
ringe *Adj. gering* 30, 2.
ringen *swv. gering machen* 2, 1.
I. 8, 4.
rinnen *stv. rinnen* 60, 2,
rise *swm. Riese* 34, 4. 46, 2.
rìter *stm. Ritter* (miles) 38, 6.
65, 3. 66, 5. 89, 1. 4. 92,
2 *u. o.*
riterschaft *stf. Ritterschaft* (mili-
tia) 47, 2. 100, 4.
rithen 68, 5 *für* rihten.
riwe *stf. Reue* 59, 3.
rôse *swf. Rose* 41, 1.
rôsevarw 63, 2. rôsvarw 76, 1.
rôsenvarb IV. 4, 9. *Adj. rosen-*
farben.
rôt *Adj. roth* 17, 2. 44, 7. 63,
1. 90, 2. 106, 5.
rôtten *swv. roth erscheinen* (ru-
bescere) 4, 1. 43, 4.
roub *stm. Raub* 60, 5. 66, 3.
rouber *stm. Räuber* 100, 4.
rùche *stf. Ruhe* 94, 7.

rûfen *stv.?* 16, 2. 47, 1. 53, 5.
99, 6. *swv.* 65, 4. *rufen.*
rûh *Adj. rauch, haaricht* 74, 6.
rûm *stm. Ruhm, Stolz* (jactantia)
23, 4.
rûren *swv. rühren* 43, 3. 60, 4.
72, 6.
rûwe *stf. Ruhe* 11, 2. 18, 1.
30, 2. 98, 5. 101, 8.
rûweclìch *Adj. ruhig* 11, 2.
rûwen *swv. ruhen* 40, 3. 73, 6.
rûwic *Adj. ruhig* 1, 4. 30, 7.
102, 10.

S.

sache *stf. Sache* 100, 4.: sachen
heiles (causa salutis).
saegenen *s.* sëgenen.
saelic 1, 4. 3, 2. 3. 25, 1. 27,
3. 29, 1 *u. o.* saelig 79, 5.
saelich 44, 5. salic 83, 4.
86, 4. 6. 89, 6. 91, 6 *u. o.*
sölg III. 1, 4. *Adj. selig, fromm.*
saen, saeit *swv. saën, tragen* (ferre)
98, 3.
saerigen (*für* sêrigen) *swv. ver-*
sehren 98, 3, 102, 8.
sagen *swv. sagen* 65, 7.
sal *stm. Saal, Wohnung* (templum)
34, 3. 37, 4. 91, 3. 101, 7.
102, 9. 103, 3.
salbe *swf. Salbe* 71, 2.
sälde *s.* selde.
salig *s.* saelic.
sâme *swm. Samen* 34, 2. 35, 3.
83, 3.
samenen *swv. sammeln* 2, 4. 98, 6.
sament 99, 7. samet 89, 3. *Adv.*
zusammen (simul).

samenung *stf. Sammlung* 89, 2.
90, 1.

samet *s.* sament.

sanc 42, 6. 75, 4. sanch 1, 8.
60, 3. 82, 1. 90, 3. 4. 92,
1. 93, 1. *stn. Sang.*

satten *swv. sättigen* 57, 2.

sc *steht oft in- u. auslautend,
wo später* sch *steht, vgl.* be-
scirmen, chusc, engelisc, falsc,
gescihte, gescôʒ, irdisc, wider-
scînen, wascen, wiscen. *Vgl.
Grimm* I. 173 *f.* 420 *f. An-
lautendes* sc *s. in nachfolgen-
den Wörtern, in denen es oft
mit* sch *wechselt.*

scâchaere 2, 6. schâcher 58, 2.
VII. 2, 23. *stm. Schächer,
Räuber.*

scaden *swv. schaden* 2, 3. 85, 3.

scâf 80, 5. schâf 49, 5. 56, 2.
74, 6. 106, 4. *stn. Schaf.*

scaffen, 1, 1. 94, 8. schafen 67,
5. 102, 4. schaffen 71, 1. 99,
1. 100, 7. *stv. schaffen, er-
schaffen.*

scalch 11, 4. 5. 88, 2. 96, 1.
schalch 23, 3. 26, 3. 36, 2.
47, 5. 65, 5. 67, 2. 74, 1.
102, 9. 106, 6. *stm. Schalk,
Diener.*

scam 13, 7. schame 34, 3. 4.
74, 9. 75, 2. *stf. Scham.*

scanden *swv. zu Schanden ma-
chen* (confundere) 14, 1.

scar 15, 2. 81, 4. 89, 6. 90,
2. 91, 5. schar 40, 2. 96, 2.
97, 2. *stf. Schar.*

scat *stm. Schatten* 4, 1.

scedelîch 5, 1. 9, 4. 21, 3. sced-
lîch 1, 5. 18, 1. 89, 5. sche-

delîch 21, 3. 100, 2. schade-
lich 33, 2. 106, 6. 109, 2.
Adj. schädlich.

scëf *Gen.* scëffes *stn. Schiff* 80, 2.

sceffaer *s.* scepfaere.

scëfman *stm. Schiffmann* 2, 4.

scelle *swf. Schelle* 79, 4.

scëllen 6, 2. 95, 2. schëllen 92, 1.
stv. schallen.

scepfaere 2, 1. scepphaer 8, 2.
9, 1. 18, 1. 94, 6. sceffaer
1, 1. 94, 1. scephaere 95, 1.
scepphaere 10, 1. 14, 1. 17, 1.
schepfaer, schepfaere 31, 1.
37, 7. 38, 8. 46, 2. 53, 2.
55, 1. 62, 1. 3. 68, 4. 70,
1. 71, 1. 74, 12. 113, 1.
schepfer 26, 1. 30, 1. schepfeer
60, 1. *stm. Schöpfer.*

scepharinne *stf. Schöpferin* 79, 5.
90, 5.

scepfen *swv. schöpfen* 5, 2.

scerfe 85, 2. scherpfe 35, 1. 74,
11. 106, 5. scherphe 60, 2.
77, 5. *Adj. scharf, rauh.*

scerge *swm. Scherge, Ausrufer*
(praeco) 2, 2.

scërmaer *stm. Schirmer* 11, 5.

scërmen 13, 5. schërmen 48, 1.
scirmen 80, 8. 88, 4. 94, 6.
swv. schirmen.

schab (schoup) *stm. Fackel* VI.
5, 10.

schâcher *s.* scachaere.

schadelîch *s.* scedelîch.

schaemelîch *Adj. schämlich, scham-
haft* 37, 4.

schaemich *Adj. schaemig, scham-
haft* 110, 2.

schâf *s.* scâf.

schafen, schaffen *s.* scaffen.

schal *Gen.* schelles *Adj. schallend*
(canorus) 94, 4.
schalch *s.* scalch.
schalclich *Adj. knechtisch* (servilis)
37, 2. 49, 4.
schame *s.* scam.
schar *s.* scar.
scarhhaft *Adj. scharenweise* (sti-
patus) 77, 7.
schedelich *s.* scedelich.
schëllen *s.* scëllen.
schepfaer *s.* scepfaere.
schepfaeriagie 79, 5.
scheremschilt *stm. Schirmschild*
VI. 2, 25.
schërmen *s.* scërmen.
scherpfe, scherphe *s.* scerfe.
scheücz en (schiuwezen) *swv. bange*
werden IV. 4, 4.
schiere 65, 6. scier 81, 2. *Adv.*
schier, bald.
schin *s.* scin.
schinen *s.* scinen.
schinic *s.* scinic.
schinlichen *Adv. scheinlich* (splen-
dide) 66, 4.
schône *Adj. schön* 17, 2.
schôz *s.* scôz.
schrien *stv. schreien* 44, 3. *praet.*
schriern XII. 2, 8.
schrift *stf. Schrift* 42,4. *vgl.* scriben.
schüchen *swv. mit Schuhen ver-*
sehen, als Schuh dienen V. 3, 24.
schulde *s.* sculd.
schuldic *s.* sculdic.
schulen *s.* soln.
schûten *swv. erschüttern* 102, 8.
scier *s.* schier.
scin, 20, 1. schin 5, 1. 7, 1 *u. o.*
stm. Schein.
scinen 4, 1. 19, 2. 20, 1. 84, 1.

87, 2. 95, 1. schinen 4, 1.
13, 2. 33, 1. 34, 3. 47, 4.
51, 2 *u. o. stv. scheinen.*
scinic *Adj. scheinig, scheinend*
83, 8. 95, 5. 9.
scirmen *s.* scërmen.
scôwen 18, 1. 22, 4. scouwen
11, 5. schôwen 65, 9. 102,
1. 2. 103, 3 *swv. schauen.*
scôz 95, 9. schôz 41, 4 *stf.*
Schoss III. 8, 10.
screcchen *swv. schrecken* 14, 4.
scriben *stv. schreiben* 75, 4.
sculd 2, 4. 7. 7, 2. 9, 3. 13, 3
u. o. sculde 12, 3. 88, 3.
schulde 21, 3. 22, 3. 23, 4
u. o. stf. Schuld.
sculdic 11,3. schuldic 25,2. 30,3.
31, 2. 44, 9. 52, 3. 60, 6.
111, 3. shuldic 68, 5 *Adj.*
schuldig.
sëgen *stm. Segen* 101, 7.
sëgenen 83, 5. 87, 4. saegenen
103, 2. *swv. segnen.*
sëhen *stv. sehen* 1, 8. 38, 5.
43, 1. 44, 3. 101, 11. siehes
für sihes 3, 7. 18, 4.
sëhent = ecce 4, 1. 95, 2.
sein *s.* sîn.
sein *Adj. säumig* VIII. 4, 7.
seind (sît) *Adv. seit, da* III. 1, 6.
2, 14 *u. o.*
seit = saget 64, 2. 74, 2 *u. o.*
seitspil *stn. Saitenspiel* 74, 3.
sëlbe *Pron. selb* 2, 4. 12, 4. 15, 1.
57, 2 *u. o.* (idem) 67, 6. du
sëlbe (ipse) 15, 1. 49, 5. 67, 3.
dich sëlbe (temet) 103, 2. dër
sëlbe (ipse) 42, 1.
selde (saelde) *stf. Heil, Glück,*
Segen I. 7, 2. IV, 3, 9.

seldenber *Adj. gesegnet, beglückt*
I. 8, 2.

sêle *stf. Seele* 11, 6. 41, 5. 49, 5.
88, 4. seel IV. 3, 19. V. 5,
10. XI. 10, 4.

selikhait *stf. Seligkeit* VII. 4, 2. 17.

semften *swv. sünften, sanft wer-*
den, sanft machen 2, 4. 13, 4.

senchen *swv. senken* (mergere) 44, 5.

senden *swv. senden* 33, 3. 38, 7.
72, 10. 75, 3. 91, 2. 4. 101, 5.

sêne *swf. Sehne* 74, 1.

senfte *Adj. sanft* 52, 5. 68, 3.
86, 5 *u. o.*

sêr *stm. Schmerz* 62, 3. 65, 4. VII.
5, 4. *Adv.* seer (sehr) XI. 6, 6.

setzen *swv. setzen* 11, 3. 20, 2.
40, 5. 49, 5. 59, 1. 74, 12.

schuldic *s.* sculdic.

sey == *sind* VI. 4, 24.

si == sîn (sumus) 88, 2.

sibenstund *Adv. siebenmal* (sep-
ties) 72, 2.

sibenvaltic *Adj. siebenfältig* 71, 3.
72, 2. 99, 4.

sich == ecce 21, 3. 22, 1. 33, 1.
42, 4. 58, 2.

sicher *Adj. sicher* 52, 6. 95, 5.

sicherheit *stf. Sicherheit* (muni-
men) 62, 6.

siech *Adj. siech, krank* 2, 6.
16, 2 *u. o.*

siecheit *stf. Siechheit, Krankheit*
34, 6. 55, 2. 71, 4.

siechtům 4, 2. 103, 4. 110, 3.
siehctům 4, 2. siehtum 88, 4.
siehtvm 104, 4. *stm. Siech-
thum, Krankheit, Angst.*

siches *s.* sêhen.

sig 47, 2. 77, 1. 106, 1. 108,
2. 109, 4. 113, 1. *stm. Sieg.*

sigen *swv. siegen* 89, 4.

sigenunft, signunfte *stf. Siegneh-
mung, Sieg* 34, 6. 38, 4. 41,
8. 42, 6. 63, 6. 67, 2. 68, 2.
70, 3. 81, 1. 87, 5. *stm.?* 90, 2.

sigenunftaer 68, 2. sigenunfter
63, 6. *stm. Siegnehmer, Sieger.*

sigenunften *swv. siegen* (trium-
phare) 79, 1.

sigenunftic 105, 2. sigenunftich
77, 2. *Adj. siegreich.*

siger *stm. Sieger* 54, 3. 69, 1.

sighaft *Adj. sieghaft* (victrix) 90, 2.

sihtech (evidens) 78, 2. sihtic
(cernuus) 81, 1. *Adj. sichtig.*

sin *Gen.* sinnes *stm. Sinn* 2, 8.
6, 2. 13, 2. 19, 3. 25, 4. 5.
30, 7. 50, 2. 94, 1.

sîn *V. anom. sein* 1, 5. 6 *u. o.*
sein I. *öfters.*

sîn *Pron. poss. sein* (suus) 1, 3
u, o. sîne ze den wiegen (ipsius
ad cunabula) 44, 2.

sinewil *Adj. rund* 81, 1.

singen *stv. singen* 1, 4 *u. o.*

sinnelôs *Adj. sinnlos* 41, 3.

sit, site *stm. Sitte* 26, 3. 53, 1.
76, 4. 87, 4. 104, 4. 106, 4.

sitelichen 71, 3. sitliche 84, 3.
sitlichen 74, 12. 102, 3. 109,
2. *Adv. nach der Sitte dem
Gebrauche* (rite).

sitte 81, 6. *für* site. *stf. Seite*
(latus).

sitzen *stv. sitzen* 45, 5. 69, 1.
70, 3. 84, 1. 110, 5.

slac *stm. Schlag* 41, 6.

slâf 2, 8 *u. o.* slaff 16, 2. *stm.
Schlaf.*

slâfen 30, 6. slaffen 16, 3. *stv.
schlafen.*

slâftraege *Adj. schlafträg, schlä-
ferig* 2, 5.
slâftraege *stf. Schläfrigkeit* 15, 2.
slahen *stv. schlagen* 19, 2. 99, 4.
106, 4.
slëhten *s.* slihten.
slêwecheit *stf. Lauheit* (vapor)
30, 6.
slêwen *swv. lau sein* 21, 3.
slêwic 32, 2. slêwich 33, 2. *Adj.
lau.*
slîfen 79, 2. sliffen 1, 6. 9, 2.
12, 3. 80, 6. *stv. gleitend sin-
ken.*
slihten 74, 11. slëhten 101, 4.
swv. schlichten, glätten.
slipfen *swv. gleitend sinken* 2, 7.
slôʒ *stn. Schloss* 34, 3. 104, 3.
sluʒʒelaer *stm. Schlüsselträger* (cla-
viger) 97, 3.
smuken *swv. anschmiegen, an-
drücken* III. 3, 11.
snël, *Gen.* snëlles, *Adj.,* snëlle *Adv.
schnell* 34, 4. 65, 7. 102, 6.
snêrëgen *stm. Schneeregen* (nim-
bus) 102, 8.
snêwîʒ *Adj. schneeweiss* 74, 9.
sô *Conj. so* (dum) 9, 3. 28, 3.
64, 3. 4. 65, 7. 66, 2. 90, 4.
(cum) 32, 3. 33, 4. 63, 6.
68, 5. 104, 4.
sô getân *Adj. so beschaffen* (talis)
40, 4.
sô grôʒ *Adj. so gross* (tantus)
77, 6. 7.
solch, solh *Pron. solch* 34, 1.
77, 6. sölch IV. 5, 20.
sôlge = *selige* III. 1, 4.
soln, *V. anom. sollen, dient zur
Umschreibung des lat. part. fut.
act. u. pass. Vgl.* sol gesëhen

wërden (videndus est) 65, 6.
geborn schulen wërden (fore
nasciturum) 74, 2. suln beliben
(permansuri) 101, 4. sul gëben
(daturus est) 72, 1. — ich
schol I. 3, 2. si schullen I.
9, 3. du scholt I. 9, 2.
sorcsam *Adj. sorgsam, ängstlich*
30, 2. 41, 3.
sôt *stm. Sod, Qualm* VII. 3, 22.
spëhen, *Part.* gespëcht, *swv. spä-
hen* I. 2, 2.
speichel *stf. Speichel* 61, 2.
spër *stn. Speer* 60, 2. VII. 5, 5.
sperrunge *stf. Sperrung* 75, 2.
83, 1.
spil *stn. Spiel* 53, 2.
spiln *swv. spielen* 37, 5. 41, 2.
spîse *stf. Speise* 74, 6. 100, 3.
spotten *swv. spotten* (jocari) 81, 6.
sprâche *stf. Sprache* 74, 3.
sprëchen *stv. sprechen* 53, 5. 60,
3. 81, 6. 85, 1.
spreiten *swv. spreiten* (spargere)
25, 3. 28, 1.
springen *stv. springen.*
springunge *stf. Springung, Tan-
zen* (saltatio) 85, 2.
stad *stm.? stn.? Gestade* 80, 2.
staete *Adj stät* 95, 10. staete sîn
(manere) 48, 3. 76, 6.
staetic 8, 1. static 81, 5. *Adj.
stätig.*
stam *stm. Stamm* 60, 4.
stân, stên *stv. stehen* 17, 2, 80, 6.
starch *Adj. stark* 31, 4. 65, 2.
76, 5. 89, 2. 91, 3. 106, 1.
3. 109, 3.
stat, *Gen.* stete, *stf. Stätte, Ort*
(locus) 14, 2. 23, 2. 41, 6.

53, 4. 101, 4. 102, 7. *Stadt*
(urbs) 77, 6. 101, 5. 6.

static *s.* staetic.

steend *Part. v.* stân.

stein *stm. Stein, Fels* 2, 4. 38,
6. 65, 3. 74, 11. 101, 1. 3. 5.

stërben *stv. sterben* 58, 3. 67, 1.

stërn, stërne *stm.* 19, 2. 4. 23,
2. 31, 1. 33, 2. 51, 2. 78,
2. 86, 4. 87, 1. 93, 1. *swm.*
20, 2. 43, 2. 52, 1. stërnen
44, 2. *Stern.*

stetenen 78, 2. 95, 9. stetten
21, 4. 99, 5. *swv. fest machen.*

stiefvater *stm. Stiefvater* 85, 3.

stîc *stm. Steig* 31, 5. 74, 11.

stîgen *stv. steigen* 69, 1. 2. 79,
1. 82, 1. 91, 1. 113, 3. stie-
gen 110, 1. 113, 3.

stil, *Gen.* stilles, *Adj. still* 106, 5.

stillen *swv. stillen* (sedare) 98, 5.

stimme *stf. Stimme* 2, 8. 16, 3.
30, 4. 33, 1. 3 *u. o.*

stôz *stm. Stoss* 101, 4.

stôzen *stv. stossen* 63, 6. 99, 3.

strenge *Adj. streng* 68, 3.

strît *stm. Streit* 5, 2 *u. o. Gen.
sg.* stritis 5, 2. strites 71, 5.

strîten *stv. streiten* 47, 4.

stûl *stm. Stuhl* 34, 5. 36, 4.

stum, *Gen.* stummes, *Adj. stumm*
75, 3.

stund *subst. Adv. schon längst*
(dudum) 73, 6.

-stund *Adv. -mal* 44, 4. 53, 1.
58, 1. 67, 4, 72, 2. 74, 10.
Vgl. Grimm III, 231.

stungen *swv.* stechen, berühren
(attingere) 51, 3.

sûchen *swv. suchen* 21, 3. 25, 5.

43, 2. 49, 1. 2. 4. 65, 8.
74, 5. 102, 7.

sûez, sûeze 38, 1. 42, 6. 47, 3.
102, 12. sûtze 86, 6. suez
112, 3. sûz 87, 2. 3. suzze
88, 2. suezze I. 5, 1. 12, 1.
Adj. süss.

sûeze *stf. Süsse* 66, 1.

sûfte *stf. Seufzer* 65, 4. 98, 6.

sûften 48, 2. 65, 1. 76, 4. suff-
ten 18, 4. *swv. seufzen.*

suhtich *Adj.* suchtig, krank 27, 2.

sumelîch *adj. Pron. irgend einer*
(quidam) 74. 10.

sun *stm. Sohn* 1, 9 *u. o.*

sund *stf. Sühne* 21, 2.

sunde *stf. Sünde* 16, 1. 38, 7.
40, 6. 43, 3. 44, 5 *u. o. swf.*
58, 3.

sunden *swv. sünden* 18, 4. 22, 3.
55, 3.

sunder *Conj. sondern* (at, sed)
8, 2. 32, 4. 34, 2. 38, 7.
55, 3. 62, 5. 72, 8. 74, 3.
106, 4. 107, 4.

sunne *swf. Sonne* 3, 2 *u. o.*

Superlativbildungen s. allerheili-
gist, demûtist, hoehest, inne-
rist, iungest, oberest, wirsest.

sûzlîche *Adv. süss* (dulciter) 3, 1.

sûzzikhait *stf. Süssigkeit* VI. 3, 5.
VII. 5, 10.

svaere *stf. Schwere* 20, 4. swer
I. 8, 4.

svâr 11, 6. svaerr 11, 3. *Adj.
schwer.*

svarz 9, 2. 21, 1. 81, 6. swarz
102, 8. *Adj. schwarz.*

svërt 2, 6. 89, 4. swërt 11, 5.
60, 2. 76, 2. 106, 4. *stn.
Schwert.*

swar *Adv. wohin immer* 112, 3.

swarz *s.* svarz.

swaʒ *Pron. was immer* 24, 3.
26, 3. 28. 2. 95, 1. swaʒ sô
42, 3.

swëlh *Pron. welcher immer* 27, 3.
110, 3. swelich I. 10, 3.

swenne *Conj. wann immer* (cum)
30, 5. 64, 3.

swêr *s.* svaere.

swërt *s.* svërt.

swie *Adv. wie immer,* swie doch
(licet) 53, 7. I. 2, 3.

T.

tac 1, 1. 4. 2, 2. 9, 1. 16, 1.
28, 1. 30, 5 *u. o.* tach 2, 1.
5, 4. 9, 2. 11, 1. 13, 1. 7.
15, 1. 22, 3. 30, 1. 82, 2.
95, 3. 4. dag 95, 2. *stm. Tag.*
Pl. täg VI. 2, 23. *Adv.* tages
100, 6.

taeilen *s.* teilen.

tagelich 8, 1. 86, 6. 87, 3. tag-
lich 12, 3. taeglich 5, 1. *Adj.*
u. Adv. täglich, den Tag hin-
durch oder alle Tage geschehend.

tages ende stn. *Abenddämmerung*
(crepusculum) 13, 7.

tageweide *stf. Tagweite, Tag-*
reise 105, 3. 107, 2.

tagstërn *stm. Tagstern* (lucifer)
2, 3.

taugenhait *stf. Geheimniss, Ver-*
borgenheit V. 3. 26.

taugenleich I. 12, 2. *was* tougen.

teil stn. *Theil* 44, 4. 76, 4. 81,
6. 95, 7. *stm.* IV. 6, 19. ein

teil, ein teil (partim, partim)
23, 1.

teilen 2, 2. 14, 1. 81, 4. taei-
len 98, 2. *swv. theilen.*

tempern *swv. mässigen* (tempe-
rare) 5, 2. 7, 1. 14, 2.

th *s.* bethwingen, bethwungen-
licher.

tief *Adj. tief* 2, 2. 30, 5.

tiefe *stf. Tiefe* 30, 4. 67, 3. 5.
99, 3.

tier stn. *Thier* 26, 1. 107, 3.

tievel 15, 2. 24, 3. 61, 3. 68,
4. 82, 4. 92, 2. 100, 4. tiu-
vel 56, 3. tieuel I. 13, 4. *stm.*
Teufel.

tiligen *swv. tilgen* 90, 4.

tisc *stm. Tisch* 85, 2.

tiure 39, 1. tûr 78, 2. *Adj. theuer,*
kostbar.

tiuvel *s.* tievel.

toben *swv. toben* 41, 5. 85, 3.

tobheit 2, 4. tobeheit 106, 3.
stf. Tobsucht, Raserei.

toenen *swv. tönen* (tonare) 25, 1.

tohter *anom. fem. Tochter* 87, 2.

ton *stm. Ton* 42, 6.

tor stn. *Thor, Pforte, Fenster*
46, 1. 83, 7. 8. *Pl.* tor 101, 3.

torwertel *stm. Thorwart* (janitor)
76, 2.

tôt *Adj. (Partic.)* todt 64, 2. 66, 2.

tôt, tôd stm. *Tod* 1, 1. 8, 2.
17, 4. 31, 2. 35, 7. 64, 3.
65, 5. 98, 3. 113, 3. *Gen.*
toedes 90, 4.

tôten *swv. tödten* 88, 3.

tôtlich *Adj. sterblich* 25, 1. 40,
1. 43, 1. 90, 1.

touf *stf. Taufe* 44, 4.

toufaer *stm. Täufer* 97, 3.

tougen *stf. Geheimniss* 37, 3. 54,
3. 68, 5. 74, 4.
tougen *adj. Adv. heimlich, ver-
borgen* 18, 4. 110, 1. 113, 3.
tracheit 23, 3. 24, 4. 57, 2.
trachheit 1, 2. *stf. Trägheit.*
traege *Adj. träge* 15, 2. 16, 2.
30, 6. 33, 2.
tragen 23, 3. 35, 3. 37, 3. 56,
2. 72, 2. 83, 1. 88, 1. 93, 3.
113, 1. dragen 35, 3. *Praet.*
trůch 86, 3. *stv. tragen.*
tranc 46, 3. 102, 3. tranch 85,
3. *stm. Trank.*
traum 33, 1. troum 10, 2. *stm.
Traum.*
traumen *swv. träumen* 30, 7.
treit ═ traget, treget 37, 3.
trëten *stv. treten* 79, 2. 106, 3.
triben *stv. treiben* 92, 3.
trinchen *stv. trinken (auch Subst.)*
13, 6. 53, 3. 74, 6. 80, 4.
102, 3.
trinisse *s.* drinisse.
triure *stf. Trauer* (moeror) 102, 5.
triuwe, triwe *stf. Treue* 14, 4.
77, 8.
trivaltic *Adj. dreifaltig* 27, 1. 45,
5. 50, 5. 52, 7. 99, 7. 100,
7. 101, 6. 103, 6. 110, 5.
trivalticheit *s.* drivalticheit.
troestaer 66, 6. 71, 2. 72, 9.
73, 1. 101, 9. troestaere 31, 7.
109, 5. trôstaere 49, 6. troc-
ster 39, 3. *stm. Tröster.*
trôst *stm. Trost* 44, 8. 98, 5.
trôstsam *eigentlich ein Adj., dann
swm. der hl. Geist* (paracletus)
1, 9. 2, 9. 92, 4.
troum *s.* traum.
trueb *Adj. trübe* 19, 1.

trugenusse *stf. Trügniss* (phan-
tasma) 28, 2.
trugheit 10, 2. trugeheit 24, 3.
stf. Trugbild (phantasma, fraus).
trunchenheit *stf. Trunkenheit* 13, 6.
trunken *Part. trunken* (ebrius)
85, 2.
trûric *Adj. traurig* 65, 5.
tůch *stn. Tuch* (pannus) 35, 5.
44, 3.
tugend, tugent *stf. Tugend* 31, 7.
34, 3. 6. 39, 2. 42, 3 *u. o.*
tult *stf. Fest, Feier* 51, 1. 64,
5. 66, 1. 68, 1. 77, 7. 81, 8.
110, 1. 113, 1.
tultlich *Adj. feierlich* 40, 1. 72, 2.
tůn *V. anom. thun* 21, 3 *u. o.*
säugen (lactare) 83, 6. 86, 3.
tunchel *Adj. tunkel* 21, 3. 22, 2.
33, 1.
tunchel *stf. Dunkelheit* 19, 2.
tunchelheit *stf. Dunkelheit* 21, 4.
25, 3. 30, 5.
tungen *swv. düngen, wässern* II.
4, 1.
tür *s.* tiure.
tůsend *Zahlw. tausend* 90, 1.
twahen *s.* dwahen.
twingen *s.* dwingen.

U.

ubel *Adj. übel* 9, 4. 17, 4. 32,
4. 38, 8. 53, 8. 82, 3. 96, 2.
ûben 40, 4. 59, 5. 62, 1. 95, 4.
98, 4. 102, 2. uben 66, 1.
80, 7. 81, 1. 8. 95, 8. *swv.
üben, ehren, feiern* (celebrare).
ûber *stm. Ueber, Pfleger* (cultor)
74, 9.

uber *Praep. über* (per) 30, 8.
36, 2. 46, 1. 47, 6. 48, 3.
(super) 69, 1.

übergân, -gên *stv. übergehen, feiern*
(colere) 50, 2.

ubermût *stm. Uebermuth* 5, 3.

ubertrunchen *Part. übertrunken*
72, 7.

ubervart *stf. Ueberfahrt* 63, 1.

uberwinden *stv. überwinden* 1, 1.
35, 8. 61, 3. 64, 4. 70, 2.
4 *u. o.*

ûfe *Praep. auf* (super) 40, 3. ûf
Adv. (sursum) 67, 5.

ûferheben *stv. auferheben, in die
Höhe heben* 40, 7. 67, 3. 4.
77, 5. 6.

ûferrinnen *stv. aufgehen* 25, 3.

ûfgurten *swv. aufgürten* (accin-
gere) 27, 2.

ûfhaben *V. anom. aufheben* (sus-
tentare) 48, 2.

ûfheben 54, 2. ûfhefen 18, 3.
stv. aufheben.

ûfnëmen *stv. aufnehmen* (tollere)
44, 1.

ûfrihten *swv. aufrichten* 35, 7.

ûfrunst *stm. Aufgang* (exortus) 30,
3. 37, 1.

ûfstân, ûfstên *stv. aufstehen* (sur-
gere, resurgere) 1, 1. 2. 2, 5.
3, 1 *u. o.* sich ûfstên (surgere)
22, 1.

ûfstîgen *stv. aufsteigen* 61, 2.
68, 1. 3. 77, 4. 90, 1. 111,
2. *Mit dem Hilfsverb. haben*
72, 1.

ûftûn *V. anom. aufthun, bezahlen*
2, 8. 42, 2, 76, 3. 104, 3.

ûfvaren *stv. auffahren* 68, 2.

ûfvûren *swv. aufführen* (subvehere)
23, 2.

umb, umbe *Praep. mit dat. u.
acc. um, für* (ob, pro) 32, 3.
4. 33, 3. 4. 36, 6. 38, 7.
39, 2. 47, 4. 5. 49, 5. 50,
4. 52, 4. 99, 6. 101, 3.

umbechêren *swv. umkehren* (ver-
tere) 81, 6.

umbegurten *swv. umgürten* 33, 4.

umberinc 24, 5. 44, 4. 53, 2.
73, 1. umberinch 36, 4. 53, 1.
stm. Umring.

umbesnîden *stv. umschneiden* (cir-
cumcidere) 64, 3.

umbestictaer *Part. v.* umbestechen,
umsteckt 39, 1.

umbevart 79, 1. umbvart 89, 6.
stf. Umfahrt.

umbgëben *stv. umgeben* 90, 1.

umbvengel *stm.? stn.? Umfang.*
III. 5, 7.

unb *für* umb 80, 4. 82, 2. 93, 4.

unbederbe *Adj. unbieder* (impro-
bus) 66, 3.

unbërhaft *Adj. unfruchtbar* 106, 2.

unbeweget, *Part. v.* bewegen, *un-
bewegt* 107, 4.

unbewollen, *Part. v.* bewëllen,
unbefleckt 45, 2.

unbilde 38, 8. 74, 8. unpilde
41, 7. *stn. Unbild, Unbill.*

unchund *Adj. unkundig* (ignotus)
81, 3.

unde *stf.* (*lat.* unda) *Wasser, Flut*
14, 2.

under *Praep. unter* (sub) 35, 5.
6. (inter) 47, 4.

underdige, underdig *stf. Vermit-
telung, Verwendung für jeman-
den* 39, 2. 97, 5. 113, 4.

underdruchen *swv. unterdrücken*
53, 4.

undergân, undergên *stv. unter-
gehen* 57, 1. 62, 3.

undermischen *swv. untermischen*
(interserere) 26, 3.

undern *swv. unterwerfen* 79, 2.

underpint *stn. Rückhalt, Unter-
bindung* VII, 5, 15.

unterschiden *stv.? swv.? unter-
scheiden* (interpolare) 34, 7.

underscidung *stf. Unterscheidung,
Trennung* 20, 3.

undertrêten *stv. untertreten* (subire)
77, 5.

undertûn *V. anom. unterthun* (sub-
dere) 26, 2. 31, 4. 56, 3.
104, 4.

underziehen *stv. unterziehen, ent-
ziehen* (subtrahere) 41, 4.

unerahticlîch *Adj. unachtbar* (in-
aestimabilis) 87, 4.

ungeboren, *Part. v.* gebêrn, *un-
geboren* 96, 7.

ungehuge *Adj. uneingedenk* 77, 4.
Vgl. gehuge.

ungeleidiget, *Part. v.* leidigen,
unbeleidigt (impune) 41, 7.

ungelîch *Adj.* ,*ungleich* 77, 3.

ungelôbic *Adj. ungläubig* 72, 7.

ungemeilt, *Part. v.* meilen, *un-
befleckt* 36, 3.

ungerûret, *Part. v.* rûren, *un-
gerührt* 37, 4.

ungescheidenlîch *Adj. unscheidbar*
(inseparabilis) 47, 5.

ungestûmlîchen *Adv. ungestüm* (in
praeceps) 22, 1.

ungetriw *Adj. ungetreu* 31, 6.
96, 6.

ungût *Adj. ungut* 21, 3. 43, 1.
65, 5.

unhôhe *Adv. unhoch:* unhôhe he-
ben (flocci pendere) 50, 3.

unpilde *s.* unbilde.

unreinechait *stf. Unreinigkeit* (im-
munditia) 26, 3.

unreinen *swv. verunreinigen* 22, 3.

unsaegelîch *Adj.* 40, 5. -en *Adv.*
36, 1. *unsäglich.*

unsênnic 107, 3. unsinnic 72, 7.
81, 3. *Adj. unsinnig.*

unser *Pron.* pers. *unser* 1, 3. 6
u. o. in vnserre hilfe (in nostro
favore) 95, 4.

unsûber *Adj. unsauber* 1, 6.
24, 4. 79, 2.

unsûber *stf. Unsauberheit* 20, 4.
33, 2.

unsûberheit *stf. Unsauberheit* 24,
4. 74, 12.

unsûbern *swv. unsauber machen*
(sordidare) 1, 5.

untriwe *stf. Untreue* 13, 5. 14, 3.

unuberwunden *Part. v.* uberwin-
den, *unüberwunden* 66, 2.
105, 4.

unvrô *Adj. unfroh* 83, 7.

unwêglîch *Adj. unbeweglich* 8, 1.
17, 1.

unwizzic, unwizzich *Adj. unwis-
sig, unwissend* 66, 6. 75, 1.

unz, unze *Praep. bis* 34, 5. 37,
1. 76, 4. unze ze 82, 1.

unzallich *Adj. unzählig* 47, 2.

upic 47, 2. uppic 14, 4. *Adj.
üppig, eitel.*

upicheit *stf. Ueppigkeit, Eitelkeit*
5, 2.

urchunde *stf. Urkunde* (testimo-
nium) 72, 8.

urchunden *swv. beurkunden* (testari) 36, 4. 44, 6.

urdruʒʒe *stm. Ueberdruss* 2, 1.

urgihtaer *stm. Bekenner* (assertor) 85, 1.

urheben *stv. aufheben* (levare) 38, 5.

urliuge *stn. Geschick* (bellum) 105, 2.

urlosaere *s.* erloeser.

ursprinc *stm. Ursprung, Quell* 42, 1. 50, 3. 71, 2. 76, 5.

urstende *stf. Auferstehung* (anastasis) 64, 2.

urteil *stn. Urtheil* 47, 5. 80, 5. *stf.* VI. 5, 6.

ûʒ *Praep. aus* 23, 1 *u. o.*

ûʒflieʒen *stv. ausfliessen* 28, 3.

ûʒgân, ûʒgên *stv. ausgehen* 23, 2. 31, 3. 32, 1.

ûʒganc *stm. Ausgang* 34, 5.

ûʒgieʒen 41, 5. ûʒgieʒʒen 109, 3. *stv. ausgiessen.*

ûʒlouf *stm. Auslauf* 34, 5.

ûʒnëmen *stv. ausnehmen* (eruere) 17, 1.

ûʒschînen *stv. ausscheinen* (emicare) 42, 4.

ûʒtûn *V. anom. austhun* (exuere) 30, 7.

uʒʒen *Adv. aussen* (extra) 55, 4.

V.

vaener *stm. Fahnenträger* (signifer) 47, 2.

vaeterlich *s.* vaterlich.

vâhen *stv. fangen* 63, 5. 68, 3. 70, 3.

vaige *Adj. verhängnissvoll, feind-*

lich, dem Tode bestimmt V. 3, 2. VI. 5, 7.

val, *Gen.* valles, *stm. Fall* 14, 3. 23, 3.

vallen *stv. fallen* 23, 4. 25, 3. 28, 2, 62, 4. 79, 2. 80, 6.

valsch 72, 8. falsc 14, 4. *Adj. falsch.*

vanchnusse *stf. Gefängniss* 66, 3.

vane *swm. Fahne* 34, 3. 38, 3. 60, 1.

varen *stv. fahren* (viare, pergere, ire, recedere) 2, 2. 10, 2. 65, 7. 8. 81, 2. 95, 5. 112, 3.

vart *stf. Fahrt* 52, 6. 74, 11. 85, 1.

varwe *stf. Farbe* 19, 2. 21, 1. 90, 2.

vasnacht *stf. Fassnacht* IV. 3, 21.

vaste *swf.* 53, 1. 9. 54, 1. 55, 1, 4. 59, 1. 2. *Faste.*

vasten *swv. fasten* 55, 4.

vater *stm. Vater* 1, 9 *u. o. Gen.* vaters 3, 3. 4, 2. 30, 8 *u. o. Gen.* vater 36, 1. 2. 4. 42, 1. 44, 6. 50, 2. 61, 4. 62, 2. 69, 1. 70, 3. 71, 3. 72, 1. 4. 13. 102, 1.

vaterlant *stn. Vaterland* 49, 4.

vaterlîch 13, 1. 15, 1. 62, 6. 105, 5. vaeterlich 1, 5. 62, 6. *Adj. väterlich.*

vaʒ *stn. Gefäss* 44, 7. 77, 3.

vëhen, *Part.* gevecht, *swv. bedrängen* I. 2, 3.

velich 34, 6 *lies* gelich.

verbërgen *stv. verbergen* 2, 6. 32, 2.

verbrennen *swv. verbrennen* 17, 3.

verbringen *V. anom. vorbringen* (proferre) 17, 2.

verchêren *swv. verkehren* (vertere) 20, 4. 77, 4.

verchoufen *swv. verkaufen* 85, 2.

verdamnen *swv. verdammen* 65, 5.

verdërben *stv.* 101, 6. 10. verderben *swv.* 31, 2. 41, 4. *verderben.*

verdrucchen 101, 3. verdruchen 23, 4. *swv. verdrücken.*

vergëben *stv. vergeben* 15, 3. 18, 2. 33, 3. 38, 8. 73, 6. 108, 2.

vergibe, *Imperat. v.* vergëben, 38, 8. 108, 2.

vergieʒen *stv. vergiessen* 59, 3. 83, 2. 113, 3.

verhengen *swv. verhängen, geschehen lassen* 30, 6.

veriagen *swv. verjagen* 35, 8.

veriëhen *stv. bekennen* 31, 4.

verieit, verjait = veriaget.

veriungest *Adv. jüngst* (demum) 32, 4.

verlâ *Imperat. v.* verlâʒen.

verlâʒen, verlân *stv. verlassen, erlassen* 2, 3. 18, 4. 23, 1. 47, 3. 49, 1. 59, 4. 102, 6. 109, 4. 113, 4.

verliesen *stv. verlieren* 37, 2. 38, 5. 56, 2. 74, 3. 81, 4. (damnare) 47, 5.

verlihen *stv. verleihen* 1, 9. 3, 3. 10, 3. 22, 2. 52, 6. 53, 9. 103, 5. (85, 3 *ist das lat.* praestat = *es ist besser, falsch durch* verlihet *übersetzt.*)

verloufen *stv. verlaufen* 22, 3.

vermachen, *swv. vermachen, einwickeln* 74, 4.

vermanen *swv. verachten* (despicere) 51, 2. (spernere) 106, 2.

vermîden *stv. vermeiden* 54, 4.

vernëmen *stv. vernehmen, hören* 104, 2.

vërre *Adj. Adv. fern* 1, 2. 10, 2 *u. o.* von vêrre 33, 1.

verraiten *swv. in Rechnung bringen* (rationem reddere) V. 5, 7.

verrêren *swv versprengen, vergiessen* V. 5, 26.

verrunen *swv. umstürzen* 15, 2.

versagen *swv. versagen* (negare) 49, 2.

verscharen *swv. versehren* IV. 3, 21.

verseit = versaget.

versenchen *swv. versenken* 68, 4.

verslinden *stv. verschlinden, verschlingen* 66, 3.

versmâhen *swv. versmähen* 21, 1. 64, 4. 81, 4. 89, 4. 5. 105, 3. 107, 2. 108, 1.

versmiegen *stv. verbergen* VI. 3, 14.

versperren *swv. ver-, einsperren* 37, 3. 5. 65, 3. 75, 1. 76, 3. 86, 4. 104, 3.

verspierezen *swv. verspeien* XII. 3, 10.

verstân, verstên *stv. verstehen* 1, 2. 37, 5. 74, 4.

vertilegen *swv. vertilgen* 78, 3.

verstoln, *Part. v.* verstëlen, *verstohlen, heimlich* 41, 4.

vertragen *stv. ver-, ertragen* 13, 4. 35, 5. 37, 6. 52, 4. 109, 5.

vertrîben *stv. vertreiben* 1, 2. 4, 2 *u. o.*

vervallen *stv. verfallen* (subruere) 28, 2.

vervaren *stv. verfahren, weggehen* (transire, praeterire) 49, 1. 68, 3. 96, 2.

vervellen *swv. fällen* (obruere)
68, 4.

verwaeisen *swv. verwaisen* (or-
bare) 102, 5.

verwandeln *swv. verwandeln* 43, 4.

verwen *swv. färben* 20, 1.

verwērfen *stv. verwerfen* 83, 3.

verwerticheit *stf. Verderbniss* (cor-
ruptio) 112, 4.

verzîhen *stv. versagen* (negare)
85, 3.

verzucchen *swv. verzucken* (surri-
pere) 11, 3.

vestenen 34, 6. 52, 2. vestinen
71, 4. festen 14, 2. *swv. be-
festigen.*

viand 48, 1. viend 30, 7. 31, 6.
35, 1. 53, 8. 64, 4. 82, 3.
92, 3. vient 10, 3. 11, 3. 43,
2. *stm. Feind.* — *Acc.* viende
(hostem) 91, 3. *Pl.* viend (ho-
stes) 95, 5.

vient *Adj. feind* 39, 2.

vierd, *Ordinalzahlw., vierte* 20, 2.

vierlîch *Adj. feierlich* (feriatus)
64, 5. (celeber) 68, 1.

viern *swv. feiern* (celebrare) 102, 9.

vierstund *Adv. viermal* 53, 1.

vierzectagelîch *Adj. vierzigtägig*
(quadragenarius) 59, 1.

vil, *Adj. viel, steht oft vor Adj.,
um den latein. Superlativ aus-
zudrücken; s.* 14, 3. 20, 1. 3.
37, 8. 43, 5. 53, 1. 59, 4.
62, 4. 63, 3. 65, 2. 6. 11.
66, 5. 68, 3. 73, 5. 78, 2.
79, 4. 87, 3. 92, 3. 93, 2.
98, 4. 101, 2.

vinden *stv. finden* 14, 4. 41, 6.

vinger *stm. Finger, Anzeiger* (di-
gitus, index) 71, 3. 74, 7.

vingerlein *stn. Fingerring* IV. 1, 4.

vinster *Adj. finster* 99, 3.

vinster *stf. Finsterniss* 2, 3 *u. o.*

vinsterheit *stf. Finsterniss* 22, 1.

virzeczallîch *Adj. vierzigzählig*
(quadragenarius) 55, 1.

viur, vivr 27, 2. 71, 2. 72, 4.
81, 5. 89, 1. 94, 2. 102, 10.
fivwer 1, 6 *u. o.* fivr 6, 2.
14, 2. *stn. Feuer.*

viûrîn, vivrîn *Adj. feuerig* 20, 1.
2. 29, 1. 54, 2. 68, 5.

vlêge *stf. Flehen, Bitte* 16, 3.

vlêgelîch *Adj.* 28, 3. 29, 2. 31, 1.
40, 6. 44, 7. 53, 5. 62, 1
u. o. fleglich III. 3, 6. vlêg-
lîche 86, 5. vlegelîchen 96, 3.
Adv. flehentlich.

vlêgelîchaer *Gen. pl. v.* vlêgelîch.

vlêgen *swv. flehen* 50, 4. 89, 7.

vlêgic 12, 4. 80, 8. 81, 5. 8.
flêgic 5, 1. *Adj. flehend.*

vleisc 1, 8. 34, 2. vleisk 34, 6.
37, 2. vleisch 37, 2. 57, 3.
fleisk 5, 3. fleisc 11, 3. *stn.
Fleisch.*

vleischhacher *stm. Fleischhacker,
Mörder* 41, 1.

vleisclîch *Adj. fleischlich* 62, 3.

vliehen 49, 3. vlihen 74, 5. vliu-
hen 102, 6. fliehen 94, 3. *stv.
fliehen.*

vliezen 106, 5. fliezen 86, 4.
stv. fliessen.

vlîzen *stv. befleissen* 40, 2. 76,
4. 106, 1.

vluz 41, 7. *Pl.* vluzze 14, 1.
stm. Fluss.

vogel *stm. Vogel* 16, 1. 37, 6.
Gen. vogeles 94, 4.

vol *Adj. voll* 46, 1. 95, 2. 101, 6.
vollew I. 12, 2.

vol chomen *stv. vollkommen* (per-
venire) 109, 2.

vol gëlten *stv. voll gelten* (per-
solvere) 96, 6.

vol leiten *stv. voll leiten* (per-
ducere) 108, 1.

vol stân, stên *stv. voll stehen*
(perstare) 53, 3.

volc 38, 5. 98, 4. 102, 3. 110, 1.
volch 88, 4. 93, 4. *stn. Volk.*

volgen *swv. folgen* 38, 4. 48, 2.
106, 2.

volleclîch *Adj. völlig, Comp.* vol-
leclîcher (plenius) 76, 4. 112, 4.

von *Praep. von* 1, 3. 6 *u. o.*

vonem = von dëm 34, 5.

vor *Praep. vor* (coram) 47, 5.
(ante) 41, 1. 51, 4.

vorder *Comp. zu* vor *vorder*: vor-
deren tages (pridie) 40, 3.
Superl. vorderste 100, 2.

vorgengel *stm. Vorgänger* VIII. 2,
29. *Vgl.* nâhchomel.

vorhte *swf. Furcht* 30, 7. 102, 5.

vorleiten *swv. vorleiten, voran-
gehen* 43, 2.

vorsagelîch *Adj. vorhersagend*
(praesagus) 74, 7.

vorsagen *swv. vorhersagen* 35, 2.
37, 5. 51, 3. 65, 6.

vorschen *swv. forschen* 32, 3.

vorsëhen *stv. vorsehen.*

vorseit = vorsaget.

vorsihtic *Adj. vorsichtig* 63, 1.

vortragen *stv. vortragen* 53, 2. 77, 1.

vorwëge *Adj. vorweggehend* (prae-
vius) 97, 3.

vorwîse *Adj. vorweisend* (prae-
vius) 44, 2.

vorwiʒʒeʒ *Adj. vorwissend* (prae-
scius) 98, 1.

vransmûten *swv. fördern* (secun-
dare) 99, 2.

vreise *stf. Gefahr* 88, 1. 4. frais
V. 4, 6.

vrevde 26, 4. 46, 3. 47, 2. 51,
1. 54, 1 *u. o.* vrovd 88, 5.
vrovde 78, 3. 80, 1. 84, 3.
88, 1. 90, 3. 95, 7. *stf. Freude.*

vreven, vrevn 36, 4. 37, 7. 38,
5. 45, 3. 52, 6. 65, 1. vrewen
28, 1. vroven 82, 3. 86, 1.
froven 17, 4. *swv. freuen*

vreʒʒen *stv. fressen* 81, 3.

vrî 37, 2. 49, 4. 56, 3. 66, 3
u. o. Adj. frei.

vride 26, 4. 52, 2. 71, 5 *u. o.*
fride 7, 2. 86, 6. 87, 4. 91,
2. 94, 1. 7. *stm. Friede.*

vriden *swv. befrieden* (pacare)
87, 4.

vristmal *stn. Fristmal, Raum* (spa-
tium) 74, 8.

vriundinne *stf. Freundin* 113, 3.

vriunt *stm. Freund* 54, 3.

vrô 67, 2. 68, 2. 102, 10. 105,
1. 107, 1. 110, 1. frô 13, 6.
7. 78, 2. *Adj. froh.*

vrôlîch *Adj. fröhlich* 101, 6.
111, 2.

vrovde *s.* vrevde.

vroven *s.* vreven.

vrowe *swf. Frau* 52, 2. 83, 6.
Herrin 87, 1. 90, 4. I. 5 *f.*
vrawe.

vrû *Adv. früh* (mane) 29, 2.

vrumen *swv. frommen, nützen* 41, 7.

vucher *s.* wucher.

vuge 101, 5. füge 1, 6 *stf. Fuge,
Zusammenfügung.*

vûgen 71, 5. 77, 2. 101, 2. 4.
105, 6. fûgen 9, 2. *swv. fügen.*

vùhten *swv. feuchten* 79, 3.

vullen *swv. füllen* 17, 4.

vurbringen *V. anom. vorbringen*
13, 1. 8. 35, 4. 8. 40, 2.
52, 3 *u. o.*

vûren *swv. führen* 14, 4. 37, 6.
56, 2. 75, 3. 76, 4. 101, 8.
weiden (pascere) 37, 6.

vurgân, vurgên *stv. vorgehen* 13,
8. 32, 1. 34, 4, 46, 2. 60, 1.
77, 8.

vurhten *swv. fürchten* 38, 6. 43,
1. 113, 3.

vurleiten 26, 1. vurleitten 9, 1.
swv. vorleiten (producere, pro-
ferre).

vurnëmen *stv. vornehmen, vor-
ziehen* 38, 3. 4.

vurste *swm. Fürst* 37, 1. 41, 3.
48, 2. 63, 1. 89, 4. 90, 3.
92, 2. 105, 2. 4.

vurstlich *Adj, fürstlich* (principa-
lis) 29, 1.

vurvaren *stv. vorfahren, auftau-
chen* (mergere) 87, 2.

vûʒ *stm. Fuss* 65, 2. 7. 79, 3.

vûʒspor *stn. Fussspur* 77, 4.

vûʒstaph *stm. Fussstapfe* 74, 12.

W.

w *für* b *s.* XI. 1, 1. XII. 5, 15.

wachen *swv. wachen* 3, 1. 11, 4.
16, 2 *u. o.*

wadelen *swv. unstät sein* 20, 2.
53, 4. 102, 8.

waen, waejen *swv. wehen* 34, 7.

waenen *swv. wähnen* 77, 8.

waenic *s.* wênic.

waerliche, waerlichen *Adv. wahr-
lich* 63, 5. 95, 8.

wâfen *swv. waffnen* 89, 4. 107, 3.

wâc *stm. Wog* (gurges) 23, 1.
43, 3.

wâge *stf. Wage* 60, 5. 81, 3.

wagen *stm. Wagen,* wagene (curru)
54, 2.

wahsen *stv. wachsen* 91, 2.

wallen *swv. wallen* (fervere) 14, 5.

wambe *stf. Wambe, Bauch, ohne
allen verächtlichen Nebensinn*
34, 3. 37, 5. 75, 1. 83, 5.

wan 106, 5. wand 24, 2. 38, 3.
75, 5. 93, 2. 106, 1. 2. wann
III. 2, 4. *Conj. denn* (nam,
namque, enim). wand daʒ (quia)
65, 4.

wand *stf. Wand* 101, 5.

wandelen *swv. wandern, ändern*
52, 2.

wann *s.* wan.

wâr *Adj. wahr* 7, 2 *u. o.*

wârhaft *Adj. wahrhaft* 7, 1.

wârheit *stf. Wahrheit* 85, 1.

wârlich *Adv. wahrlich* (namque)
82, 2.

warter *stm. Warter, Späher* 22, 4.

wascen 1, 7. waschen 17, 3. 60,
2. 78, 1. *stv. waschen.*

wât *stf. Kleidung* V. 2, 5.

wâten *swv. kleiden* (vestire) 30, 1.

waʒʒer *stn. Wasser* 14, 1 *u. o.*
waʒʒere (flumine) 49, 5.

wecchere *stm. Wecker* 16, 1.

wêch 2, 3. 34, 4. 38, 2. 94, 1.

wëg 2, 2 *u. o. stm. Weg.*

wechen 2, 2. 94, 4. wekchen
2, 5. *swv. wecken.*

wēder — noch *Conj.* VII. 1, 3.
(wēder) — noch V. 3, 13.
VII. 3, 12. 5, 24.
wēgung *stf. Bewegung* 17, 3.
wēhsel *stm. Wechsel* 32, 3.
wēhselen *swv. wechseln* 92, 1.
weib *s.* wib.
weide *stf Weide* 17, 2.
weinen *swv. weinen* 7, 2 *u. o.*
wēlch *Pron. interr. welch* 106, 5.
wēlist *stf. Arglist* (fraus) 41, 4.
wēlistic *Adj. hartnäckig* (pervicax)
102, 6.
wellen *V. anom. wollen* 49, 2.
61. 2. 77, 5. 94, 6.
wer *Pron. interr. wer* (quis) 77, 8.
wērch *stn. Werk* 1, 5. 8 *u. o.*
wērd, wērt *Adj. werth* 60, 4.
63, 5. 66, 4.
wērden *stv. werden* 12, 4. 36, 3
u. o. Praet. er wurt 81, 5.
wart 81, 6. du wurdest, sie
warden XI. 4, 6. 9, 6. — daʒ
wort ist vleisk worden 34, 2.
ist bringer worden (lator factus
est) 54, 2. wage worden ist
(statera facta est) 60, 5. des
himel tor bist worden 83, 7.
— geworden ist mennisk 35, 6.
Vgl. Grimm IV, 15.
wēreld 36, 4. 110, 5. wērld, wērlt
5, 4. 19, 1. wērelt 68, 6. 95,
10. 101, 9. wērlte 1, 1. 9.
3, 3. 46, 1. 76, 2 *u. o.* wērldi
32, 1. *stf. Welt.*
wēren *swv. währen, dauern* (vi-
gere) 102, 11.
wērfen *stv. werfen* 67, 5.
wērld, wērlt *s.* wēreld.
wērltlich *Adj. weltlich* 51, 2.
wern *swv. wehren, verbieten* 16, 3.

wērst *du wirst* 12, 4. *s.* wērden.
wērven *stv. werben* (poscere) 47, 5.
(mereri) 58, 2.
wēseheit *stf. Wesenheit* 34, 4.
wib 65, 6. weib I. 9, 1. *stn.
Weib.*
wideraveren *swv. wiederholen* (re-
volvere) 95, 10.
widerbrēchen *stv. widerbrechen* 5, 2.
widerbringen *V. anom. wieder-
bringen* 5, 4. 64, 5. 73, 1.
89, 6. 110, 3.
widerchēren *swv. wiederkehren*
(reverti) 55, 2.
widerchomen *s.* widerchumen.
widerchoufen *swv. wiederkaufen*
(redimere) 70, 3.
widerchumen 2, 6. 19, 2. 58, 3.
63, 6. 68, 3. widerchomen
49, 1. 64, 4. 67, 3. 102, 2
stv. wiederkommen.
widerganc *stm. Wiedergang, Wie-
derkehr* 34, 5.
widergēben *stv. wiedergeben* (red-
dere) 1, 3. 30, 2. 32, 3. 59,
2. 63, 5. 64, 2. 3. 66, 3.
83, 7. 89, 6. 104, 4. 112, 2.
widergieʒen *stv. wiedergiessen* (re-
fundere) 2, 6.
widerleiten *swv. wiederleiten* (re-
ducere) 56, 2. 70, 3.
widerlouf *stm. Wiederlauf, Rück-
lauf* 20, 2. 34, 5.
widerloufen *stv. widerlaufen* (oc-
currere) 72, 8.
widermachen *swv. wiedermachen*
(reformare) 74, 3.
widerschēllen *stv. wiederschallen*
101, 1. 104, 1.
widerschepfen *swv. wiederschaffen*
(reformare) 98, 2.

widerscînen *stv. wiederscheinen*
(refulgere) 2, 8.

widerstân, widerstên *stv. wider-
stehen* (derogare) 98, 3.

widerstôʒen *stv. wider-, abstossen*
(retundere) 43, 4.

widervaren *stv. wiederfahren,
widerfahren, begegnen* 2, 6.
72, 4.

wie *Adv. wie* (quam) 38, 4.
84, 4.

wiege *swf. Wiege* 44, 2.

wîhen *swv. weihen* 402, 3. 44.
403, 3.

wilcheit *stf. Beschaffenheit* (qua-
litas) 32, 4.

wîle *stf. Weile, Stunde* (hora,
mora, momentum) 4, 4. 48, 2.
27, 3. 56, 2. 57, 4. 58, 4.
89, 5. 98, 3.

wîle 45, 4. wîlen 32, 4. 42, 4.
wîlent 36, 3. *Adv. weiland,
ehedem.*

wille *swm. Wille* 405, 5. gûter
wille (devotio) 77, 6.

willic 39, 2. 45, 4. 47, 5. 68,
4. 76, 5. 79, 4. 95, 2. wil-
lig 405, 4. *Adj. willig.*

willichlîchen (devote) *Adv. zu*
willic 48, 4.

wîn *stm. Wein* 43, 4.

winch *stm. Wink* 34, 4.

winchel *stm. Winkel* 404, 5.

wind *stm. Wind* 402, 8.

windesbrût *stf. Windsbraut, Wir-
belwind* 44, 4. 402, 8.

wirdic 400, 4. wirdich 95, 7.
Adj. würdig.

wirdichlîchen *Adv. würdiglich*
59, 5.

wirdikhait *stf. Würdigkeit* IV. 4, 2.

wirs, *sup.* wirsest, *Adj. schlimm*
27, 2. 53, 4.

wirserunge *stf. Aergerniss* (scan-
dalum) 98, 5.

wirtschaft *stf. Wirthschaft* (epula)
444, 2.

wis *Imperat.* = *sei* 59, 3. 60, 6.
62, 4. 79, 5. 88, 4. 90, 4.
5. 98, 4. 444, 3.

wîsaer *stm. Weiser* (index) 75, 4.

wiscen *swv. wischen* 79, 3.

wîse *swf. Weise* (tenor) 81, 5.

wîsheit *stf. Weisheit* 75, 5.

wissage, wissag *swm. Weissager*
4, 2. 48, 3. 35, 2. 42, 4.
53, 2. 60, 3. 74, 7. 95, 7.

wissagelîch *Adj. weissagend* 75, 4.

wissagen *swv. weissagen* 75, 3.

wissagunge *stf. Weissagung* 77, 4.

wit *Adj. weit* 74, 8. 89. 4. wîten
Adv. (passim) 89, 4.

wîte *stf. Weite* (amplitudo) 66, 4.

witze *s.* wîʒe.

witzen, wizzen, wiʒʒen *V. anom.
wissen* 4, 2. 43, 5. 7. 47, 4.
48, 3. 35, 2. 40, 4. 45, 4 *u. o.*

witzic *Adj. witzig* (prudens) 440, 2.

wîʒ *Adj. weiss* 63, 4. 402, 7.

wîʒe 47, 2. 55, 3. 65, 2. 5. 68,
5. 404, 2. 403, 4. 405, 3.
409, 3. 443, 3. witze 84, 2.
89, 5. *stf. Verweis, Strafe.*

wîʒen 402, 40. wîʒʒen 33, 4.
swv. strafen.

wîʒenaer *stm. Strafer* 407, 3.

wîʒigaer 84, 3. wîʒʒigaer 82, 3.
stm. Strafer.

wîʒegen *swv. strafen* 84, 5.

wol *Adv. wohl* (bene) 406, 4. 5.

wollust *stf. Wollust* 27, 2. 95, 2.

wonen *swv. wohnen, bleiben* 25, 4.
34, 3. 49, 3. 69, 2. 74, 4.

wonuìg *stf. Wohnung* (status)
95, 1.

wort *stn. Wort* 13, 8. 26, 2.
32, 1. 35, 3. 37, 4. 40, 5.
53, 3 *u. o.*

wûcher 17, 2. 34, 2. 35, 4. 74, 10.
78, 1. 94, 5. vucher 81, 3.
stm. Wucher, Zunahme, Frucht.

wûcherhaft *Adj. wucherhaft* (fructuosus) 53, 9.

wunde, wunte *swf. Wunde* 17, 3.
24, 2. 62, 2. 65, 10. 112, 4.

wunden *swv. verwunden* 60, 2.

wunder *stn. Wunder* 51, 3. 72, 5.
74, 1. wunder nëmen (mirari)
34, 1.

wunderlîch *Adj. wunderlich* (mirabilis) 89, 3.

wundern *swv. wundern* 72, 6.
83, 3.

wunscen 94, 6. wunschen 45, 3.
swv. wünschen.

wurze *swf. Wurz, Wurzel* 35, 4.

wurzen *swv. Wurzeln treiben*
(radicare) 25, 5.

wûste 74, 9. wûste 74, 5. *stf.*
Wüste.

wûten *swv. wüthen* 38, 6. 107, 3.

wûtrich 41, 3. wûtrich 63, 6.
85, 2. 89, 5. *stm. Wütherich.*

Z.

zaeher *stm. Zähre* 33, 3. 59, 3.
79, 3.

zaeigen *s.* zeigen.

zal *stf. Zahl* 58, 1. 73, 4. 95, 7.

zamen *swv. zähmen* 113, 2.

zanken *swv. zerreissen* (laniare)
81, 6.

zant *stm. Zahn* 13, 4. 81, 6.
107, 3.

zaphûren *s.* zervûren.

zarlust *s.* zartlust.

zarnen = ze arnen 89, 3.

zartlust *stm. Zartlust, Schmeichelei*
(blandimentum) 89, 5.

ze *Praep. zu* 44, 2. 47, 1. 59,
5. 68, 1. 2 *u. o.* zû, zu 34,
5. 55, 2. ze *steht vor dem*
scheinbaren Inf., um das latein.
Part. fut. pass. zu umschreiben:
zechrônen (laureandus) 81, 7.
zarnen (promerendus) 89, 3.
zescrîben (scribendus) 75, 4.
zevurhten (venerandus) 38, 6.
ze ûben (colendus) 59, 5. 102,
2. — *auch um das lat. Sup.*
zu umschreiben: ze sagen (dictu)
89, 3. — *auch um das lat.*
Gerund. zu umschreiben: ze
beiëhen (ad confitendum) 18, 2.
ze begën (ad gerendum) 18, 3.
Vgl. G r i m m IV, 60.

zebrëchen *stv. zerbrechen* 19, 2.
63, 5. 65, 2. 106, 3.

zëche *stf. Einrichtung* (vices) 7, 1.

zechnussen *swv. zerknirschen* 55, 4.

zedruchen *swv. zerdrücken* 92, 2.

zefueren *s.* zervûren.

zëhen *Zahlw. zehn* 53, 1. 74, 10.
zëhener 44, 4. zëheniu 35, 6.

zëhenzigest *Zahlw. der hundertste*
74, 10.

zeichen *stn. Zeichen, Wunder* 20,
3. 51, 3. 72, 8. 88, 1. 94, 5.

zeigen 38, 5. 44, 2. 89, 6. 54,
1. 65, 10. zaeigen 34, 1. 52,
4. 65, 10. *swv. zeigen.*

zeiner = ze einer 74, 7.

zeiungest *Adv. zujüngst* (tandem) 32, 2.

zeleste *Adv. zuletzt* (tandem) 53,8.

zellen *swv. zählen* (ducere) 53, 1.

zeloesen, zelôsen *s.* zerloesen.

zem = zuo dëm 33, 4.

zëmen *stv. ziemen* 85, 1.

zër = zuo dër 59, 2.

zergân, zergên *stv. zer-, vergehen* 30, 3. 73, 4.

zerganclîch *Adj. zer-, vergänglich* 32, 1. 47, 3. 53, 7. 109, 2.

zerîben *stv. zerreiben* 5, 3.

zerloesen 65, 4. 71, 5. 75, 4. 76, 3. 104, 3. zerlôsen 26, 4. 62, 2. 74, 1. zeloesen 30, 2. 52, 3. zelôsen 2, 7. 20, 4. 26, 4. 46. 3. 52, 5. 62, 2. 75, 4. *swv. zer-, auflösen.*

zerren *swv. zerreissen* (lacerare) 106, 3.

zerste = ze êrste *Adv. zuerst* 12, 2.

zervûren 102, 8. zevûren 14, 2. 16, 4. 64, 3. zefueren 14, 2. zaphûren 41, 7. *swv. zerführen.*

zesamchêren *swv. zusammenkehren* (conjurare) 38, 6.

zesamene giez̧en *stv. zusammengiessen* 19, 1.

zesamen loufen *stv. zusammenlaufen* 77, 8.

zeschutten *swv. zerschütten* 2, 8.

zestôren *swv. zerstören* 76, 4.

zëswe, zësewe *Adj. recht* (dexter) 1, 3. 11, 4. 25, 2. 61, 4. 67, 5. 69, 1. 70, 3. 71, 3.

zetrëten *stv. zertreten* 65, 2.

zevûren *s.* zervûren.

ziehen *stv. ziehen* 22, 1.

zier, ziere *stf. Zier, Zierde* 88, 2. 91, 1.

zierde *stf. Zierde* 45, 5. 65, 3.

zieren *swv. zieren* 60, 4. 74, 10. 76, 1. 90, 2. 95, 1. 101, 1.

zierlîch *Adj. zierlich* 20, 1. 30, 1. 60, 4. 72, 4. 112, 2.

zil *stn. Ziel* (stadium) 95, 9.

zimbern *swv. zimmern, bauen* 7, 1. 101, 1.

zît *stf.* 2, 1. 3, 1 *u. o. stn.* 1, 4. 24, 2. 31, 6. 32, 1 *u. o. Zeit.*

zorn *stm. Zorn* 53, 5. 85, 2.

zornich *Adj. zornig* 81, 3.

zů *s.* ze.

zubringen *V. anom. zubringen* (afferre) 63, 4.

zuchen *swv. zucken, wegziehen* 23, 2. 38, 3. 41, 3. 44, 8.

zuchumen 101, 7. zûchumen 32, 3. 104, 5. *stv. zukommen* (advenire).

zûchunft *stf. Zu-, Ankunft* 36, 5.

zûchunftic *Adj. zukünftig* 74, 7.

zûdenchen *V. anom. zudenken* (intendere) 19, 3.

zûdwingen *stv. zuzwingen* (adstringere) 26, 4.

zugel *stm. Zügel* 75, 4.

zun vns *zu uns* III. 1, 9.

zunden *swv. zünden* (accendere) 81, 5.

zunge *swf. Zunge* 5, 2. 6, 2. 12, 1. 22, 3.

zuscëllen *stv. zu-, erschallen* (insonare) 5, 2.

zûslîfen *stv. zugleiten* (illabi) 28,1.

zûstân, zûstên *stv. zustehen* (adsistere) 15, 1. 91, 5.

zůversiht, zuoversiht *stf. Zuver-sicht* 2, 6. 88, 1. 94, 1.

zůvůgen *swv. zufügen* (jungere, ad-, conjungere) 39, 2. 40, 4. (adponere) 108, 2.

zůwësen *V. anom. da sein* (adesse) 11, 6. 12, 1.

zwey *stm. Zweig* V. 1, 24.

zwêne *Zahlw. zwei* 76, 5. 99, 4.

zwisbild 74, 10. 113, 2. zwispild 34, 4. 76, 5. *Adj. doppelt* (duplicatus, geminae).

zwivelen *swv. zweifeln* 48, 2. 74, 3.

Inhaltsverzeichniss.

a) Anfangszeilen der lateinischen Lieder.

b) Anfangszeilen der deutschen Lieder.

Verbessernngen.

S. 152. *Str.* 6, 2 *l.* swärn.
„ 152. „ 2, 4 „ tod.
„ 153. „ 4, 2 „ not.
„ 155. „ 7, 5 „ weissen.
„ 156. *Z.* 12 *u.* „ ze swär.
„ 158. „ 11 *o.* „ vmb.
„ 158. „ 12 *o.* „ der was ein v̈bl.
„ 158. *Str.* 4, 2 „ chunigs.
„ 159. *Z.* 9 *u.* „ parideis.
„ 164. *Str.* 13, 4 „ here.
„ 166. „ 7, 2 „ dem.
„ 168. „ 12, 4 „ ein.
„ 174. „ 3, 3 „ nement.
„ 175. „ 5, 4 „ die dar.
„ 177. „ 2, 6 „ ee.
„ 185. „ 13, 3 „ geiste.
„ 186. „ 3, 2 „ geists.
„ 188. *Z.* 3 *o.* „ geistleich.
„ 188. „ 12 *u.* „ an trawren.
„ 189. „ 7 *u.* „ ainem.
„ 190. „ 1 *o.* „ vinden.
„ 190. „ 7 *o.* „ christen.
„ 191. „ 21 *o.* „ götlicher.
„ 192. „ 3 *o.* „ der vns.

S. 193. *Str.* 1, 5 *l.* gefürt.
„ 193. „ 2, 5 „ horet.
„ 197. „ 9, 9 „ ain. ·
„ 197. „ 10, 7 „ nimermere.
„ 199. „ 4, 2 „ seyn aiu.
„ 199. „ 4, 3 „ weyb.
„ 199. „ 4, 4 „ deiner.
„ 199. „ 9, 4 „ jn.
„ 200. „ 2, 1 „ wardt.
„ 201. „ 5, 2 „ seinen.
„ 201. „ 8, 4 „ al dein.
„ 202. „ 4, 1 „ geheiligt.
„ 203. „ 9, 5 „ christenlichen.
„ 203. „ 9, 6 „ behẅtt.
„ 204. „ 5, 1 „ crist.
„ 205. „ 2, 3 „ got.
„ 206. „ 5, 9 „ das ich.
„ 206. „ 5, 10 „ dein.
„ 206. „ 7, 7 „ sochss.
„ 224. „ 13, 3 „ deine.
„ 233. *letzte Z. u. füge bei:* „öfters in XXV. XXVII. XXX. XXXII. *Seite* 190. 191. 192. 198. 201. 202. 205.